NOTICE SU
LA VIE ET LES TRAVAU
HUMBERT.[

Jean-Pierre-Louis Humbert naquit à Genève le 30 mars 1792. Il trouva dès le début de la vie, dans la maison paternelle, le double intérêt qui devait remplir toute sa carrière: l'étude et l'éducation. Il fut un des plus brillants élèves de l'institution que dirigeait son père, et la pétulance enjouée de son jeune âge se transformant à propos en une sorte de vivacité conquérante, il remporta au collége, dans ces luttes de l'émulation dont il devait plus tard signaler les excès, de nombreuses couronnes.

Cependant, ni le désir, ni la possession du triomphe n'éveillaient en lui l'esprit de jalousie ou celui d'orgueil. Il eut dès son adolescence, et il conserva toujours la passion du succès; mais une fois le but atteint, l'ambition faisait place à la modestie, et toute sa vie Humbert a pris plus de peine pour mettre en relief les succès d'un condisciple ou d'un ami, que pour faire valoir les siens. Dès le collége, c'était pour lui une bonne fortune que d'être le premier à apprendre à ses camarades les prix ou les honneurs qui leur étaient échus. Cette disposition généreuse, une humeur facile, une gaîté communicative lui concilièrent de nombreux amis parmi ses compagnons d'études, en même temps que ses qualités intellectuelles distinguées lui assuraient dans l'Académie, dont il suivit avec ardeur l'enseignement littéraire, une place honorable.

Grâce à la variété et à la souplesse de son esprit, Humbert pouvait mener de front et les travaux qu'exigent les études classiques supérieures, et les œuvres moins sérieuses que fait éclore le don de la versification. Il écrivit dans sa jeunesse, et il imprima plus tard, beaucoup de poésies, mais il se refusa toujours les qualités du poëte. Il ne voyait dans tous ces essais en vers d'autre avantage que de varier les styles, enrichir le langage, assouplir les phrases, et habituer à mieux écrire en prose.

Cependant les facultés remarquables et les dispositions heureuses du jeune étudiant ne permettaient pas de le retenir dans l'institution de son père comme simple auxiliaire. Les preuves mêmes qu'il y avait données de son aptitude pour l'enseignement étaient un motif de plus de favoriser, par de nouveaux moyens, la culture de son esprit et l'extension de ses connaissances. Humbert avait en lui l'étoffe d'un savant. Son goût pour les littératures anciennes et pour les langues orientales avait pris, au travers de ses autres études, un caractère toujours plus prononcé, et Genève ne pouvait pas lui offrir sous ce rapport de suffisantes ressources.

Aussi, après avoir terminé ses cours de théologie, et avoir été consacré au saint ministère, il prit avec joie la route de l'Allemagne et vint s'établir à Göttingen, l'une des universités les plus richement dotées à cette époque d'érudits illustres. Humbert mit à profit, avec toute l'ardeur et toutes les forces d'une jeunesse pleine de sève, les sources d'instruction qui lui étaient ouvertes. Une étonnante capacité de travail lui permettait de suivre tout à la fois l'étude de l'allemand, les leçons privées et publiques d'orientalistes fameux, Tychsen et Eichhorn, et l'enseignement supérieur de la littérature grecque, donné par Dissen et Schulz.

Un tel régime, incessamment suivi pendant plus d'une année, aurait pu facilement devenir indigeste, mais l'esprit d'Humbert, essentiellement net et précis, loin de se laisser écraser sous l'entassement des connaissances, s'appropriait au contraire avec méthode et sagacité, les richesses que lui versait l'étude. Le séjour de Göttingen, en lui donnant plus de savoir, en lui fournissant surtout les moyens d'en acquérir davantage, ouvrit à son intelligence un plus vaste horizon, et il apprit à concevoir d'un point de vue plus élevé et plus étendu, les devoirs qu'impose la science à ceux qui veulent la prendre au sérieux. C'était bien dans cet esprit qu'Humbert entendait se vouer à la culture des lettres, et il ne voulut rien négliger de ce qui pouvait l'en rendre digne. Un progrès était pour lui le motif d'un progrès nouveau.

A l'érudition allemande profonde, subtile, abstruse, il sentit le besoin de faire succéder, comme complément et contre-poids, l'érudition française, non moins solide, mais plus claire, plus élégante, plus simple et plus d'accord à tous égards avec la nature de son propre esprit. Quittant Göttingen, d'où il emportait de précieux et durables témoignages d'estime et d'affection, il vint à Paris, où régnait alors, dans l'enseignement des langues orientales, celui qu'une admiration incontestée avait fait nommer le *prince des orientalistes*, le célèbre Sylvestre de Sacy. Humbert devint un de ses élèves les plus zélés et les plus assidus, et il retira des leçons de ce maître, aussi remarquable par l'inépuisable fécondité de son savoir, que par la justesse et la clarté de son intelligence, d'inappréciables fruits. Sous sa direction, et avec le secours d'autres orientalistes distingués, Humbert se livra à l'étude des principales langues sémitiques, sans négliger les travaux de philologie grecque, pour lesquels il trouvait, dans l'enseignement du professeur Hase, de précieuses lumières.

Grâce à tant de ressources et à l'infatigable entrain qu'il apportait au travail, Humbert voyait s'accroître le trésor de connaissances qui devait lui permettre un jour d'occuper lui-même une place parmi les hommes d'élite livrés à la culture savante des lettres. Mais s'il sentait très-vivement le prix du savoir, il ne perdait pas de vue qu'il y avait pour lui non moins d'importance à compter dans cette république littéraire des protecteurs et des amis. Il réussit aisément, par les aimables qualités de son caractère et de son esprit, à se concilier

Nouveau Glossaire Genevois

Tome 1/2

Jean Humbert

Alpha Editions

This edition published in 2023

ISBN : 9789357959728

Design and Setting By
Alpha Editions
www.alphaedis.com
Email - info@alphaedis.com

Contents

l'attachement de littérateurs distingués, avec lesquels il soutint dès lors d'utiles et constantes relations, et au nombre desquels il suffit de nommer MM. Droz, Nodier, Leclerc, Magnin, Matter, Burnouf, tous de l'Institut de France.

Le temps qu'Humbert avait passé loin de Genève n'avait donc pas été perdu. Après une absence de plus de deux années, pendant lesquelles son esprit, dans toute sa force et toute sa fraîcheur, avait beaucoup joui et beaucoup profité, il put revenir dans sa ville natale avec le sentiment qu'il s'était rendu capable de concourir pour sa part au renom littéraire de son pays. Cette pensée avait toujours été l'un de ses plus puissants mobiles, et une sorte d'ambition patriotique s'associa toujours dans ses travaux à ses désirs de réussite. Désormais fixé dans sa patrie, où de nouvelles affections et de nouveaux devoirs ouvraient devant lui un heureux avenir, Humbert voyait une double carrière offerte à son activité, celle de l'érudition et celle de l'enseignement. L'une et l'autre se présentaient à lui avec un égal attrait, et il se résolut à les parcourir du même pas. L'histoire de sa vie n'est que celle de ses travaux dans ce double champ d'occupation.

Dès son retour, Humbert avait pris la direction de l'institution de son père, et il y avait fait circuler cette vie et cette animation, que la sympathie pour la jeunesse et son ardeur naturelle le rendaient plus qu'un autre capable d'éveiller. On pouvait reconnaître en lui, et des qualités charmantes, rares chez l'instituteur, et les dons les plus essentiels de cette profession. A côté de la tâche qu'il remplissait con amore au milieu des élèves du pensionnat, Humbert débutait dans la carrière d'auteur par deux productions littéraires de nature très-différente. L'une était le *Coup d'œil sur les poëtes élégiaques français, depuis le dix-septième siècle jusqu'à nos jours*; l'autre était l'*Anthologie arabe ou choix de poésies arabes inédites*.

Ces deux ouvrages, dès longtemps épuisés, parurent presque simultanément en 1819. Le premier rentre dans un genre de composition très-cultivé dès lors, l'histoire littéraire; s'il a perdu par cela même un certain mérite de nouveauté, on y retrouve dans les jugements critiques cette justesse de goût et cette vigueur de bon sens qui ont toujours caractérisé les appréciations littéraires de l'auteur. L'*Anthologie* était un livre plus important, où le savoir et le talent d'Humbert se montraient sous un jour très-favorable, et qui lui assurait parmi les orientalistes une place distinguée. «Ce choix, dit M. Vaucher, de poésies tantôt véhémentes et passionnées, tantôt molles et gracieuses, quelquefois morales et sentencieuses, dont plusieurs étaient inédites, et qui étaient accompagnées d'une traduction française aussi fidèle que le permettait le génie de la langue, d'une version latine littérale, et d'un commentaire historique, critique et philologique, révéla chez J. Humbert non-seulement un savant orientaliste, mais encore un écrivain élégant et correct, un littérateur d'un goût délicat, et un bon humaniste.»

Humbert avait alors vingt-sept ans, et tout semblait sourire à ses vœux. Il se sentait en pleine possession de ses forces, et il livrait toutes ses voiles au vent. Le travail lui était agréable et facile, la fatigue lui était inconnue, et il ne reculait devant aucun effort, quand il s'agissait d'atteindre un but auquel il croyait glorieux d'arriver. Parmi tous ceux qui pouvaient lui être offerts, nul ne lui paraissait plus désirable que d'obtenir dans l'enseignement académique une place qui lui permît de donner un complet essor à ses goûts littéraires et à son talent pour l'instruction. La chaire de littérature ancienne, devenue vacante l'année même où il avait publié ses premiers écrits, réalisait tous les souhaits qu'il pouvait former, et il ne voulut rien négliger de ce qui pouvait lui en assurer la possession.

Dans le peu de temps qui lui était accordé pour se préparer aux épreuves du concours, il se livra sans ménagement à la lecture et à l'étude plus approfondie des auteurs grecs et latins, afin de paraître dans la lice avec plus de chance de succès et plus d'éclat. Écoutant son ardeur plus que les conseils qui lui étaient donnés, il oublia que l'homme ne peut pas tout ce qu'il veut. Au lieu de trouver dans son énergie les services qu'il en attendait, il sentit ses forces se dérober sous lui et l'abandonner, au moment même où quelques efforts de plus le faisaient arriver au port. Non-seulement il dut renoncer à ambitionner la chaire qu'il aurait sans doute obtenue, mais à la suite de tant de labeurs, une fatigue insurmontable allait désormais devenir l'inséparable compagne de ses travaux.

Humbert accepta sans murmure une épreuve qui, pour lui plus que pour tout autre, était féconde en amertume mais où il reconnut, dans un sentiment de pieuse résignation, l'expression de la volonté de Dieu. Il comprit que, comme les conditions de l'étude n'étaient plus pour lui les mêmes, il devait changer aussi les dispositions avec lesquelles il s'y livrait. A toutes les jouissances du travail facile durent succéder les précautions du travail persévérant. La persévérance devint en effet dès ce moment la disposition dans laquelle Humbert chercha une compensation à ce que l'abus de la facilité lui avait fait perdre. Il regagna par l'intelligent emploi de cette qualité aussi rare que précieuse, sinon tout ce que le plein et successif développement de ses belles facultés lui aurait fait acquérir, du moins un usage de ses talents encore digne d'envie. S'il a joué un rôle moins complet et moins brillant, il a donné un exemple plus utile en montrant les services que peuvent rendre la volonté, la patience et la méthode à ceux qui ont le travail difficile. Depuis qu'au lieu d'un jeu l'étude était devenue pour lui une lutte, Humbert a plus travaillé que beaucoup d'hommes qui n'ont jamais connu les contre-coups de la fatigue.

Après l'intervalle de repos rendu nécessaire pour raffermir sa santé, il rentra dans la vie active, et son temps fut bientôt rempli par la fondation d'un pensionnat, et par de nouvelles occupations académiques. Nommé professeur honoraire de langue arabe, sur la demande de l'Académie, qui ne voulait pas le perdre tout entier, il trouva, dans les leçons que cette place l'appelait à donner de loin en loin, un encouragement à poursuivre ses études orientales, et il eut la jouissance de voir un assez grand nombre d'élèves profiter de son enseignement. Aucun plaisir ne pouvait être plus vif pour lui que de communiquer aux autres la science qu'il possédait. Il était fécond à imaginer les moyens d'en faciliter l'initiation, et il portait dans ses leçons cette limpidité de conception qui était un des besoins dominant de son esprit. Malheureusement pour lui et pour les autres, les exigences de l'enseignement public ne pouvaient se concilier avec les ménagements que réclamait sa santé, et il dut par deux fois refuser la chaire de langue hébraïque, à laquelle il avait été appelé.

Ce fut vers l'éducation privée qu'il dirigea principalement ce qui lui restait de forces. Il créa pour son compte une nouvelle Institution, qui a longtemps tenu parmi les établissements de ce genre qui ont honoré Genève, un rang distingué. C'est là qu'il déploya avec succès les qualités particulières dont il était doué pour agir sur la jeunesse. Ferme sans austérité, plein d'aménité sans faiblesse, habile à discerner les défauts et plus habile à les combattre sans les heurter, ardent à bien instruire et libre de toute pédanterie, il cherchait à entretenir parmi ses élèves une sorte d'équilibre qui prévînt les inconvénients de l'ennui et ceux du relâchement. Tenir les esprits en haleine, et ramener les caractères au devoir, tel était le double but et le double effet de sa pédagogie. La reconnaissance pour les services qu'il a rendus vit encore dans plus d'un souvenir, et un même sentiment de gratitude doit animer aussi tous ceux qui, sans recevoir d'Humbert leur éducation générale, ont trouvé dans sa vivifiante influence l'origine et le stimulant de leurs progrès.

«Non-seulement, dit M. Vaucher, il retrouvait, par les liens de la reconnaissance et d'une affection réciproque, ses propres élèves, mais encore ses manières affables attiraient vers lui les jeunes gens studieux, dont il gagnait bientôt la confiance. Il inspirait aux uns et aux autres le désir de se distinguer; il les dirigeait dans le choix de leur carrière; il leur prodiguait les conseils, les secours, les encouragements; il applaudissait à tous leurs efforts pour atteindre un but honorable, et jouissait plus qu'eux-mêmes de leurs premiers succès. Bien des noms dont Genève s'honore déjà ou s'honorera un jour, se présentent à mon esprit pour justifier mon témoignage, et combien d'hommes estimables à tous égards conservent un précieux souvenir de leur aimable et digne instituteur!»

C'est ainsi qu'en exerçant sur les individus une action salutaire, Humbert, dans sa sphère privée, travaillait cependant au bien de la chose publique. Il chercha à la servir encore d'une manière plus générale en appelant l'attention sur les *Moyens de perfectionner les études littéraires à Genève*. C'était le titre de deux opuscules publiés en 1821, dans lesquels il signalait les lacunes que présentait l'enseignement, soit au collége, soit à l'Académie, et indiquait en même temps par quelles réformes on pouvait y porter remède. «Ces écrits, dit M. Vaucher, bien bon juge en cette matière, ces écrits, où se trouvaient les germes de la plupart des réformes qui furent introduites plus tard, qui étaient évidemment dictés par l'amour du pays, et où l'on ne pouvait guère blâmer qu'un excès de franchise, soulevèrent contre leur auteur une véritable tempête, et provoquèrent des réponses qui ne se recommandaient ni par leur urbanité ni par leur modération. Mais le temps fit son œuvre, et on finit par rendre hommage aux intentions et aux lumières du jeune professeur.»

Comme tous ceux qui tiennent plus de compte des intérêts de tout le monde que des susceptibilités de quelques personnes, Humbert avait oublié qu'il est difficile de critiquer des institutions sans blesser des individus. Mais l'expérience une fois faite, il n'en conçut ni trouble, ni irritation, et poursuivant l'œuvre de réforme qu'il avait commencée, il publia en 1827 un *Plan d'améliorations pour le collège de Genève*, dans lequel, mieux éclairé, il ne craignait pas de sacrifier quelques-unes des idées émises dans ses précédents écrits. Cet ouvrage avait pour but principal de faire ressortir la nécessité de concentrer plutôt que d'étendre le champ de l'enseignement, et la convenance de séparer les parties de l'instruction qui varient selon la diversité des professions futures. S'il insistait en même temps sur le développement d'objets d'études trop négligés, il signalait nettement les dangers, dans l'instruction secondaire, de l'intolérance didactique. Une judicieuse critique du principe de l'émulation, comme exclusif mobile du progrès, ne formait pas la moins intéressante partie des idées émises par l'auteur. Une portion de ses bons conseils ont été suivis dès lors, mais dès lors aussi l'entassement indigeste des sujets d'enseignement a porté tous les mauvais fruits qu'on en pouvait attendre.

Humbert trouva dans le *Journal de Genève*, dont il fut l'un des fondateurs, un organe propre à populariser et à défendre ses idées sur l'éducation publique, et il y traita plusieurs questions relatives à l'organisation de l'enseignement. En 1835, il fit paraître sur les mêmes sujets une brochure intitulée: *De l'enseignement libre dans l'Académie de Genève*, où il montrait les avantages de la concurrence dans l'instruction supérieure, et dont l'idée principale fut réalisée plus tard par le droit accordé aux docteurs des diverses Facultés, de prendre part à l'enseignement académique. Ceux qui ont connu Humbert savent que l'amour désintéressé, mais très-vif, qu'il portait aux bonnes études, et l'ardent désir de conserver à sa patrie, dans toutes les branches de l'instruction publique, une honorable prééminence, étaient les véritables et constants mobiles de ses tentatives de reforme.

Particulièrement frappé, et non sans raison, de l'insuffisance de l'enseignement de la littérature et de la langue française dans les établissements publics, il avait dès l'origine appelé très-fortement l'attention sur cette grave lacune. Il s'efforça d'en faire sentir tout l'inconvénient, et il chercha à en faire découvrir le remède, soit en offrant un prix pour le meilleur mémoire sur les causes qui retardent à Genève l'étude de la littérature, soit en invitant le professeur Monnard à venir de Lausanne donner des leçons publiques de littérature française, soit en suggérant l'idée, réalisée dès lors, d'encouragements spéciaux pour des concours de composition française, soit en exposant lui-même dans un cours à l'Académie, ses vues sur l'étude du style. Aussi doit-on attribuer aux efforts d'Humbert une bonne part d'influence dans les progrès qu'ont fait parmi nous depuis trente ans les connaissances littéraires et l'art d'écrire.

Il avait lui-même un sentiment si vif des difficultés attachées à la pratique du style français, que cette crainte l'empêcha, plus que toute autre cause, de mettre par écrit les idées nombreuses et variées que son esprit toujours actif savait concevoir sans vouloir les fixer. Lorsqu'il se décidait à prendre occasionnellement la plume, comme dans son *Discours sur l'utilité de la langue arabe,* dans divers articles destinés à la *Bibliothèque Universelle de Genève* et à la *Revue encyclopédique,* dans des notices biographiques écrites pour la grande *Biographie* de Michaud, dans les colonnes du *Journal de Genève,* il apportait toujours un soin scrupuleux à la rédaction de sa pensée. Son style précis, élégant et ferme perdait en couleur ce qu'il gagnait en pureté. Quoique des études approfondies sur les grands écrivains français lui eussent appris avec quelle liberté ces maîtres en ont usé avec la langue, il s'interdisait par un scrupule souvent excessif les moindres licences littéraires. Très-disposé à les admirer quand, devenues des beautés, elles trouvent dans ce caractère leur justification, il ne se laissait point aveugler, sur les violences faites à la langue, par la célébrité de celui qui en était l'auteur.

Il a jugé de ce point de vue, sans engouement comme sans hostilité, le style tragique de Voltaire dans *Mahomet* et dans *Alzire.* Les commentaires, qu'il a imprimés et publiés en partie sur ces deux pièces, montrent comment il comprenait l'application de la critique philologique aux chefs-d'œuvre de la littérature française. Si l'on peut contester la justesse de quelques-unes de ses remarques, il est incontestable que la méthode et la plupart des jugements du commentateur sont de nature à éveiller l'attention du lecteur, à piquer sa curiosité et à suggérer de très-utiles réflexions sur l'emploi et les mystères de notre langue. Humbert avait préparé des annotations du même genre sur d'autres tragédies de Voltaire, et il laisse à moitié rédigée une *Anthologie lyrique,* ou commentaire sur les meilleurs poëtes lyriques français, dans lequel il soumet leurs vers à une analyse littéraire et grammaticale. Il avait également recueilli, mais incomplétement coordonné, d'abondants matériaux qu'il comptait employer à composer un *Guide grammatical* de la langue française et un *Nouveau traité des tropes.* Malheureusement, l'obligation qui lui était imposée de travailler d'une manière entrecoupée, et la fatigue qui, d'année en année, lui rendait toute occupation intellectuelle plus difficile, ne laissaient guère espérer qu'il pût jamais se livrer à l'exécution définitive des plans dont il se plaisait à former le projet et à réunir les matériaux.

Il est particulièrement regrettable qu'il ne lui ait pas été permis de donner suite à celle de ces entreprises qui était la plus avancée et la plus importante. «Il avait conçu, dit Mr Vaucher, le plan d'un dictionnaire de la langue française, dont les mots devaient être puisés uniquement dans les auteurs classiques du dix-septième et du dix-huitième siècle, et qui devait offrir des exemples authentiques de toutes les locutions, tournures, constructions, idiotismes, employés par ces auteurs. Pour l'exécution de ces vastes et utiles projets, il avait lu, la plume à la main, ou fait lire, à ses frais, par des collaborateurs intelligents, tous ces écrivains, et il avait recueilli de la sorte une masse considérable de matériaux, dont il avait déjà fait le triage, et qu'il avait disposés dans l'ordre alphabétique. Le travail sur la lettre A fut communiqué en 1847 à la Commission de l'Académie française chargée de la composition du Dictionnaire historique, qui s'empressa d'en faire prendre copie.»

Humbert voulait publier, sous le titre de: *Lexique des gens de lettres*, ce grand répertoire dont l'intérêt, pour tous ceux qui s'occupent d'étudier la littérature française ou l'art d'écrire, est assez évident, et qui aurait certainement contribué à accroître encore la réputation de son auteur. Heureusement, Humbert a pris les mesures nécessaires pour que de si utiles matériaux ne soient pas perdus pour la science, et déjà il en avait donné connaissance à un savant philologue, Mr Littré, de l'Institut de France, qui en a fait usage pour un ouvrage du même genre encore inédit.

Tous ces travaux de philologie française, qui occupèrent Humbert la plus grande partie de sa vie, ne l'avaient cependant pas empêché de poursuivre et de perfectionner ses études sur la langue arabe, qui déjà lui avaient valu une chaire à l'Académie de Genève, et sur lesquelles il fondait l'espoir d'acquérir au dehors de nouvelles et légitimes distinctions. Fidèle, dans la culture de cette langue, à la tendance générale de son esprit et de ses travaux, ce ne fut point vers les hauteurs et les arcanes de l'érudition qu'il dirigea ses pas. Il crût rendre à l'étude de cet idiome difficile un plus réel service, en offrant à ceux qui désirent s'y livrer, les secours les mieux faits pour les guider dans cette tâche ardue. C'est dans ce but qu'il publia en 1834 sa *Chrestomathia arabica facilior*, ou recueil de morceaux choisis, dont l'ensemble présente la succession habilement graduée des difficultés philologiques que soulève la première étude de la langue arabe.

Le mérite spécial de cet ouvrage fut apprécié par les juges compétents, auxquels l'*Anthologie* avait déjà fait connaître, sous d'autres rapports, le savoir étendu de l'auteur, et ces deux publications savantes devinrent les principaux titres qui valurent à Humbert, en 1835, la place de correspondant de l'Institut de France, Académie des Inscriptions et Belles-lettres. Ce suffrage, accordé à ses travaux par l'une des plus illustres compagnies de l'Europe lettrée, était pour lui la plus précieuse des récompenses, et il trouvait de nouveaux motifs de légitime satisfaction dans les distinctions du même genre que lui octroyèrent aussi la Société asiatique de la Grande-Bretagne et l'Académie royale de Turin.

Stimulé par de tels encouragements, il voulut y répondre en persévérant dans les travaux qui les lui avaient mérités. Il publia, en 1838, un nouveau recueil de morceaux arabes inédits (*Arabica Analecta inedita*), destinés à faciliter aux commençants l'étude de cette littérature. «Il mit à contribution, pour composer ce livre, les manuscrits arabes de la Bibliothèque publique de Genève, manuscrits qu'il avait, pour la plupart, rassemblés lui-même à Paris, plus de vingt ans auparavant, et qui étaient dus en partie à sa générosité, en partie à celle du savant et respectable Favre-Bertrand». La même année il fit paraître un *Guide de la conversation arabe*, dans lequel il put mettre en usage la connaissance spéciale qu'il avait acquise des divers dialectes de l'arabe vulgaire par les leçons de maîtres originaires de Syrie et d'Afrique. Un autre ouvrage, élaboré avec les mêmes secours, mais demeuré inédit, quoique entièrement rédigé, est un *Recueil de dialogues arabes*, dont la publication serait aussi désirable que celle du *Dictionarium arabico-latinum*, également prêt pour l'impression, et qui forme le complément de tous les livres publiés par l'auteur pour l'étude de cette langue.

Il semble que tant de travaux divers ont dû suffire à employer tout ce qu'Humbert avait conservé de forces et d'activité. Il n'en est cependant pas ainsi. Sans parler des soins qu'il donna à la double édition du *Cours de littérature grecque moderne* de Rizo, dont il avait rédigé la préface; de la part qu'il prit avec MM. les professeurs R. Töpffer et L. Vaucher à une publication de classiques grecs trop tôt suspendue, et de sa coopération au *Glossaire genevois* de Mr Gaudy,—il nous reste à signaler encore trois ouvrages, pour la composition desquels il sut trouver du temps, et dont le dernier, qu'il ne voit pas paraître, atteste tristement que pour cesser de travailler, Humbert devait cesser de vivre.

Dès 1830, il avait publié un *Manuel chronologique*, et dès 1834 une *Mythologie élémentaire*, qui, plus d'une fois réimprimés, ont reçu de leur auteur, toujours avide d'améliorations, de constants perfectionnements. Le second de ces ouvrages, couronné par la Société des Méthodes de Paris, doit être regardé comme un des meilleurs livres élémentaires pour l'étude de la mythologie classique. Écrit avec une élégante simplicité, et renfermant un choix heureux des détails les plus caractéristiques, il a le mérite (trop dédaigné par la plupart des écrits de ce genre) d'avoir fidèlement saisi le précepte, *Maxima debetur puero reverentia*, et d'avoir su traverser tout le libertinage mythologique sans en retenir aucune trace.

C'était en publiant, il y a quatre ans, la troisième édition de cette mythologie, qu'Humbert, dans sa préface, exprimait le sentiment d'une sorte de lassitude, dont il éprouvait souvent les atteintes, mais dont il finissait par repousser toujours la tentation, faut-il dire, ou l'importunité. «Il vient un âge, écrivait-il, où la vie littéraire paraît dans son vrai jour; on regrette d'avoir trop vite imprimé et trop imprimé, d'avoir compromis, souvent en pure perte, sa tranquillité et ses forces, et l'on ne demande plus au ciel, comme le nautonnier d'Horace, que de goûter enfin, après cette vaine agitation, un calme véritable, un calme bienfaisant et réparateur.»

Mais Humbert ne pouvait acheter le calme au prix de l'inaction, et il remettait bien vite sa barque à flot. Cependant, à mesure que l'âge retranchait quelque chose à ses forces, il lui fallait, pour conserver le privilége du travail, se résigner à sacrifier bien des jouissances qu'il ne pouvait plus goûter sans s'épuiser. Une lecture suivie, une conversation prolongée, des visites faites ou reçues le condamnaient ensuite à une sorte d'impuissance qu'il évitait à tout prix. De là, dans ses dernières années, une vie de retraite, de ménagements, presque de sauvagerie, peu d'accord avec son caractère, mais rendue nécessaire par sa santé chancelante.

C'est dans les moments d'occupation, disputés à la fatigue, qu'il travaillait à ce *Nouveau Glossaire genevois*, dont il avait de longue main recueilli les matériaux, et dont la composition morcelée se conciliait mieux avec l'intermittence de ses forces. Ce livre, qui achèvera de populariser à Genève le nom d'Humbert, a été l'objet de ses derniers efforts et de son dernier intérêt. Il mettait une sorte d'entrain juvénile à l'enrichir, et, si l'on peut dire, à l'égayer, en y accumulant tous les traits caractéristiques de notre idiome national. Le portrait est amusant, on le trouvera peut-être trop chargé; mais il faut moins en accuser l'auteur que son cadre. Tout le monde, à Genève, parle un peu comme le Nouveau Glossaire, personne ne parle exclusivement le langage qui y est renfermé, et si l'on voulait prendre la phraséologie de ce répertoire pour le type de la langue usuelle des Genevois, on le transformerait, contre l'intention de son auteur, en une caricature. La portée utile et pratique de l'ouvrage lui aura bientôt assigné son vrai caractère et lui fera remplir sa véritable destination.

Humbert, tout en cherchant, dans la rédaction de ce dernier travail, une tâche qui l'occupât sans l'écraser, sentait cependant qu'elle pourrait bien dépasser la mesure des jours qui lui étaient comptés, et il répétait souvent: «Je ne finirai pas mon livre, mon livre me finira.» Ses pressentiments étaient justes, et comme il les éprouvait sans trouble, il les a vus se réaliser sans effroi. A la fin d'une de ces journées passées, comme toutes les autres, dans la paix du foyer domestique, les distractions de la promenade et de l'étude, la révision des pages de son Glossaire, et toute la tranquillité habituelle d'une vie sagement réglée, il a subitement ressenti les symptômes du mal suprême et il ne s'y est pas mépris.

Autour du lit, où il croyait trouver le sommeil et où il rencontrait la mort, il n'a voulu que les siens, et repoussant les secours qui peuvent prolonger la vie, il n'a songé qu'à la quitter en paix. Une âme pieuse, un cœur droit, un esprit humblement attaché aux vérités de la foi l'avaient disposé dès longtemps à ce détachement chrétien. Les lignes suivantes, expression secrète de ses sentiments, disent assez dans leur simplicité quelle était à cet égard la direction de ses pensées: «J'ai une foi implicite et complète à l'Évangile. Je crois à la rédemption par le sacrifice de mon Sauveur, et cette foi est le rocher où je ne cesse de reposer mon cœur. Je prie non pas seulement au moment de finir ma journée, mais à toutes les heures du jour. Durant toutes mes promenades, je ne m'occupe que de choses sérieuses et surtout des bienfaits de la Providence, de cette Providence à laquelle je rapporte tout, et dont la pensée consolante et douce est le seul baume au mal qui m'a frappé. Providence, Rédemption: voilà en deux mots, la source de ma tranquillité dans ce monde et de mon espoir le plus cher.»

C'est sur ce fond de piété solide qu'Humbert avait assis sa vie; c'est ainsi qu'il avait appris à surmonter bien des occasions d'amertume et de découragement. C'est là qu'il avait puisé cette égalité d'humeur, cette sérénité de caractère, cette bienveillance inaltérable dont il faisait jouir tous ceux qui l'approchaient. Peu prodigue de paroles dans l'expression de ses sentiments, il les mettait en pratique plus qu'il ne les proclamait, et sans protester beaucoup ni de son dévouement, ni de son désir de rendre service, nul ne se montra plus que lui serviable et dévoué. Il n'aspirait à rien qui dépassât ce qu'il pouvait légitimement atteindre; il fut simple dans ses goûts, facile et naïf dans ses rapports avec les hommes, ardemment attaché à son pays, fidèle au devoir, à l'amitié, à l'étude, à tout ce qui rend l'existence honorée et la mémoire respectable. Il a bien rempli sa tâche.

Puisse son souvenir rester entouré des regrets de ses amis, de l'estime des gens de bien, et des respects de la jeunesse! Ce triple cortége renferme tout ce qui lui paraissait à lui-même le plus digne, en ce monde, d'affection, d'hommages et d'intérêt.

A. R.

AVERTISSEMENT.

Surpris par la mort, avant que l'impression de son livre fût terminée, l'auteur de ce Glossaire n'a pu ni revoir les épreuves des dernières feuilles, ni rédiger la préface qu'il voulait placer à la tête de l'ouvrage. Dès la page 125 du second volume, on a dû se borner à reproduire avec une scrupuleuse exactitude le texte du manuscrit original, et s'abstenir d'y faire aucun des changements que l'auteur lui-même aurait peut-être jugé bon d'opérer.

On ne substituera pas davantage aux remarques préliminaires que l'auteur se proposait d'introduire dans sa préface, des considérations étrangères. Mais, grâce aux notes qu'il a laissées, on peut indiquer, de manière à les faire suffisamment connaître, les idées qu'il désirait développer lui-même.

———

Il voulait, d'abord, nettement établir le but qu'il s'était proposé. Il voulait indiquer ensuite la différence qui existe entre son Glossaire et celui qu'avait publié, pour la seconde fois, en 1827, M. Gaudy-Le Fort. Il voulait, après cela, repousser quelques-unes des objections et des critiques dont il pensait que son livre serait peut-être l'objet. Il voulait, enfin, signaler les difficultés de l'entreprise et les peines qu'il s'était données pour en triompher.

Il aurait dit, en premier lieu, que son but avait été de présenter dans le Glossaire la nomenclature complète des termes genevois, c'est-à-dire, des expressions qui ne se trouvent pas dans les dictionnaires français, et qui sont en usage dans la ville ou dans le canton de Genève; qu'il avait en même temps pris soin de relever les fautes de langage les plus grossières et les erreurs de grammaire les plus choquantes; qu'il avait enfin cherché à jeter quelque variété dans ce travail, par l'insertion de tous les proverbes nationaux qu'il avait pu recueillir, et par des rapprochements entre notre idiome et les dialectes français circonvoisins. C'est dans la même intention, et pour éveiller l'intérêt sur la langue des campagnes, qu'il a introduit dans le Glossaire quelques-uns des mots patois les plus répandus.

Quant aux différences qui distinguent le Glossaire actuel du Glossaire publié il y a vingt-quatre ans, elles portent sur les étymologies, les remarques grammaticales, le nombre et l'explication des mots. L'ancien Glossaire avait tiré du celtique ses principales origines; le nouveau s'est abstenu de remonter à cette source plus ou moins équivoque. L'ancien Glossaire avait abondé dans les observations souvent élémentaires de grammaire et de syntaxe; le nouveau Glossaire a été très-sobre de remarques de ce genre, parce que les grammaires suffisent à éclairer sur cette matière ceux qui veulent s'instruire. L'ancien Glossaire n'avait guère plus de deux mille mots, le nouveau en compte plus de quatre mille. Enfin, les mots de l'ancien Glossaire, que l'on a conservés dans celui-ci, ont reçu, quant à ce qui concerne l'explication et l'emploi de chaque terme, une rédaction nouvelle. Un très-petit nombre d'articles de peu d'importance ont été seuls reproduits sans changement.

L'auteur voulait ensuite examiner les objections et les reproches dont il craignait que le choix et le fond même de son travail ne fussent l'objet. Il présumait que l'on regarderait comme puérile ou comme dangereuse l'entreprise de recueillir et de fixer les termes barbares ou vicieux de l'idiome genevois. Il aurait cherché à démontrer que ni ce mépris, ni cette inquiétude n'ont un solide fondement. A cette occasion, il aurait rappelé le favorable accueil déjà fait parmi nous au précédent Glossaire, et il aurait indiqué le grand nombre de travaux analogues, entrepris depuis quelques années sur les divers dialectes français. Il aurait fait observer que la connaissance de toutes ces variétés du langage sert à l'intelligence de la bonne langue française, et que des littérateurs du premier ordre, Charles Nodier, par exemple, ont signalé l'intérêt et l'utilité de ce genre de recherches. Il aurait montré que plusieurs des mots que nous employons, et qui sont tenus pour barbares, sont autant de débris de l'ancien français, restés parmi nous comme les traînards d'une armée en marche. A ce propos, il aurait présenté quelques remarques sur les transformations que subissent incessamment les langues vivantes, et il aurait cherché à éclaircir les origines du vocabulaire genevois. Il aurait montré qu'un grand nombre des expressions usitées parmi nous sont également employées dans la Suisse romane, en Savoie, en Franche-Comté et dans le midi de la France. Il aurait indiqué comment l'emploi de plusieurs des termes genevois est, en quelque sorte, justifié par la nécessité où nous sommes de désigner ainsi des objets qui n'existent pas hors de notre pays. Il aurait fait ressortir le caractère expressif, énergique, ou gracieux, de quelques-uns de nos mots, qui n'ont pas, dans le français classique, de véritable équivalent. Enfin, il se serait élevé contre le purisme exagéré qui voudrait bannir de la conversation familière toutes nos locutions indigènes; mais il aurait, en même temps, signalé les barbarismes grossiers, les erreurs de syntaxe et les fautes de prononciation, comme les défauts véritablement choquants, dont nous devons chercher à purger notre langage.

Après avoir ainsi prouvé la convenance et l'utilité du Glossaire, il aurait parlé des difficultés attachées à la composition de cette œuvre. Elles étaient de trois sortes: difficulté de donner une nomenclature complète et exacte des mots genevois, de n'omettre aucun de ceux qui sont réellement en usage, et de n'en point insérer qui fussent imaginaires ou exceptionnels; difficulté de rendre fidèlement le sens précis de chaque terme, et de trouver la véritable définition d'un certain nombre de mots; difficulté de rédiger le Glossaire de manière à le rendre utile et accessible à tout le monde (ce qui était le but essentiel de l'auteur), et à le rendre en même temps instructif pour les érudits versés dans l'étude des dialectes français, ce qui était la seconde destination du livre.

Le sentiment très-vif de ces diverses difficultés avait inspiré à l'auteur le désir de ne rien négliger pour parvenir à les vaincre. Il aurait dit comment, dans cette intention, il avait cherché à s'entourer d'une foule de secours, dont son prédécesseur n'avait point fait usage. Il aurait dit comment il avait pris en quelque sorte le public pour collaborateur; comment il avait recueilli à la ville et à la campagne, dans la bouche des artisans, des écoliers, des ouvrières, des paysans, des gens du monde, des ignorants et des hommes instruits, toutes les locutions propres au langage genevois. Il aurait dit, qu'indépendamment de cette consultation générale, il avait pu profiter des communications d'un très-grand nombre de personnes qui mettaient de l'intérêt à son travail. Il aurait voulu rendre un témoignage public de remerciements et de gratitude à tous ceux qui l'avaient secondé, et parmi lesquels il distinguait, pour l'abondance des renseignements qu'il en avait reçus: MM. O. Bourrit, Chaponnière, Oltramare, régent, A. Serre, Linder, Jullien frères, et surtout Mr Pierre Gaud (de Meyrin), dont les initiales accompagnent plus d'un des articles du Glossaire. Il aurait dit comment, grâce à tant d'auxiliaires, il s'était efforcé d'arriver à un dénombrement complet des mots genevois, sans se flatter toutefois d'avoir réussi, et comment il n'avait jamais admis dans son Glossaire une seule locution, sans l'avoir auparavant soumise à un contrôle sévère, et sans s'être assuré par une enquête exacte de son emploi et de sa signification précise. Aucun mot de fantaisie, aucun terme inventé n'a donc trouvé place dans ce recueil, et s'il en est qui ne sont pas à Genève connus de tout le monde, il n'en est point qui ne soit employé par une partie de la population.

A ces matériaux, qui composent en quelque sorte l'élément genevois du Glossaire, l'auteur en a ajouté d'autres destinés à établir entre nos termes nationaux et les locutions analogues des pays voisins une comparaison intéressante. Il aurait dit qu'il avait consulté, pour rendre ces rapprochements aussi complets qu'il était possible, plus de vingt Glossaires imprimés, et renfermant les mots usités dans plusieurs parties de la Suisse romane et dans certaines provinces de France. Il aurait ajouté qu'il devait à MM. de Bons, pour le dialecte du Valais; Favrod, pour celui du canton de Fribourg; Dubois et Barrelet, pour celui du canton de Vaud, des communications manuscrites, dont il avait utilement profité.

Mais l'élaboration de ces riches matériaux créait pour l'auteur, qui voulait donner à son livre cette double destination, une difficulté nouvelle. Satisfaire tous ses lecteurs, c'est-à-dire tous ses concitoyens, en étant clair, complet, varié, instructif, et sans pédanterie; satisfaire les érudits, en leur fournissant tous les éléments d'une étude sérieuse sur l'un des dialectes français; voilà ce que voulait l'auteur. Il aurait dit que la poursuite de ce double but, une santé affaiblie, et le constant désir de perfectionner son travail, avaient contribué à retarder l'apparition de cet ouvrage dès longtemps annoncé. Il aurait témoigné la crainte de n'avoir que très-incomplétement rempli sa tâche, et après avoir réclamé l'indulgence pour les imperfections de son livre, il aurait terminé en sollicitant, afin de l'améliorer plus tard, toutes les critiques propres à lui faire reconnaître les défauts qu'il n'avait pu corriger.

Aujourd'hui le livre se présente seul; celui qui l'a composé ne l'améliorera plus. Si le public genevois l'accueille, le goûte et le consulte, ce succès sera la récompense à laquelle son auteur aurait attaché le plus de prix.

A. R.

EXPLICATION
DES ABRÉVIATIONS ET DES SIGNES EMPLOYÉS DANS L'OUVRAGE.

†   Expression ou prononciation très-vulgaire.

[ACAD.]   Dictionnaire de l'Académie française.

adj.   Adjectif.

adv.   Adverbe, adverbial, adverbialement.

[CH.]   Mr Chaponnière.

conj.   Conjonction.

dém.   Démonstratif.

(fig.)   Au sens figuré.

[G. G.]   Glossaire de Gaudy.

indéf.   Indéfini.

invar.   Invariable.

interj.   Interjection.

loc.   Locution.

part.   Participe.

[P. G.]   Mr Pierre Gaud.

pl.   Pluriel.

prép.   Préposition.

pron.	Pronom.
R.	Racine.
rel.	Relatif.
s.	Substantif.
s. m.	Substantif masculin.
s. f.	Substantif féminin.
v.	Verbe.
v. a.	Verbe actif.
v. n.	Verbe neutre.
v. pron.	Verbe pronominal.
v. récip.	Verbe réciproque.
v. réfl.	Verbe réfléchi.

A

À, prép. *Aller à âne, aller à mulet,* ne sont pas des expressions correctes; il faut dire: Aller sur un âne, aller sur un mulet, comme on dit: Aller sur un chameau, aller sur un dromadaire. Mais l'expression Aller à cheval est consacrée.

À, prép. Est mis pour «comme» dans les exemples suivants, qui appartiennent au langage le plus populaire. *Il n'y en a point à lui pour rendre service. Il n'y en a point à elle pour être gentille et amusante. Pour faire les petits pains au beurre, il n'y en avait point à Mme George.*

À, prép. Est vicieux dans les exemples suivants: *Tu mettras ce livre à ta poche. Au moment même où il mettait son foulard à sa poche, un filou le lui enleva.* Substituez la préposition «dans» et dites: Dans sa poche.

À, prép. Est mis pour «de» dans les phrases suivantes et phrases analogues: *Le cheval à Jean-Pierre. La servante à Pilate. La fête à Rousseau.* Cette faute, non moins répandue en France qu'en Suisse, nous vient du vieux français; et un poëte fameux, Ronsard, qui vivait au milieu du seizième siècle, était correct à cette époque, en écrivant: *La guerre à Troie,* pour: La guerre de Troie; *les victoires aux dieux,* pour: Les victoires des dieux.

À, prép. *Acheter à quatre sous de cerises; prendre à deux sous de lait,* etc.; dites: Acheter pour quatre sous de cerises; prendre pour deux sous de lait.

ABADER (S'), v. pron. Terme des campagnards. Prendre son essor, prendre sa course, courir les champs, s'affranchir de toute entrave et de toute gêne, se sauver, s'enfuir. *Il faut nous abader, car voici la pluie. Leurs vaches s'étaient abadées dans les blés. Notre petite Marguerite commence à s'abader,* c'est-à-dire: Commence à faire quelques pas seule. A l'actif, *abader* signifie: Bouger, remuer, soulever. *Abader un chariot, abader une grosse pierre.* Dans le patois du Dauphiné, *Abadà lo tropè* veut dire: Lâcher les troupeaux qu'on mène paître, leur donner la clef des champs. Voyez le mot BADE.

ABANDONNER (S'), v. pron. Se dit des enfants qui commencent à faire quelques pas seuls et sans être soutenus. *Notre petit John ne marche pas encore, mais il s'abandonne.*

† ABANLIEUE, s. f. Banlieue.

ABASSOURDIR, v. a. Écrivez «Abasourdir,» et prononcez *abazourdir.*

ABATTANT, s. m. Nous appelons ainsi cette partie du pupitre ou du bureau sur laquelle on écrit, et qui, étant à charnière, se lève et *s'abat* à volonté.

ABÉCHER, v. a. Abéquer. *Tâche d'abécher les deux bouts. Cette tringle ne peut abécher l'anneau.*

ABEILLER, s. m. Terme des campagnards. Rucher. *Un coup de vent emporta les deux ruches et renversa l'abeiller.*

ABERGER, v. a. Héberger. *M. G**, curé de La Roche, nous accueillit et nous abergea.* Terme vieux français.

ABOMINER, v. a. Avoir en abomination. Terme vieux français.

ABONDANCES, s. f. pl. Betteraves.

ABONNER (S'), v. pron. Nous disons figurément: *Je m'abonnerais bien pour avoir un commis aussi intelligent et aussi sage que le vôtre. On s'abonnerait pour avoir, pendant huit jours, un aussi beau temps qu'aujourd'hui;* c'est-à-dire: On ferait volontiers quelque sacrifice, on donnerait de l'argent pour, etc.

ABORD (D'), adv. A l'instant, sur l'heure, tout de suite. *Je suis obligé de sortir; mais je reviens d'abord. Ma commission est-elle faite, Jenny?—Non, Madame, mais je la ferai d'abord. Il est huit heures d'abord. Nous déjeunerons d'abord.* L'adverbe D'abord signifie: «Dès l'abord, premièrement, en premier lieu,» mais il n'a pas le sens que nous lui donnons dans les exemples ci-dessus.

ABORD APRÈS (D'), loc. adv. Aussitôt après, immédiatement après. *Je vais à la poste, et je vous rejoins d'abord après.* «Il n'est pas rare de voir *d'abord après* une bise noire ou un séchard, se lever un vent de midi.» [FATIO DE DUILLER.] Cette expression, *d'abord après,* fort usitée chez nous et dans le midi de la France, n'est pas française.

ABORD QUE (D'), conj. Aussitôt que, dès l'instant que. *D'abord que vous le pourrez, venez me voir. D'abord qu'ils entendirent le tocsin, ils coururent chacun à leur poste.* Expression suisse, savoisienne et méridionale.

ABOUCHER, v. a. Mettre sur la bouche, mettre sur l'ouverture, mettre *à bouchon,* tourner en sens contraire. *Aboucher un pot, aboucher une seille pour l'égoutter.*

ABOUCHER (S'), v. pron. Se dit des personnes et de certains animaux. *Un tel ne dort jamais sur le dos: il s'abouche. Quand vous retirez de l'eau un noyé, ne l'abouchez pas.* En parlant d'un cheval, *s'aboucher* signifie: Tomber sur les genoux.

À BOUCHON ou D'ABOUCHON, loc. adv. Renversé, sens dessus dessous. *L'enfant souffrait du ventre; on le mit à bouchon, on le mit d'abouchon. Mettez cette caisse à bouchon; elle nous servira de table.* Terme lyonnais, etc., qu'on trouve dans le *Dictionnaire français-anglais* de Cotgrave [1609].

ABOUCLER, v. a. Boucler. *Aboucler des souliers; aboucler une ceinture.*

ABOULER, v. a. Apporter, donner promptement, rendre. *Aboule ça; aboule-moi vite ça;* c'est-à-dire: Donne cela lestement et sans faire d'observation. Dans un sens plus restreint, *abouler* est synonyme de Financer, solder, boursiller. Terme français populaire.

ABOUTONNER, v. a. Boutonner. *Aboutonne-toi, Jean-Marie, tu prendras froid.* Terme français populaire.

ABRAS, s. m. pl. Grand empressement, grande hâte, air affairé, air empressé. *Il est dans tous ses abras; il fait beaucoup d'abras pour peu de chose. Il fait des abras de tout;* c'est-à-dire: Il s'agite, il se met toujours en avant, et sans que la chose en vaille la peine.

† ABRE, s. m. Arbre. *Avante-nous des pommes sur l'abre.* Prononciation vulgaire dans la moitié de la France. Le grammairien Vaugelas assure que de son temps [1610-1650] un grand nombre de personnes instruites prononçaient *abre,* quoiqu'elles écrivissent *arbre.*

ABREUVOIR, s. m. Auget, petite auge pour les oiseaux. *La cage et les abreuvoirs.* Terme limousin, bordelais, etc.

ABSENTER, v. n. S'absenter. *Toute la famille absenta trois jours.* Terme vieux français. Nous faisons aussi d'*absenter* un verbe actif. *Il a absenté l'école. Si tu absentes encore une seule fois ta classe, je te punirai.*

ABSURDE, s. des 2 genres. Nigaud, sot, borné, stupide. *Tu es un absurde, Jean-Louis, avec ta croyance aux almanachs.* Français populaire. «Absurde» est un adjectif.

À ÇÀ, interj. Çà! çà donc! eh bien! eh! *À çà! Messieurs, un peu moins de bruit. À çà! Frédéric, puisqu'on se quitte aujourd'hui de si bonne heure, on se reverra demain. À çà! qu'ai-je donc fait de ma clef d'armoire?*

† ACACHONS, loc. adv. En cachette, clandestinement, à la sourdine. *Faire quelque chose acachons.* On dit aussi d'*acachons. Notre Étienne est un garçon ouvert, qui ne fait jamais rien d'acachons. Il fait chaud d'acachons,* se dit, chez les campagnards, de cette grande chaleur que l'on sent quelquefois en été, lors même que le ciel est couvert et le soleil entièrement caché.

ACAGNARDIR (S'), v. pron. S'acagnarder; c'est-à-dire: Rester oisif, faire le paresseux, croupir nonchalamment. *S'acagnardir au coin du feu.* Français populaire.

ACAGNER (S'), v. pron. Se blottir. *Il s'était acagné dans un coin. Acagne-toi bien dans le lit pour n'avoir pas froid.* [P. G.]

ACARRER (S'), v. pron. Se blottir, se serrer contre. [P. G.]

† À CAUSE? adv. Pourquoi? *Mama, la Betsi m'a battue.—Et à cause?—À cause de rien; à cause que c'est une méchante.*

ACCOMPARER, v. a. Comparer.

ACCORDER, v. n. *Accorder une démission, accorder à un fonctionnaire public sa démission,* ne sont pas des expressions françaises; il faut dire: Recevoir une démission, ou Accepter une démission. «Le gouvernement a accepté la démission de M. le professeur N***.»

† ACCOURAGER, v. a. Encourager. *Accourage-toi, mon valet, tu auras une bonne dimanche.* En vieux français, *acorager.*

ACCOURCIR, v. n. *Les jours commencent d'accourcir.* Dites: Les jours commencent de s'accourcir.

ACCOURIR (S'), v. pron. Se pourvoir de denrées et autres objets de consommation, en attendant le moment, peu éloigné, où se fera la provision. *As-tu assez de gros bois et de fascines pour t'accourir? Notre chariot de pommes de terre n'arrivera que dans quinze jours, Lisette: va donc en acheter une corbeille pour nous accourir. Le dîné sera sans doute retardé, et je vais prendre un bouillon pour m'accourir. Mon bon Monsieur, c'est aujourd'hui le premier du mois; je viens recevoir ma petite rente.—Aujourd'hui, Madame Pignolet, cela ne m'est pas possible, mais revenez dans cinq jours.—Eh bien, Monsieur, donnez-moi, s'il vous plaît, dix francs pour m'accourir,* c'est-à-dire, Pour que je puisse suffire pendant ce temps à mes dépenses ordinaires. Dans certains cas on peut employer ce verbe à l'actif, et dire, par exemple: *Prêtez-moi un quarteron de paille pour accourir mes bêtes jusqu'à la moisson.*

ACCOUTUMER, v. a. Nous disons: *Accoutumer une chose. Accoutumer une place. J'ai accoutumé cette promenade, cette église, etc.* Dites: Je suis accoutumé à cette place; je suis accoutumé à cette église, etc.; ou trouvez un équivalent meilleur.

ACCOUVASSER, v. n. Se dit des poules et signifie: Couver, cacher, mettre à l'abri, chercher à couver. Dans le vieux français, *accouveter* a presque le même sens.

ACCROCHER, v. a. (fig.) Gagner, attraper, saisir. *Hier, en patinant, j'ai accroché un gros rhume. Tiens, accroche ce bâton. Il lui appliqua un soufflet et lui dit: Accroche!* Terme français populaire.

ACCULER, v. a. *Acculer un soulier; souliers acculés.* Terme français populaire et vieux français. Dites: Éculer; souliers éculés.

ACCUSER, v. a. Terme de certains jeux de cartes. Annoncer. *J'accuse un mariage en carreau. J'accuse vingt en trèfle.*

ACCUSER À. Dénoncer à. *Finis, Antoine, ou bien je t'accuse; je t'accuse à M'sieu.*

ACCUSEUR, s. m. Rapporteur, écolier qui se plaît à dénoncer ses camarades. Terme vieux français.

ACENSER, v. a. Prendre à cens ou à ferme, affermer. Ce terme, peu connu en France, et qui n'est pas dans le dictionnaire de l'Académie, doit s'écrire «Accenser.»

ACHAPER (S'), v. pron. Terme des campagnards. S'accrocher à, se cramponner à, s'attacher à. *S'achaper au cou de quelqu'un.* [P. G.]

ACHATIR, v. a. Voyez ASSATIR.

ACHOUTER (S'), v. pron. *Le temps s'achoute*, signifie: Le temps commence à s'éclaircir, le temps s'amende et devient meilleur. Voyez les mots SIOUTE OU CHOUTE.

ACOI ou ACOUÉ, s. m. Puissance, courage, force physique, audace. *Tu n'as pas l'acoi.* Terme vaudois. Dans le patois de Neuchâtel on dit *acout*. Voyez le *Glossaire neuchâtelois* de M. le professeur Guillebert, 2ᵉ édition, p. 74.

À CRA ou À CRAS, loc. adv. *Être à cra*, signifie: N'en pouvoir plus, être rendu, être aux derniers expédients, être aux abois.

† ACRASER, v. a. Écraser. *En remuant ce gros poutre, le charpentier vient de s'acraser le gros arteuil.*

AD HOC POUR CELA. *Il est venu ad hoc pour cela.* Dites: Il est venu ad hoc; ou, Il est venu pour cela; car les mots *ad hoc* et les mots *pour cela* ont exactement le même sens. Si vous les employez ensemble, vous dites deux fois la même chose; une fois en latin, et une fois en français.

ADIEU. A Genève, à Lausanne, à Neuchâtel, à Chambéry et dans le midi de la France on dit *adieu* à une personne que l'on aborde et qu'on est dans l'usage de tutoyer. *Adieu, cousin, comment te va? Adieu, ma sœur, viens-tu dîner avec nous?* Il faut dire: «Bonjour,» et réserver le terme d'*adieu* pour le moment où l'on se sépare. «Il se fait tard; adieu, Messieurs; adieu, Mesdames.»

ADIEU, JE T'AI VU! Sorte d'exclamation facétieuse, à l'occasion d'une mésaventure, d'une perte, d'une espérance trompée. *Le canari s'envola, et adieu, je t'ai vu! La diligence était partie, et adieu, je t'ai vu!*

ADMONESTER, v. a. Admonéter, faire une réprimande. *Admonester* appartient au vieux français.

ADOMÉCHER, v. a. Apprivoiser. *Adomécher un chamois.* Terme vieux français. Dans les Alpes on dit: *Adometzi.* R. *domus* ou *domo*.

† ADOPTER, v. a. Adapter. *Adopter une console, adopter une polie.* Terme des ouvriers.

AFFAIRE, s. m. Objet, ustensile, chose. *Un gros affaire en bois.* Solécisme universellement répandu, et qui vient du vieux français. Ce mot est aujourd'hui féminin.

AFFAIRE, s. m. Nous disons dérisoirement d'un homme ou d'un jeune garçon petit et chétif: *Ce petit affaire. Voyez ce petit affaire, qui n'a que huit ans et qui veut conduire un cheval.*

AFFAIRE, s. f. *Il y a l'affaire de trois mois*, signifie: Il y a environ trois mois. *Il y a une affaire de deux ans que je ne l'ai vu*, signifie: Il y a environ deux ans que je ne l'ai vu.

AFFANER, v. a. Gagner avec peine, se tourmenter de travail, obtenir à la sueur de son front. *J'ai bien affané cet argent. Ces ouvriers ont bien affané un pauvre écu.* Terme suisse-roman. *Affaner* est l'ancien verbe *ahaner*, qui signifiait: Travailler avec fatigue, comme le bûcheron qui soupire, et laisse entendre, à chaque coup de hache, le son *ahan*. Selon le dictionnaire de Roquefort, le vieux mot *affan* est synonyme des mots Travail, peine, effort. Dans le dialecte languedocien, *s'afana* veut dire: S'empresser à faire quelque chose.

AFFAUTIR, v. a. Priver de nourriture. S'emploie surtout au passif. *Un enfant affauti* est celui à qui la nourriture a manqué. *Allons, camarades, encore un morceau; il ne faut pas se laisser affautir.* Se dit aussi des animaux et des plantes. Terme suisse. Dans le dialecte lorrain, *affautrir* signifie: Rendre maigre.

AFFITS, AFFITIAUX, s. m. pl. Affiquets, petits ajustements d'une femme, surcharge d'ornements sans goût, colifichets. «Affûtiaux» est français, mais n'a pas le sens de notre mot *affitiaux.*

AFFRANCHISSAGE, s. m. *L'affranchissage d'une lettre, d'un paquet, etc.* Terme français populaire. On doit dire: «Affranchissement.»

AFFRE, s. f. Grande peur, effroi. *Je me fais une affre de cette entrevue. Ce jeune étudiant se faisait une affre de son examen d'Algèbre. Ne vous faites pas une affre de si peu de chose.* En français, *affre* ne s'emploie qu'au pluriel et dans cette seule locution: Les affres de la mort. A Genève, *affre*, au singulier, est une expression fort répandue.

AFFÛTER, v. n. Être à l'affût, se poster pour attendre le gibier. Terme connu dans le Berry et sans doute ailleurs. Dans le vieux français on disait: *S'affûter.*

AGACIA, s. m. Écrivez et prononcez «Acacia.»

AGACIN, s. m. Durillon, cor aux pieds. *Extirper un agacin. Son agacin l'empêchait de marcher.* Terme méridional et vieux français. Dans le Valais on dit: *Agaçon.* R. *agacer,* irriter, faire souffrir.

AGAFFER, v. a. Gaffer, accrocher quelque chose avec une gaffe.

AGETS (LES), s. m. pl. Les êtres d'une maison, les dégagements, issues, corridors, escaliers, passages. *Savoir les agets; étudier les agets. Ce voleur connaissait bien les agets de l'appartement.* Terme rouchi. A Reims on dit: *les agis*; en vieux français: *les agiz, les agès,* ou *les agiers.* Dans la basse latinité, *agestus* a le même sens.

AGILETÉ, s. f. *Il se déroba à nos yeux avec une incroyable agileté.* Le mot français est «Agilité.»

AGIR (S'), v. pron. *Quand il a s'agi de se mettre à table, rien n'était prêt. Quand il a s'agi de payer l'écot, la moitié des convives avait disparu.* Dites, en conjuguant ce verbe avec l'auxiliaire *être*: Quand il s'est agi.

AGLAN, s. m. Mot patois, qui signifie: Gland. *La saison des aglans. Ramasser des aglans.* Terme savoisien, méridional et vieux français.

AGLÉTIR, v. a. Agglutiner, agglomérer, coller. *Ce miel s'est agléti à mes doigts.* En Savoie, dans le Jura et en vieux français, on dit: *Agléter.*

AGNOTI, s. m. (*gn* mouillés.) Nigaud, esprit lourd.

AGONISER, v. a. Insulter, injurier, outrager de paroles. *Après avoir agonisé sa femme, il la chassée du logis.* Terme suisse, savoisien, comtois, lorrain, etc. Nous disons aussi, avec un complément indirect, *agoniser de sottises, agoniser d'injures.* Dans le langage parisien populaire on dit: *Agonir. Agonir quelqu'un de mauvais propos.*

AGONISSANT, ANTE, adj. et s. Qui est à l'agonie. Écrivez par un seul s «Agonisant,» et prononcez *agonizant.*

AGOUILLARDIR ou AGOUILLARDER, v. a. Affriander, rendre friand. *En donnant tant de bonbons à cette petite fille, vous finirez par l'agouillardir.* Voyez GOUILLARD.

† AGOÛTER, v. a. Goûter. *Agoûte-moi ce fromage.* Terme vieux français.

AGOÛTION, s. m. Mouchoir tressé ou noué dru, avec lequel les écoliers se donnent des coups. *Faire un agoûtion; se battre à coups d'agoûtion.* Terme formé peut-être du verbe *agoûter.*

AGOUTTER, v. a. Mettre à goutte, mettre à sec, tarir. *Agoutter un puits; agoutter une pompe. Les sources sont agouttées.* Dans la langue provençale on dit: *Agouta.* Dans le canton de Fribourg on appelle *agot* une vache qui n'a plus de lait ou qui n'en a pas encore.

AGRÈS, s. m. pl. Nous disons que *les raisins sont en agrès*, lorsqu'ils ont passé fleur, et que les grains commencent à poindre. *Dans notre canton, c'est vers les derniers jours du mois de juin que les raisins sont en agrès.* Dans le canton de Vaud on appelle *agrès*, «des petites grappes de raisin qui poussent plus tard que les autres et ne mûrissent pas.» En languedocien *agras*, et en vieux français *égret*, signifient: *verjus*. R. *agrestis* ou *acer*.

† AGRIABLE, adj. Agréable. *Agriable comme une porte de prison.* On retrouve ce barbarisme en Savoie et dans divers patois du nord de la France.

AGUENETTES, s. f. pl. (Prononcez *aghenettes*.) Argent monnayé. *Avoir des aguenettes; palper des aguenettes.* Selon le *Glossaire* de Gaudy, ce mot vient de *agnels*, ancienne monnaie d'or du temps de saint Louis, dont l'empreinte était un agneau.

AGUILLAGE, s. m. (Prononcez *aghillage*, et voyez le mot suivant.)

AGUILLER, v. a. (Prononcez *aghiller*.) Mettre, jeter, lancer un objet sur un lieu élevé, qui n'est pas à la portée de la main. *Nos garçons avaient aguillé leur paume sur le toit*; c'est-à-dire: L'avaient jetée sur le toit par étourderie ou par maladresse. *Leur cerf-volant resta aguillé sur l'arbre.* Quelquefois le verbe *aguiller* veut dire simplement: Placer, mettre un objet dans un lieu élevé et peu convenable. *Quand les domestiques desservent, elles ont la manie d'aguiller, d'échafauder les assiettes et les plats. Au lieu de pendre ton coquemar, Jeanette, pourquoi l'aguilles-tu ainsi sur les bûches? Est-ce étonnant que notre Madelon casse et brise tout? Elle vous fait de ces aguillages!... S'aguiller*, v. pron., se dit des personnes, et signifie: Se percher, *se hucher*, se jucher. *Resteras-tu une fois tranquille, Adrien, et cesseras-tu de grimper partout et de t'aguiller partout? Les voyez-vous, ces deux étourdis, s'aguiller sur le char de foin?* Ce verbe est d'un emploi continuel chez nous, et nous le considérons comme un terme expressif, qui n'a point d'équivalent en français.

AHVOUA ou AVOUA! interj. Bah! ah bah! allez donc! laissez donc! *Allons-nous ce soir à la Somnambule?—Ahvoua! C'est tout du charlatanisme et de la farce.*

AIGLE, s. m. Nous disons proverbialement d'une personne abjecte et méprisable: *Elle est bonne à donner aux aigles*; c'est-à-dire: Elle ne vaut pas plus que la tripaille et les viandes gâtées dont on nourrit habituellement nos aigles.

AIGLEDON ou ÉGLEDON, s. m. Édredon.

AIGRE (FAIRE). Forcer, faire un abattage, faire une pesée. *Il fallut faire aigre avec un levier. Les voleurs, pour ouvrir le pupitre, ont dû faire aigre.* Employée au sens figuré, cette expression signifie: User de moyens violents ou extrêmes. *Ne faisons pas aigre: attendons que les circonstances deviennent meilleures. On ne gagnerait rien à faire aigre: il faut user de patience.*

AIGRES, s. m. pl. *Tourner aux aigres.* Tourner à l'aigre, s'aigrir.

AIGRON, s. m. Héron, oiseau.

AIGUE, s. f. Eau. Ce mot patois, qui appartient au vieux français, est l'origine du verbe «aiguayer» (prononcez *égayer*), lequel signifie: Baigner, laver. «Aiguayer un cheval; aiguayer du linge.» [ACAD.] *Aiguebelle* est le nom d'une jolie cascade, au pied du mont Salève, près d'Étrembières.

AIGUILLETTE, s. f. Terme de couturière. Aiguille à lacer, passe-lacet.

AIGUISEUR, s. m. Émouleur.

AIR, s. m. Ressemblance. Nous disons: *Donner de l'air à quelqu'un*, pour signifier: Avoir de son air, avoir sa tournure, avoir son allure, lui ressembler à plusieurs égards. *Il donne beaucoup d'air à son frère, et encore davantage à son oncle.* Expression méridionale.

AIRER, v. a. *Airer un appartement.* Dites: Aérer un appartement, c'est-à-dire, y faire circuler l'air. Chambre bien aérée.

AIRRHES ou ERRHES, s. f. pl. Arrhes. *Donner des airrhes à une domestique. Rendre les airrhes. Doubler les airrhes.* Terme méridional et vieux français.

AISE, s. f. *Être mal à son aise*, signifie: Être un peu indisposé, n'être pas bien portant. *Par ces temps de brouillard, je me sens mal à mon aise; je suis mal à mon aise; je me trouve mal à mon aise;* c'est-à-dire: Je ne suis pas entièrement bien; il y a quelque chose qui cloche, ma santé ne va pas.

AISES, s. f. pl. Vaisselle de terre. *Laver les aises. La patte d'aises; la patte aux aises.* Terme suisse et savoisien. En languedocien, *aisine* se dit de toutes sortes d'ustensiles propres à contenir des choses soit liquides, soit solides; ainsi Un plat, un baquet, un panier, une cruche, sont autant d'*aisines*. En Franche-Comté et dans le vieux français, *aisement* signifie: Ustensile de ménage.

AISES, s. m. pl. Ce mot est féminin. Ne dites donc pas: *Il se donne tous ses aises; il prend tous ses aises.* Solécisme assez répandu, et qui nous vient du vieux français, où *aise* avait le genre masculin.

AJOSSER (S'), v. pron. S'accroupir, se tapir. *La poule est ajossée sur ses œufs. Cette petite Adèle est toujours ajossée au coin du feu.* En languedocien, *s'ajhassa* veut dire: Se coucher.

AJOUTURE, s. f. Ajoutage. *Faire une ajouture à une robe.*

ALAGNE, s. f. Terme patois. Noisette. En Savoie on dit: *Alogne*; dans le canton de Vaud, *Alagne, Alogne* et *Eulagne*; en vieux français, *Aulagne*; dans le patois limousin, *Oulana*; en provençal, *Avelano*; en latin, *Avellana*. Aveline, en français, est le nom d'une espèce de noisette.

ALANGUÉ, ALANGUÉE, s. et adj. Babillard effronté. *C'est un petit alangué. Vous n'êtes qu'une alanguée.* En languedocien on dit: *Alengat*; dans le bas limousin, *Olenga*; en vieux français, *Langard*; dans le patois de l'évêché de Baie, *Langaie*.

ALBINE, s. f. Arbenne, perdrix blanche.

ALCOVE (UN). *Un grand alcôve.* Solécisme fréquent en France, dans le langage populaire.

† ALCOVRE, s. f. Alcôve. *Chambre à alcôvre.* Les Languedociens ajoutent aussi l'r euphonique, et disent: *Alcobre.* Dans le Jura bernois et en Lorraine on dit: *Alcofre.* R. arabe: *Alkobba.*

À L'HORREUR, loc. adv. Très-mal, horriblement, exécrablement. *Cette robe lui va à l'horreur. Ta page d'écriture est faite à l'horreur. Vos ciseaux coupent à l'horreur.*

ALIER, s. m. Sorte d'arbre. Terme méridional et vieux français. On dit aujourd'hui Alisier.

ALIGNER, v. a. (fig.) *Aligner quelqu'un*, c'est le corriger, le mettre à la raison, le faire marcher droit. *Va, petit bandit, je te ferai aligner par ton père. Drôles que vous êtes, on vous alignera, on vous arrangera.*

ALLÉE, s. f. Action d'aller quelque part. *L'allée et la venue; l'allée et le retour. Nous payâmes au cocher six francs pour l'allée et la venue.* Figurément, *Donner à quelqu'un l'allée et la revenue, c'est le mornifler* d'importance, le souffleter d'abord sur une joue, puis sur l'autre.

ALLÉE QUI TRAVERSE. Dites: Allée de traverse. Dites aussi: Rue de traverse, chemin de traverse, route de traverse, et non pas: *Rue qui traverse*, etc.

ALLEMAGNES, s. f. pl. *Notre fils voyage par les Allemagnes. Ces Allemagnes ont bien de la peine à se calmer.* Expression très-populaire.

ALLEMANDAGES, s. m. pl. Causeries, commérages.

ALLER, v. n. Nous disons: *Aller par le haut et par le bas.* Les dictionnaires disent: Aller par haut et par bas.

ALLONGER, v. a. Dans le langage culinaire, *allonger une sauce*, c'est y ajouter du bouillon ou de l'eau, et en diminuer ainsi la force. *Elle laisse brûler son rôti et ensuite elle allonge la sauce comme elle peut.* Cette expression s'emploie aussi figurément. *Allons, Messieurs, ne discutez pas davantage: il ne faut pas allonger la sauce.*

ALLONGER (S'), v. pron. Allonger. *En passant par ce chemin, nous nous allongeons.* Dites: Nous allongeons.

ALLONGER (S'), v. pron. Croître. *Les jours s'allongent.* Dites: Les jours croissent. En Languedoc on dit: *Les jours allongent.*

ALLONGER (S'), v. pron. Dans le langage des ouvriers, *s'allonger* veut dire: Se hâter, faire vite. *Camarades, l'ouvrage presse, il faut s'allonger.*

ALLUMER UNE LUMIÈRE. Cette expression, généralement usitée dans tous les pays où l'on parle français, n'est admise ni par les dictionnaires, ni par les grammaires.

ALLUMETTES, s. f. pl. Nous appelons *Jeu des allumettes*, un jeu d'enfants dont le nom français est Jeu des jonchets, ou Jeu des honchets.

ALLURE, ALLURÉE, adj. et s. Se dit des jeunes garçons et des jeunes filles, et signifie: Vif, dégourdi, rusé, madré, intrigant. *Tony est un petit alluré qui fera son chemin.* Terme suisse et languedocien. A Marseille on dit: Un *luré*; dans le Berry, en Normandie et en Picardie, un *déluré*, terme recueilli par MM. Noël et Chapsal.

† ALMANACH, s. f. *Une jolie almanach.* Ce solécisme se fait aussi dans le canton de Vaud, en Savoie, en Lorraine, et sans doute ailleurs.

ALOUILLES ou ALOU-YES, s. f. pl. Ce mot signifie: Brandons, perches recouvertes de paille tortillée, que les jeunes villageois allument à la tombée de la nuit, sur les lieux élevés, le premier dimanche du Carême, appelé, pour cette raison, le Dimanche des Brandons. Après avoir brûlé leurs flambeaux, ils se rendent, en chantant, au domicile des personnes qui se sont mariées dans le cours de l'année, et font des souhaits pour qu'elles aient de beaux enfants, et surtout pour qu'elles offrent quelques bouteilles de vin à la joyeuse bande. (P. G.)

ALOUILLES, s. f. pl. Les villageois de plusieurs de nos communes sont dans l'usage, le soir d'une noce, de jeter aux enfants des noisettes, des dragées, du caramel et autres friandises. Cela s'appelle, en patois: *Acougli les alouilles* (jeter les alouilles). Terme savoisien.

ALPHES ou ALPHTES, s. m. pl. Aphthes, petits ulcères qui viennent dans la bouche. *Avoir les alphes. Les alphtes sont douloureux.* Ceux qui font ce mot féminin ajoutent une seconde faute à la première.

AMADOU, s. f. *De la bonne amadou.* Solécisme très-répandu en Savoie, en France et en Suisse.

† AMANDRE, s. f. Amande. *Une amandre douce; une amandre amère.* Terme savoisien, lyonnais, vieux français, etc.

AMASSER, v. a. Nettoyer. *Amasser une assiette, amasser un plat. N'amasse pas avec tes doigts, Alexis; amasse avec ton pain.*

AMASSER, v. n. Commencer à suppurer, commencer à aboutir. *Son doigt amasse.* Terme méridional.

AMATEUSE, s. f. Ce mot n'est pas français. En parlant d'une femme, aussi bien que d'un homme, on doit dire: «Amateur.»

AMBE, s. m. Amble, une des allures du cheval.

AMBRESAILLE, s. f. Myrtille, airelle, embrune, ou raisin des bois. *Un gâteau aux ambresailles.* Terme savoisien.

AMBROCHE, s. f. Myrtille, airelle, embrune, ou raisin des bois. Terme vaudois.

AMENER, v. a. Appliquer, flanquer, asséner. *Il voulut répliquer; l'autre lui amena un épouvantable horion.*

AMI AVEC. Voyez AVEC.

AMIDON, s. f. *De la bonne amidon.* Ce mot est masculin.

AMIOTI, IE, adj. Signifie: 1° Fatigué, éreinté; 2° Rapetissé, rabougri, racorni.

AMOMON, s. m. Tomate, pomme d'amour de la petite espèce. *Un vase d'amomons.*

AMPRÔ, s. m. Voyez le mot suivant.

AMPRÔGER, v. n. Terme des écoliers dans leurs jeux. Réciter une kyrielle de certains mots, pour savoir quel sera, entre tous les joueurs, le joueur sortant. Ces mots, qui n'ont aucun sens connu, sont au nombre de dix-sept: *Amprô, Giraud, Carin, Careau, Dupuis, Simon, Carcaille, Brifon, Piron, Labordon, Tan, Té, Feuille, Meuille, Tan, Té, Clu.* Les deux derniers de ces termes semblent être patois; *Té clu* ou *T'ey* clus peuvent signifier: Tu es dehors, tu es sortant. *Clus* serait alors le participe du vieux verbe *clure*, comme *exclu* ou *exclus* est le participe d'*exclure*: conjecture très-hasardée mais très-peu importante.

ANAILLE, s. f. Noisette. Ce terme figure dans un ancien refrain que les enfants chantent encore quelquefois le jour de Noël: *Chalande est venu,—Son bonnet pointu,—Sa barbe de paille,—Cassons des anailles,—Mangeons du pain blanc,—Jusqu'au Nouvel an.* Voyez ALAGNE.

ANCELLE, s. f. Éclisse, appui pour la fracture des os. Terme savoisien. Dans le patois du Jura, *ancette* signifie: «Planchette, bardeau,» petit ais fort mince pour couvrir les toits.

ANCHOIS, s. m. Dans notre dialecte et dans celui du Languedoc, des yeux *bordés d'anchois* sont des yeux éraillés, des yeux «bordés d'écarlate,» comme s'expriment les dictionnaires.

ANDAN, s. m. Terme des campagnards. Andain, ligne d'herbe abattue par la faux et qui ressemble à une *onde*. Dans le patois du canton de Vaud, *anda* signifie: «Vague, bouillon, *onde*.» En italien, *andare* veut dire: «Marcher.» On peut choisir entre ces deux étymologies, dont, peut-être, la meilleure ne vaut rien.

ANDRILLE, s. f. Ne s'emploie que dans cette expression populaire: *Tirer l'andrille*, laquelle signifie: «Être dans le dénûment, être pauvre.» *Andrille* est une corruption du mot *mandrille* ou *mandille*. Dans le Limousin on dit: *Traîner la mandrille*; à Lyon, *Traîner la mandille*. Or la *mandille* était une sorte de petit manteau ou casaque que portaient autrefois les laquais: elle leur était particulière, et les faisait distinguer des autres valets.

† ANÉDOCTE, s. f. Anecdote. *Il nous fit asseoir et nous conta l'anédocte suivante.* Terme dauphinois, limousin, etc.

ÂNE, s. m. Nous disons proverbialement: *Il y a beaucoup d'ânes au moulin qui se ressemblent.* Dans le français populaire on dit: Il y a plus d'un âne à la foire qui s'appelle Martin.

ANGE. Ce mot est masculin, lors même qu'on l'applique à une femme. Ne dites donc pas, comme plusieurs: *Ma chère ange.*

ANGLAISE, s. f. Redingote, lévite. *Raccourcir une anglaise; tourner une anglaise.*

ANGOISSER, v. a. Agiter, inquiéter vivement, tourmenter. *Je viens d'apprendre que, par cette forte bise, nos jeunes gens sont en bateau sur le lac, et cela m'angoisse. La malade a été fort angoissée toute la nuit.* Excellent terme familier aux Suisses, et dont Mme de Staël n'a pas négligé de faire usage. Voyez, dans le *Glossaire* de Roquefort, les significations qu'avait ce mot il y a trois cents ans.

ANGURINE, s. f. Melon d'eau.

ANICHON, s. m. Petit âne, âne. Terme français populaire, lequel ne s'emploie qu'au sens figuré.

ANIOTI et ANIATI, adj. Fatigué à l'excès, éreinté. Ces termes sont une corruption du mot *anéanti*. On a dit d'abord *anéanti*, puis *anianti* (par un changement fréquent de l'*é* en *i*), puis *aniati* et *anioti*.

À NIVEAU DE. *Le salon est à niveau du jardin.* Dites: Est au niveau du jardin.

ANONCHALIR (S'), v. pron. Devenir nonchalant. *Après deux années d'application, on le vit tout à coup se décourager et s'anonchalir.* Terme vieux français.

À NOUVEAUX FRAIS. *Recommencer une chose à nouveaux frais.* Expression fréquente chez J.-J. Rousseau. Les grammaires et les dictionnaires disent: Sur nouveaux frais.

ANSE, s. f. (*a* aspiré). *La anse d'un pot; la anse d'une écuelle.* Il faut écrire et prononcer «L'anse.» L'anse d'un pot, l'anse d'une écuelle.

ANTICHAMBRE, s. m. *Un bel antichambre.* Ce mot est féminin, comme le mot «chambre,» dont il dérive.

ANTIDILUVIEN, ENNE, adj. Qui a existé, qui a eu lieu avant le Déluge. *Temps antidiluviens; nations antidiluviennes.* Dites, avec l'Académie et toutes les grammaires: «antédiluviens.» Le mot *antidiluvien* se dit quelquefois de ceux qui nient le Déluge.

À NULLE PART, loc. adv. Nulle part. *Où étais-tu hier soir?—À nulle part; j'étais chez moi.*

ANVERS, s. m. Furoncle. Voyez ENVERS.

À PART DE, loc. conj. À moins de. *À part de la frapper, son mari ne pouvait la traiter plus mal. À part d'être mort, on ne pourrait être plus malade qu'il n'est.*

APETISSIR, v. a. *Cette lunette apetissit.* Dites: Cette lunette apetisse. L'infinitif de ce verbe est: Apetisser.

APIDANCER (S'), v. pron. Combiner avec économie son pain et sa pitance en mangeant. *Tu ne sais pas t'apidancer. Ce fromage est bien apidançant.* Terme languedocien. Dans le Berry, on appelle *mets apidançant,* un mets qui fait manger beaucoup de pain. Voyez PIDANCE.

APIGEONNER, v. a. Attirer par de beaux discours, par de beaux semblants, enjôler, affrioler. *Il se laissa apigeonner par toutes leurs magnifiques promesses.* Terme remarquable, connu dans quelques provinces de Savoie, et peut-être ailleurs.

APLATI, TIE, part. S'emploie au sens figuré et signifie: Détraqué, énervé, abattu, consterné. *Je ne suis pas positivement malade, je suis aplati, je n'ai point de force. Cette nouvelle nous a aplatis. Votre Mr Michel est un homme bien indolent, bien aplati.*

À POINT D'ENDROIT, loc. adv. Nulle part.

APOSTICHE, adj. Postiche, ajouté après coup. *Barbe apostiche; frisons apostiches; dents apostiches.* Terme méridional, etc.

APOUSTI, s. m. Rebord extérieur d'une barque sur lequel marchent les bateliers, qui la font aller à l'*étire*, c'est-à-dire au moyen d'un long pieu ferré.

APOUSTOUILLE ou APOUTOUILLE, s. f. Allonge, ajoutage, appendice. A Chambéry on dit: *Apostouille.* C'est le mot français «Apostille» défiguré.

APOUTOUILLER, v. a. Allonger, mettre un ajoutage.

APPARENCE, s. f. Très-petite quantité. *Madame voudrait-elle goûter notre excellente eau de cerises?—Eh bien, oui; mais donnez-m'en seulement une apparence.*

APPARUTION, s. f. *Il ne fit qu'une apparution et il nous quitta.* Le mot français est «Apparition.»

APPELER (FAIRE). Nous disons: *Faire appeler le médecin, faire appeler le pasteur, faire appeler le notaire.* On dit en France plus simplement et plus correctement: Appeler le médecin, le notaire, etc.

APPETIT, s. m. *Bon appetit, voisine!—Et vous aussi, voisin, bon appetit!* Prononciation gasconne. Il faut écrire et prononcer «Appétit,» avec un accent aigu sur l'*e.*

APPOINT, s. m. Voyez APPOINTER, v. n.

APPOINTEMENT, s. m. *Son appointement est fixé à 1400 francs. On lui a doublé son appointement.* Dites: Ses appointements. Ce mot, pris dans le sens de Salaire, ne s'emploie qu'au pluriel.

APPOINTER, v. a. Pointer. *Appointer un canon.* Terme français populaire.

APPOINTER, v. n. Se dit au jeu de boules, par opposition à *baucher. Il appointe bien. Voilà un bon appoint.* Terme lyonnais et méridional.

APPONCE, s. f. Ajoutage, allonge. *Cette robe aurait besoin d'une apponce. Si nos enfants viennent dîner, vous mettrez une apponce à la table.* Terme suisse-roman, savoisien et lyonnais. Dans le Jura, on dit *rapponce.*

APPONDILLE, s. f., et APPONDILLON, s. m. Ajoutage, appendice, chose ajoutée à une autre.

APPONDRE, v. a. Ajouter, attacher. *Appondre une ficelle; appondre une sauce; appondre du bouillon; bouillon appondu; sauce appondue. Qui répond, appond;* c'est-à-dire: Les ergoteurs prolongent et entretiennent les disputes. Terme lyonnais, jurassien, dauphinois, etc.

† APPRENTIF, s. m. Apprenti. *Apprentif* appartient au vieux français, et se dit encore dans le Midi.

† APPRENTISSE, s. f. Apprentie. Terme vieux français.

APRÈS, prép. Au lieu de dire: Envoyer chercher quelqu'un, nous disons: *Envoyer après quelqu'un. Le vétérinaire n'arrive pas: envoyez après lui.* Dites: Envoyez le chercher.

APRÈS, prép. *Demander après quelqu'un*, n'est pas une expression correcte. *En mon absence, a-t-on demandé après moi?* Dites: En mon absence, quelqu'un m'a-t-il demandé? Quelqu'un a-t-il demandé à me voir, à me parler?

APRÈS, prép. *La clef est après la serrure; la clef est après la porte.* Dites: La clef est À la serrure; la clef est À la porte.

APRÈS-MIDI, s. m. Assemblée, cercle, thé. *Mme N** nous a donné hier un charmant après-midi.* Ce mot est féminin et il n'a pas cette signification.

ÂPREUR, s. f. Âpreté. *L'âpreur d'un fruit.*

À PRORATA, prép. comp. Au prorata, en proportion de, à raison de. *Il paie à prorata de ses revenus.* Terme français populaire.

APURE, s. f. Moment de la plus grande abondance d'un fruit. *L'apure des fraises va finir. L'apure des melons commencera bientôt.* Terme savoisien.

À PURE PERTE, loc. adv. J.-J. Rousseau a employé fréquemment cette expression genevoise qui a fini par s'introduire en France, dans le langage populaire. Au dix-septième et au dix-huitième siècle, les écrivains français ont toujours dit: «En pure perte,» et jamais *À pure perte.*

À QUELQUE PART. *Je vais à quelque part.* Dites, sans préposition: Je vais quelque part.

ARAGNE, s. f. Araignée. Voyez le mot suivant.

ARAGNÉE, s. f. *Toile d'aragnée.* Terme français populaire et vieux français. Écrivez et prononcez «Araignée.» Peu de mots ont eu autant de peine à se former que celui-là; peu de mots ont subi en France plus d'altérations successives. On a dit: *Araigne, airagne, arigne, iragne, iraigne, aragne, aragnée*, et enfin Araignée.

ARAIGNÉE, s. f. Cardère, chardon des haies.

ARASÉE, s. f. Terme de maçonnerie. Assise. *Première arasée; seconde arasée.* Le verbe «Araser» est français.

ARBORISER, v. n. Herboriser. *Arboriser* appartient au français populaire. *Arboriste* se trouve dans les Fables de La Fontaine (V, 8), et se dit encore dans le Midi.

†ARGARDER, v. a. Regarder. *Argarde voir, François.*

ARÉONAUTE, s. m. Aéronaute.

À REVOIR, Au revoir.

†ARGENT, s. m. Dans le langage populaire, ce mot est féminin. *Sa petite argent ne le mènera pas loin. Ils y mettent une belle argent, tous ces garçons, à leur tabac et à leur fumerie.* Ce solécisme ne nous est pas particulier.

ARGENT DE POCHE, s. m. Dites: Argent de la poche, argent qu'on destine à ses menus plaisirs.

ARGENT MÂCHÉ, s. m. *Une tabatière d'argent mâché.* Dites: Une tabatière argentée.

ARGENTS, s. m. pl. *Les argents sont rares.* Dites: L'argent est rare.

ARGOT, s. m. Ergot, espèce d'ongle chez quelques animaux. *Le coq se tenait sur ses argots.* Terme français populaire et vieux français.

† ARGOTER, v. n. Ergoter, répliquer avec humeur. Terme français populaire et vieux français.

† ARGOTEUR, s. m. Ergoteur.

† ARGUELISSE, s. f. Réglisse, plante. *Du bois d'arguelisse.* Ce mot a subi en France de grandes variations. On a dit successivement: *Ergalisse, erguelisse, regalisse, rigalisse, ragalisse, riglisse,* et enfin Réglisse.

ARGUILLON, s. m. Ardillon, pointe de métal à la chappe d'une boucle. Terme français populaire.

ARI, adv. Arrière. Terme de batelier. *Faire ari* veut dire: Ramer en sens contraire pour aborder. *Ari* est aussi le cri de nos charretiers pour faire reculer leurs chevaux. En vieux français, *arier* signifie: Arrière.

ARIOTET, s. m. Jeu d'écoliers, appelé aussi *Quique.* Voyez ce mot.

† ARMANA, s. m. Almanach. *Armana* est aussi la prononciation populaire en Savoie, en Franche-Comté, en Bourgogne, dans le Limousin, en Provence, à Paris, à Reims, etc.

ARMISTICE (UNE). Ce mot est masculin. «Un court armistice.»

† ARMOIRE (UN). *Nous incantâmes un superbe armoire de sapin.* Ce solécisme nous est commun avec nos voisins de France, de Suisse et de Savoie.

† ARMOLAU, s. m. Émouleur, gagne-petit. *Quand l'armolau passera, dites-lui de monter.* Terme neuchâtelois.

ARPION, s. m. Harpon. En provençal, *arpioun* signifie: Une griffe.

ARPIONNER, v. a. Harponner.

ARRAL (D'). De travers, à rebours, mal. *Ce vêtement va tout d'arral. Notre affaire ira tout d'arral,* etc. Terme des campagnards. [P. G.]

ARRAPER, v. a. Prendre par force, arracher.

ARRÊTE, s. f. Arrêt, cesse, repos. *N'avoir point d'arrête,* signifie: Bouger sans cesse, agir continuellement, se trémousser sans relâche.

ARRÊTER, v. n. S'arrêter. *Partez donc; la dernière cloche vient d'arrêter. Nous eûmes beau faire des signes avec nos mouchoirs, l'omnibus ne voulut pas arrêter.* Il est mieux de dire: Ne voulut pas s'arrêter.

ARRÊTER, v. n. Cesser. *Il a arrêté de pleuvoir; il a arrêté de sonner. Laisse ton labourage, André; et si la pluie arrête, tu le reprendras.*

ARRHES, s. f. pl. Dans le langage populaire raffiné, on aspire ce mot, et l'on dit: *Des hharrhes; livrer les hharrhes.* C'est une grossière faute: il faut prononcer *les z-arrhes.*

ARRIÉRAGES, s. m. pl. Arrérages.

ARRIÈRE-GRAND'MÈRE, s. f. Bisaïeule.

ARRIÈRE-GRAND-PÈRE, s. m. Bisaïeul. Terme méridional.

† ARSOUILLE, s. f. Homme ou femme de néant, crapule. Terme ignoble, qu'on retrouve dans quelques provinces du nord et du centre de la France. [Voyez le *Glossaire picard* de M. l'abbé Corblet.]

ARTÈRE (UN). *Le gros artère.* Solécisme fréquent. Ce mot est féminin.

ARTEUIL, s. m. Orteil, doigt du pied. *Il s'écrasa l'arteuil.* Dans notre patois, on dit: *artieu;* dans le Limousin et en vieux français, *arteil;* en Languedoc, *artel;* en rouchi, *artoil;* dans le dictionnaire de Cotgrave, on trouve *artail* et *artoir:* tous mots qui se rapprochent beaucoup de l'étymologie latine *articulus.* «Orteil,» qui s'en éloigne davantage, a prévalu.

ARTICHAUT BÂTARD, s. m. La grande joubarbe.

ARVE, rivière. Nous disons, en retranchant l'article devant ce mot: *Le sable d'Arve; la queue d'Arve; le bord d'Arve; le chemin d'Arve; patiner sur Arve.* Ces façons de parler sont un reste du vieux français.

AS (UNE). Terme du jeu de cartes. *Une belle as.* Solécisme qu'on retrouve aussi dans le français populaire.

ASPIRAL, s. m. Spiral. Terme d'horlogerie.

ASSATIR ou ACHATIR, v. a. Écacher, aplatir, tasser, écraser. *Un terrain assati; une pomme assatie. Du pain assati* est du pain mal cuit, mal levé, qui est trop serré, si l'on peut s'exprimer ainsi. Le verbe *assatir* ou *achatir* se dit aussi des personnes. *J'ai tant marché, que je suis tout achati. Si tu raisonnes encore, petit drôle, je t'achatis. Quand il apprit la nouvelle de cette faillite, il resta comme achati*; c'est-à-dire: Comme écrasé. Dans le patois languedocien, *acata* veut dire: Abaisser, et le participe *acatat* signifie: Courbé, bas. Dans le patois du Berry, *sater* a le sens de: Presser, fouler.

ASSATISSEMENT, s. m. Aplatissement, abaissement.

ASSAUT, s. m. Nous disons figurément: *Faire un assaut à quelqu'un*, pour: Le tancer vertement, éclater contre lui en reproches. *Recevoir un assaut* veut dire: Être fortement réprimandé. En Lorraine, *assauter quelqu'un* signifie: L'accabler d'injures, de reproches, d'invectives.

ASSÉNER, v. a. *Asséner un coup de poing.* Ce mot s'écrit «Assener» sans accent sur l'*e.* [ACAD.]

ASSÉYER (S'), v. pron. S'asseoir. *Asséye-toi, Colas. Prenez la peine, Mesdames, de vous asséyer.* Faute fréquente.

ASSEZ, adv. *Monsieur a-t-il assez bois? Aurons-nous assez crême pour quinze personnes?* Dites: Assez de bois, assez de crême, etc.

ASSOYER (S'), v. pron. S'asseoir. *Ils s'assoyèrent par terre*, est un barbarisme. On dit pourtant: Assoyez-vous; il faut que tu t'assoyes, etc. Pour les deux manières de conjuguer le verbe S'asseoir, voyez absolument les dictionnaires et les grammaires, et ensuite débrouillez la chose, si vous le pouvez.

ASTHME, s. m. Se prononce *asme*.

ASTRAGON, s. m. *Vinaigre à l'astragon.* Écrivez et prononcez «Estragon.»

ATARTI, IE, adj. Épuisé de fatigue, éreinté.

ATOUT, s. m. Soufflet, taloche, mornifle, fort coup. *Flanquer un atout; appliquer un atout; se donner un atout.* Terme parisien populaire, picard, etc.

ATRAN et ATREIN, s. f. Terme des campagnards. Fourche de fer à trois cornes, pour prendre et remuer le fumier. Terme savoisien. Dans le canton de Vaud on dit: *Trein* ou *treun*; en Franche-Comté, *Tran*; en Dauphiné, *Trenc*.

ÂTRIAUX, s. m. pl. Boulettes de foie de cochon. *Une douzaine d'âtriaux.* Terme suisse-roman. A Besançon on dit: *Atraux*; en Lorraine, *Hâtrez*. Dans le vieux français, *le Hétriaulx* signifie: Le foie.

AUBE, s. f. Nous disons: *Travailler d'une aube à l'autre*, pour signifier: Travailler autant que la journée peut s'étendre. Expression remarquable, qui prouve qu'anciennement on ne distinguait pas (quant au degré de lumière) l'aurore du crépuscule, puisque l'un et l'autre étaient appelés du nom d'*aube* ou blancheur. [Voyez Villa, *Nouveaux gasconismes corrigés*, t. I.] Cette expression, *d'une aube à l'autre*, n'est dans aucun des dictionnaires que j'ai pu consulter.

AU-DESSUS, adv. *Être au-dessus*, se dit d'un malade qui, après une dangereuse maladie, est sur le point d'entrer en convalescence. *Alexis a été entre la vie et la mort pendant plusieurs mois; mais, grâce à Dieu, le voilà au-dessus.* Expression consacrée.

AU-DEVANT, adv. On entend souvent dire: *Il lui est allé au devant*, pour: Il est allé au-devant de lui. Ce barbarisme est déjà signalé dans les *Remarques* du grammairien Vaugelas, publiées il y a deux cents ans.

† AUPARAVANT, prép. *J'arriverai auparavant lui. Vous serez servi auparavant ces dames.* Dites: J'arriverai avant lui; vous serez servi avant ces dames. «Auparavant» est un adverbe, et les adverbes n'ont pas de régime. Cette faute appartient au vieux français.

† AUPARAVANT DE. *Auparavant de mourir, il restitua la somme. Nous danserons auparavant de souper.* Dites: Avant de mourir; avant de souper.

AUPARAVANT QUE, loc. conj. *Auparavant que tu partes, on se reverra.* Cette expression appartient au vieux français. Dites: Avant que tu partes, on se reverra.

AUSSITÔT, adv. *Aussitôt à mon arrivée, j'irai vous voir.* Dites: Aussitôt mon arrivée; ou: Aussitôt après mon arrivée; expression meilleure que l'autre.

AU SÛR, loc. adv. Pour sûr, avec certitude. *Es-tu bien certain de la chose, Bernard?—Je ne la sais pas au sûr, et je ne voudrais pas en jurer.*

AUTEUR, s. m. Cause. *Tu as déchiré ma veste, Jules.—Eh bien! je m'en moque, c'est toi qui en es l'auteur: tu n'avais qu'à ne pas me chicaner.* Terme parisien populaire, etc.

AUTOUR DE, loc. prép. Environ, à peu près. *Il est autour de midi. À ce bal nous étions autour de soixante. Il y a autour de quatre ans que notre oncle est mort.*

AUTRE, adj. Les quatre expressions suivantes: *Rien d'autre, Quelqu'un d'autre, Quelque chose d'autre, Personne d'autre*, sont des expressions vicieuses, qu'il faut remplacer par celles-ci: Rien autre, Quelque autre, Quelque autre chose ou Autre chose, Personne autre ou Nul autre; ou par des termes équivalents. Ne dites donc pas: *J'ai gagné mon enjeu et rien d'autre. J'inviterai toute la famille, mais personne d'autre. Voudrais-tu un peu de café, Albertine?—J'aimerais mieux quelque chose d'autre.* Ce sont là des phrases barbares.

AUTRES FOIS (LES), loc. adv. *Les autres fois on fermait les portes de la ville à six heures du soir.* Dites: Autrefois, jadis, anciennement.

AUTU-BÔTU, adv. En bloc, l'un portant l'autre, pêle-mêle. *Acheter un chariot de foin autu-bôtu;* c'est-à-dire: Sans le peser. «Jamais je ne ferai un marché *autu-bôtu* dans une matière de cette importance.» [HUMBERT, *Adresse à mes concitoyens.* 1792.]

AVA! Exclamation de découragement ou d'incertitude. *Ava! n'essaie pas, tu n'y pourras jamais parvenir. Ava! ne sortons pas, la pluie commence.*

AVALANCHER, v. n., et S'AVALANCHER, v. pron. S'ébouler. *Le terrain menaçait d'avalancher. Le glacier venait de s'avalancher.* En provençal, *s'avalancha* veut dire: S'affaisser, s'ébouler, crouler.

AVALÉE, s. f. Forte réprimande, gronderie brusque. *Faire une avalée. Il nous surprit dans la vigne et nous fit une effroyable avalée.*

AVALER, v. a. Quereller durement, rudoyer, malmener. *Gardez-vous, mes enfants, de lui demander congé; il vous avalerait.* Terme français populaire.

AVALER, v. a. (fig.) Nous disons de quelqu'un qui a des maux de gorge: *Il a avalé le chat par la queue;* ou: *Il a avalé la queue du chat.* En français, on dit d'un chanteur qui éprouve un embarras de gosier: «Il a un chat dans la gorge.» [ACAD.]

AVALE-ROYAUME, s. m. Dénomination facétieuse qu'on donne à une personne avide, insatiable.

AVALOIR, s. m. Grand gosier, vaste gosier, vaste estomac. *Dis-moi, Georgette, il faut que tu aies un fameux avaloir pour avoir englouti toute la fricassée de boudins. Avaloir* est un mot français; mais on l'écrit «Avaloire,» avec *e* final, et il est du genre féminin.

AVAN, s. m. Osier, pleyon. *Les avans aiment le bord des eaux.* Terme franc-comtois, etc.

AVANCE, s. f. *Avoir de l'avance* signifie, dans le langage des ouvriers et des domestiques: Avoir quelque argent devant soi, avoir des économies, être en fonds. *Tu es toujours ouvrier, Mathurin?—Hélas! oui, Monsieur; je n'ai point d'avance. Si j'avais eu de l'avance, je me serais établi depuis longtemps.*

AVANCE, s. f. *Prendre de l'avance, gagner de l'avance,* sont des expressions incorrectes. *Antoine, toi qui marches moins vite que tes compagnons de route, prends de l'avance, gagne de l'avance.* Les dictionnaires disent, en retranchant l'article: Prendre l'avance, gagner l'avance. [ACAD.]

AVANCE, s. masc. Ce qui se trouve déjà de fait ou de préparé. *Tu me conseilles donc de bâtir ce mûr, Bastian?—Puisque Monsieur a tout le sable qu'il faut, et la moitié des pierres, c'est un joli avance, c'est un bon avance.* Ce mot est féminin: Une bonne avance.

AVANCÉ, CÉE, adj. Celui ou celle qui a quelque argent amassé, quelque petit fonds de réserve. Expression familière aux ouvriers et aux domestiques. *Notre Suzon attend, pour se marier, d'être plus avancée.*

AVANCÉ, CÉE, s. *Les avancés de la secte. Les avancés du parti. Un tel est dans les avancés.* Néologisme utile.

AVANTER, v. a. Aveindre, prendre un objet qui n'est pas à la portée de la main. *Toi qui es grand, Eugène, avante-nous ce panier qui est sur le buffet. Monte sur l'échelle et avante ce gros livre. Tâche d'avanter mon volant sur ce poirier.* Terme formé de la préposition «Avant.» *Avanter,* c'est: Tirer en avant, amener en avant. Ce verbe n'a point d'équivalent exact en français; car le verbe «Aveindre» est peu usité.

AVEC, prép. Nous disons, et les Méridionaux le disent aussi: *Vous arriverez avec la nuit; nous voyageâmes avec la pluie; ils partirent avec le beau temps.* Ces phrases, et phrases semblables, n'ont pour elles l'autorité d'aucune grammaire, ni d'aucun dictionnaire.

AVEC, prép. *Je suis ami avec Isaac. Connais-tu la Louise, Benoît?—Si je la connais: on est amie avec. Les deux cousines sont amies ensemble.* Ces expressions ne sont pas françaises.

AVEC, prép. Ne dites pas: *Compter avec les doigts.* Dites: Compter sur les doigts, ou par les doigts.

AVEC, prép. *Quand cela va bien, il faut aller avec.* Ce proverbe signifie qu'On doit être modéré en toute chose; qu'il faut, en toute chose, jouir sans abuser. *Allons, M. l'adjoint, encore un verre de Champagne.—J'ai eu ma bonne part, Messieurs, et, comme dit le proverbe, quand ça va bien, il faut aller avec* (c'est-à-dire: Quand les choses vont bien, il faut être content et ne pas aller jusqu'à l'excès).

AVEC CELA QUE, loc. conj. Outre que, d'ailleurs. *Le temps est trop incertain et trop humide pour que je me mette en route, avec cela que j'ai une douleur au genou.*

AVENAIRE, s. m. L'*avenaire* est un homme essentiellement désagréable, qui blâme tout, critique tout, et chez qui la contradiction est un besoin. A Neuchâtel, *avenaire* signifie: Aventurier, homme sans aveu, nouveau venu, intrus. C'est à peu près le sens que lui donne le *Dictionnaire français-anglais* de Cotgrave, seul dictionnaire où j'aie trouvé cette curieuse expression. Dans le patois du bas Valais, *aveniro* veut dire: 1° Enfant maigre; 2° Polisson R. *advena* ou *advenarius,* étranger.

AVOCATON, s. m. Mauvais avocat. Dans le français populaire on dit quelquefois: *Avocasson.*

AVORGNAU, s. m. Homme incommode, homme ennuyeux, butor. Terme tant soit peu trivial, et qui commence à vieillir.

AVOUAI, AHOUÉE ou AHOUAI, s. m. Cri, clameur générale d'approbation dans une réunion bachique. *Encore un avouai!*

AVOUGNON, s. m. Coup, fort coup.

AVOUILLON, s. m. Aiguillon pour piquer les bœufs.

AVOUILLONNER, v. a. Piquer un bœuf avec l'aiguillon pour le faire aller. Ce mot et le précédent nous viennent des campagnards.

B

BABAN ou BAMBAN, s. m. Nigaud, dadais, niais, batteur de pavé. *As-tu vu ce grand baban qui voulait faire le gentil?* Terme suisse-roman et savoisien. Voyez BAMBANER.

BABET, s. m. *Faire babet.* Ce terme d'écolier signifie: S'associer dans un jeu, mettre en commun les gains et les pertes. *Qui veut faire babet? Faisons babet ensemble.*

BABO, s. m. Bobo, petit mal physique, douleur légère. *Elle a babo au doigt.* Terme méridional, etc.

BABOLER, v. n. Bredouiller. *Parle donc distinctement, Louise, et ne babole pas.* En vieux français, *babouleur* signifiait: Babillard.

BABOLI, s. m. Babillard inepte.

BABOUINE, s. f. Babine.

BÂCHE, s. f. Fourrage de marais, herbe qui croît dans un terrain marécageux.

BACHET ou BACHAT, s. m. Auge, abreuvoir, bassin, pierre ou pièce de bois creusée et qui sert à abreuver les animaux domestiques. *Le bachet de Pezay.* Terme savoisien, lyonnais et vieux français. Dans le Limousin on dit: *Bac.*

BÂCHEUX, EUSE, adj. Nous appelons *pré bâcheux* un Pré qui est humide et marécageux.

BACHIQUE, adj. Bizarre, grotesque, comique, original, extraordinaire. Se dit des personnes et des choses. *C'était véritablement bachique de les voir danser.* Français populaire.

BACOUNI, s. m. Batelier. R. *bac.*

BACULO, s. m. Bâtonnet, jeu d'écoliers. *Jouer à baculo; jouer au baculo; lancer le baculo.* R. *baculus.*

BADE (À LA). Locution très-familière aux campagnards, et qui signifie: En liberté. *Être à la bade*, être libre. *Ils mirent les chevaux à la bade dans le pré. Bon! ne voilà-t-il pas que mon étourdi laisse l'eau à la bade*; c'est-à-dire: Laisse le robinet ouvert.

BADE (DE), loc. adv. En vain, inutilement. *Ne me faites pas venir de bade. Le vent ne court jamais de bade*; c'est-à-dire: Amène infailliblement la pluie. En provençal, *bada*, et en vieux français, *bader*, signifient: Ouvrir la bouche, béer, faire le badaud, badauder.

BADINAGE, s. m. Joujou, jouet, amusette. *Une boîte de badinages. Je t'apporte des badinages neufs: tu tâcheras d'en avoir soin.*

BAFFE, s. f. Coup bien assené, forte tape, giffle. Terme vieux français.

BÂFRÉE, s. f. Bâfre, godaille. Terme dauphinois, etc.

BAGAR (UN). Une bagarre.

BAGNOLET, s. m. Baquet peu profond, mais d'une grande surface, où l'on dépose le lait, pour que la crême se forme plus aisément. Terme suisse-roman et savoisien.

BAGUENAUDEUR, s. m. Baguenaudier, celui qui s'amuse à des bagatelles. Terme français populaire.

BAGUETTE DE RIDEAU, s. f. Tringle.

BAHIU ou BA-IU, s. m. Bahut, grand coffre, malle énorme. Nous disons au figuré, d'un homme gros et lourd, d'un homme replet et stupide: *C'est un gros bahiu.* Dans le dialecte rouchi, *baïou* se dit d'un badaud, d'un imbécile, qui ouvre la bouche pour regarder, et qui regarde autant de la bouche que des yeux. A Rumilly (Savoie), on dit: un *bavu.*

BAIDE ou BÈDE, s. f. Terme des campagnards. Interstice, intervalle. *La cheminée fumait beaucoup: on fit une baide à la porte;* c'est-à-dire: On l'entr'ouvrit un peu. *La pluie est bien forte, attendez une baide pour partir,* c'est-à-dire: Attendez une éclaircie.

BAIGNER, v. n. *La lune baigne;* c'est-à-dire: La lune est entourée d'un cercle de vapeurs. Cette expression si connue n'est consignée, je crois, dans aucun dictionnaire.

BAIGNER, v. n. *Allons baigner! Qui vient baigner?* Il faut dire, en employant le pronom personnel: Allons nous baigner. Qui vient se baigner?

† BAIGNES, s. f. pl. Bains. *La saison des baignes.*

BAÎLLÂ, s. m. Bâillement. A Neuchâtel on dit: un *baîlle.*

BAILLARJAUD, s. m. Pansu, qui a une panse rebondie.

BAÎLLER, v. n. *Baîller aux corneilles,* signifie: Avoir la bouche ouverte et regarder niaisement. Écrivez Bayer aux corneilles, et prononcez *bé-ié aux corneilles.*

BAIN-MARIN, s. m. *Réchauffer une soupe au bain-marin.* Dites: Au bain-marie. A Neuchâtel on dit: *Au bain mari.*

BAISER (LE). *Le baiser d'un pain.* Dites: La baisure, ou le biseau; c'est-à-dire: L'endroit par lequel un pain en a touché un autre dans le four.

BAÏU, s. m. Voyez BAHIU.

BALAI, s. m. *Pêcher au balai*. Dites: Pêcher au torchon.

BALALÂME ou BALALARME, s. m. Se dit d'un gros meuble antique et massif. *Ôtez-moi ce grand balalâme de fauteuil.*

BALAN, s. m. Balançoire, escarpolette. Au sens figuré ce mot signifie: Incertitude, irrésolution. *Être en balan,* ou *Être sur le balan,* veut dire: Être incertain, être en balance, flotter entre deux projets. *Je suis en balan si je partirai demain.* Expression méridionale.

BALANCES (DES). Dites: Une balance, quand il ne s'agit que d'un seul instrument à peser. «Ajuster une balance; nettoyer les bassins d'une balance. L'hôtel de la Balance.»

BALANDRIER, s. m. Garde-fou, barrière, galerie. On lit dans les *Chroniques* de Michel Roset: «Ils composèrent une graisse comme leurs prédécesseurs, et engraissèrent les verrouils des portes et les *balandriers* des rues et places où on soûlait s'appuyer.»

† BALIER, v. a. Balayer. *Balier le colidor; balier la montée.* Terme français populaire et vieux français.

BALIURES, s. f. pl. Balayures. *La seille aux baliures.*

BALME, s. f. Caverne, grotte naturelle dans les rochers. *La balme du Démon et la balme de l'Ermitage dans le mont Salève; la grotte de Balme entre Cluses et Sallanches.* En Provence et en Languedoc, *baume* a le même sens.

BAMBAN, s. m. Fainéant, flâneur.

BAMBANER, v. n. Baguenauder, muser, flâner bêtement, aller à l'aventure à droite et à gauche sans suivre de route certaine. *Se bambaner,* v. pron., a le même sens. *Pourquoi veux-tu que j'aille me bambaner par cette promenade?* A Lyon, *bambane* signifie: Homme lent, homme indolent et lâche.

BAMBILLER, v. n. Pendiller, brandiller. *Qu'est-ce que je vois bambiller à cette fenêtre?* Terme suisse-roman et savoisien.

BAMBILLON, s. m. Chiffon qui pendille. Nos campagnards appellent aussi *bambillon* le fanon de la vache.

BAMBINER, v. n. Muser, comme font d'ordinaire les *bambins,* s'arrêter dans les rues et sur les chemins.

BAMBOCHE, s. f. Ribote, grande bombance. *Faire bamboche; faire une bamboche. Quelle fameuse bamboche c'était!* Les dictionnaires n'emploient ce mot qu'au pluriel. «Faire des bamboches; il continue à faire ses bamboches.»

BAMBOCHE, s. f. Souliers de lisières, souliers fourrés, pantoufles, babouches. *Bamboche* est un mot connu dans les trois quarts de la France.

BANASTRE, s. m. Importun, fâcheux, personnage ennuyeux et assommant. *Qui nous délivrera de ce banastre?* En vieux français, *banastre* veut dire: «Panier.»

BANC DE BOUCHER, s. m. Étal.

BANC DE LAVANDIÈRE, s. m. Batte, selle, petit banc à quatre pieds, qui se place au bord de l'eau et sur lequel les blanchisseuses savonnent et battent le linge avec un battoir.

BANC DE MENUISIER, s. m. Établi. Ces trois dernières expressions sont fort usitées dans la Suisse romane, en Savoie et dans le Midi.

BANDE, s. f. Maillot. *Enfant à la bande.*

BANDOULIÈRE, s. f. Marmotte, mentonnière, mouchoir passé en bande autour de la tête. *Puisque tu souffres des dents, mets-toi une bandoulière.*

BAN-NER, v. n. Terme culinaire. Languir. *Ne laisse pas ta viande ban-ner près du feu.* On dit plus souvent: *Bon-ner.*

BANQUE, s. f. Comptoir, table à compter, table à serrer l'argent. *S'asseoir à la banque. Les voleurs crochetèrent les tiroirs de la banque.* Terme suisse-roman.

BARA, s. m. Petite boîte, en forme de baril, destinée à recevoir de l'argent ou des rouages d'horlogerie.

BARACAN, s. m. Bouracan, sorte de gros camelot.

BARAQUETTES, s. f. pl. Souliers minces pour la danse, escarpins.

BARAQUIN, s. m. Petite gamelle que les soldats ajustent et portent derrière leur havre-sac.

BARBADIAN, s. f. Salsifis sauvage, plante de rebut appelée aussi Barbe de bouc et Barbouquin. Nous disons d'une chose ou d'une personne dont nous ne faisons aucun cas: *C'est de la barbadian; ce n'est que de la barbadian;* c'est-à-dire: C'est moins que rien. *Barbe-à-Dian* est un mot patois qui signifie: «barbe de Jean.»

BARBICHON, s. m. Terme dérisoire. Adolescent, jeune homme qui a une barbe naissante. Français populaire.

BARBOT, s. m. Les campagnards appellent *raves au barbot* les raves bouillies. Ce mot est très-ancien chez nous, puisqu'on le trouve déjà dans la *Chanson de l'Escalade* (1602). Voyez le mot BARBOTER, n° 2.

BARBOTER, v. a. et n. Marmotter, parler entre les dents. *Que nous barbotes-tu là?* Terme picard, provençal et vieux français. «Barboter» est français dans une acception différente.

BARBOTER, v. n. Se dit d'un liquide qui cuit à gros bouillon. Dans le patois vaudois on dit: *Barbotà* et *borbotà*.

BARBOUILLON, s. m. Homme sans tenue et sans parole, homme qui a son dit et son dédit; homme, par exemple, qui revient sur un marché conclu verbalement, ou sur une promesse qu'il a faite de bouche. *N'ayez rien à faire avec ce Rigollet: c'est un barbouillon.* Terme suisse-roman et savoisien.

BARBUE, s. f. Terme rural. Provin avec sa racine. En Dauphiné, *barbas* a le même sens. R. *barbe*.

BARETTE, s. f. Serre-tête, sorte de coiffe.

BARFOU et BARFOLET, s. m. Terme de pêche. Sorte de filet à mailles serrées. Une ordonnance de 1797 défendit de pêcher avec ce filet.

BARGAGNER, v. n. Barguigner, hésiter.

BARGUIGNER, v. n. Nous disons que *le temps barguigne*, pour signifier que le temps est douteux, et que l'on ne saurait prévoir s'il pleuvra ou s'il fera beau. En français, «Barguigner» ne se dit que des personnes, et signifie: Hésiter, avoir de la peine à se décider, marchander.

BARICOLAGE, s. m. Bariolage.

BARICOLÉ, adj. Bariolé. *Habit baricolé; robe baricolée.* Terme savoisien et lyonnais. Dans le canton de Vaud on dit: *Baridolé*.

BARICOLER (SE), v. pron. S'attifer, se parer mignardement.

BARJAQUE, s. et adj. fém. Babillarde, bavarde, causeuse éternelle. Terme suisse-roman, savoisien et méridional.

BARJAQUER, v. n. Caqueter, bavarder, babiller à outrance et indiscrètement. En provençal on dit: *Barjka*.

BARJAQUERIE, s. f., et BARJACAGE, s. m. Caquet, babil incessant.

† BARON-MÊTRE, s. m. Baromètre. *Consulter le baron-mêtre.* Prononciation de nos campagnards.

BAROT, s. m. (*o* bref.) Camion, haquet, charrette basse pour le transport des marchandises. Terme vieux français, usité dans diverses provinces du nord de la France.

BAROTTE, s. f. Brouette, tombereau. *Mener la barotte; traîner la barotte.*

BARRE. C'est le nom d'un jeu gymnastique fort connu. On dit en France: «Jouer aux barres,» et en Suisse: *Jouer à barre.*

BARRER, v. a. (fig.) Serrer. *Avoir l'estomac barré. Le récit de cet affreux accident lui avait barré l'estomac.* Expression méridionale.

BARRICADE, s. f. Fête, collation que les paysans donnent à l'épousée au sortir de l'église. *Faire une barricade.*

BARRIÈRE D'ESCALIER, s. f. *Descendez avec précaution, et tenez-vous à la barrière.* Le mot français est «Rampe.» «Tenez-vous à la rampe.»

BARRIQUE (UN). Dites: Une barrique.

BARTAVELLE, s. f. En français, ce mot se dit d'une grosse perdrix rouge. Nous l'employons pour désigner un grand causeur, un babillard.

BAS, adv. *Se jeter bas du lit; sauter bas d'un cabriolet.* Dites: Se jeter à bas du lit; sauter à bas d'un cabriolet.

BASANE, s. f. Surnom dérisoire donné aux soldats de l'ancienne garnison.

† BASELI ou BASELIC, s. m. Plante de jardin. *Un vase de baseli.* En Languedoc on dit: *Bazéli*; à Lyon, *baselic.* Il faut écrire et prononcer «Basilic.»

BASOTER, v. n. Balbutier, hésiter, barguigner. *Tu es là à basoter au lieu de répondre. Il n'y a pas à basoter, ni à tortiller.*

BASOTTEUR, EUSE, s. Celui ou celle qui hésite, qui balbutie, qui barguigne. Se prend toujours en mauvaise part.

BASQUE (UN). Un bâtard. Au féminin, *une basque.* Terme vaudois.

BASSEUR, s. f. *La basseur des eaux.* Expression utile, mais peu usitée.

BASSIN, s. m. Homme ennuyeux, homme fatigant, homme *sciant. Ce bassin de Z. Z** nous aborda et nous embêta. Personne ne pouvait tenir avec ce bassin.*

BASSINANT, ANTE, adj. Ennuyeux, fort ennuyeux, fort désagréable. Se dit des personnes et des choses. *Individu bassinant; route bassinante; travail bassinant.*

BASSINE, s. f. Brasier, espèce de bassin de métal où l'on met de la braise pour réchauffer une chambre, un magasin, un cabinet. *Bassine à anse.*

Ébraiser la bassine. La bassine les a entêtés. Le mot de «Bassine» est français, mais dans une acception un peu différente.

BASSINER, v. a. Ennuyer, fatiguer, être à charge. *Va-t'en, tu me bassines. Tout le monde s'est bassiné à cette soirée. Ça me bassine bien d'avoir à sortir par cette pluie.* Expression triviale. En Lorraine, *bassiner quelqu'un* signifie: Lui faire charivari. *On l'a bassiné trois jours de suite.* [Voyez J.-F. MICHEL, *Dictionnaire des expressions vicieuses usitées en Lorraine*, p. 19.]

BASSINET, s. m. *Cracher au bassinet.* Dites: Cracher au bassin; c'est-à-dire: Boursiller à contre-cœur, contribuer forcément. R. *bassin*, plat où l'on reçoit les offrandes à la messe; plat destiné aux cueillettes. *Bassinet*, petit plat, petit bassin.

BATAILLE, s. f. Batterie, querelle où il y a des coups donnés. *Une bataille de cabaret. Une bataille entre gamins.*

BATAILLE, s. f. Nous appelons *Soupe à la bataille* ce qu'on appelle à Paris: «Potage à la julienne.»

BATAILLER (SE), v. récip. Se quereller. *Mes petits amis, ne pourriez-vous pas vous amuser sans vous batailler?* «Je dirai, comme je le crois, que la paix vaut mieux que la liberté; qu'il ne reste plus d'asile à la liberté sur la terre que dans le cœur de l'homme juste, et que ce n'est pas la peine de *se batailler* pour le reste.» [J.-J. ROUSSEAU, *Lettre à M. Moultou*, du 7 mars 1768.] *Se batailler* n'est pas dans les dictionnaires. On dit: «Batailler,» v. n.

BÂTARD, s. m. Longue et grosse scie.

BÂTE, s. f. Terme de couturière. Troussis. *Cette robe est trop longue, on y fera une bâte.*

BÂTIULE, s. f. Terme des campagnards. Sac plein de semence, qu'un semeur porte en bandoulière lorsqu'il ensemence un champ. A Rumilly (Savoie), on dit d'une personne qui a le bras en écharpe: *Elle a le bras en bâtiule. Bâtiule* est un diminutif de «Bât.»

BATTE, s. f. Sorte d'étoffe grossière de laine. *Une robe de batte; une jupe de batte.* Terme suisse-roman.

BATTIORER, v. a. Briser les tiges du chanvre ou du lin pour détacher la filasse de la chènevotte. Terme vaudois et savoisien. R. *battre.*

BATTIORET, s. m. Broie, instrument qui sert à briser les tiges du chanvre ou du lin.

BATTRE, v. a. *Ne pas battre le coup* est une expression familière qui signifie: Ne s'occuper à rien, être désœuvré, fainéanter.

BATTRE À FROID, (fig.) Battre froid, être froid, témoigner de la froideur ou de l'indifférence. *Je rencontrai hier Janeret au café, et je battis froid avec lui.* Dites: «Je rencontrai hier Janeret au café, et je lui battis froid.»

BATTRE À LA GRANGE. Battre en grange.

BATTRE ATOUT. Terme du jeu de cartes. Faire atout, jouer atout.

BATTRE BRIQUET. Dites, avec l'article: Battre LE briquet. «Plusieurs battirent le briquet et allumèrent le cigare.» [CH. NODIER, *Souvenirs et portraits.*]

BATTRE LA VIANDE. Mortifier la viande. *Du bœuf bien battu. En Angleterre on bat la viande bien plus et bien mieux que chez nous.*

BATTUE, s. f. Babeurre, lait qui reste après qu'on a fait le beurre. Terme vaudois, fribourgeois et savoisien. Dans le Valais on dit: Du *battu.*

BAUCHE ou BÔCHE, s. f. Terme du jeu de boule. Pierre faisant l'office de boule. *Jouer à la bauche.* Dans plusieurs villages de notre canton, dans le Jura et dans le midi de la France, *bauche* signifie: «Boule.» *Jouer aux bôches* (jouer à la boule).

BAUCHER, v. a. Débuter, c'est-à-dire: Ôter, chasser avec sa boule celle de son adversaire. *Bauche-moi cette boule; bauche-la en place.* Terme vaudois, savoisien, lyonnais et méridional.

BAUME. Nom propre, qui n'est usité que dans cette locution adverbiale: *Pas plus que de Baume,* c'est-à-dire: Pas du tout, point du tout, absolument pas. *Tu voudrais que je m'inquiétasse des cancans de nos commères? En vérité, je ne m'en soucie pas plus que de Baume. Penses-tu qu'il pleuve ce soir?—Ce soir? Pas plus que de Baume.* Selon le *Glossaire* de Gaudy, cette locution tire son origine du nom de *La Baume,* qui fut le dernier évêque de Genève, à l'époque de la Réformation. Mais un fait qui pourrait infirmer cette explication, c'est que d'autres cantons de la Suisse française emploient aussi ce proverbe.

BAVARD, s. m. Nous employons fréquemment ce mot dans le sens de: Railleur, moqueur, persifleur. *Croyez-vous, Monsieur, que je me prenne à vos compliments? On sait assez que vous n'êtes qu'un bavard.*

BAVARDAGE, s. m. Moquerie, raillerie.

BAVARDER (SE), v. pron. Se moquer, se railler. *Ces malicieuses filles se bavardaient des passants.* Nous disons, dans le même sens, *bavarder,* v. n. *Vous étiez tous là, comme de grands nigauds, à ricaner et à bavarder.*

BAVERON, s. m. Bavette, serviette d'enfant qu'on attache sous le menton. Terme français populaire. On disait en vieux français: *Baverette.*

BAYU, s. m. Voyez BAÏU.

BÉ-À-BA, s. m. *Être au bé-à-ba*, signifie: N'en pouvoir plus, être à quia, être réduit aux dernières extrémités. On le dit d'une personne fort malade. On le dit surtout d'un homme à qui le mauvais état de ses affaires ne laisse plus de ressources et qui est aux derniers expédients. Terme suisse-roman et savoisien.

BEAUCOUP, adv. Bien, fort, fortement. *Je crois beaucoup à un orage pour ce soir. Dans notre cercle on croit beaucoup à la paix.* Français populaire.

BÉBÉ (UNE). Une nigaude, une niaise qui est toujours bouche béante. Dans le dialecte limousin on dit: Une *bêbio*, et en Picardie, une *bébette*.

BEC-À-CORBIN, s. m. *Canne en bec-à-corbin.* Dites: Canne en bec de corbin. *Corbin*, en vieux français, signifie: «Corbeau.»

BECFI, s. m. Bec-figue. *Le passage des becfis. Tirer des becfis.* Terme savoisien, bressan, lyonnais, etc.

BÉCHÉE, s. f. *Donner la béchée.* Terme français populaire et vieux français. Dites: Donner la becquée.

BÉCHET, s. m. Trou fait à la glace dans un lieu propre à patiner. *Prendre béchet*, se dit d'un patineur qui s'enfonce dans l'eau. *Il a pris béchet jusqu'au cou.* En vieux français, *béchet* ou *baichet* signifie: «Brochet.» Or comme, à Genève, on patine le plus souvent sur des fossés qui contiennent des brochets, on a dit, en plaisantant: *Il prend le béchet, il prend béchet*, pour: «Il s'enfonce dans l'eau.»

BÉCUIT, s. m. Échauffement provenant d'une écorchure. *Avoir le bécuit.* Dans le patois vaudois, *békoué* se dit d'un enfant au berceau dont la peau est écorchée.

BEGNULE, s. f. (Prononcez *be-niule*.) Femme ou fille sotte, maladroite, sans capacité ni énergie.

BÉGUER, v. n. Bégayer. *Je crois vraiment qu'elle bègue; on dirait qu'elle bègue.* Terme lyonnais, picard, normand, etc.

BEGUINE ou BÉGUINE, s. f. Bavolet, sorte de coiffe de toile que portent nos paysannes, principalement celles qui sont âgées. Terme suisse-roman et savoisien.

BELLES HEURES, s. f. pl. *Vous venez, Messieurs, à de belles heures.* On dit en français: Vous venez à belle heure.

BELOSSE, s. f. Prunelle, prune sauvage, fruit du prunelier. Terme suisse-roman, savoisien et vieux français. A Fribourg on dit: *Bolosse*; à Lyon et dans le Jura, *pelosse*; en Normandie, *bloche*. A Reims, on donne aux prunes le nom générique de *balosses*.

BELUES ou BELURES, s. f. pl. Menus copeaux, qui se forment et tombent sous le rabot. *Un sac de belues; allumer le feu avec des belues.* Ne pourrait-on pas rapprocher le mot *belue* ou *blue* du mot français «Bluette?»

BELSAMINE, s. f. *Semer des belsamines.* Terme français populaire. Dites: Balsamine. R. *balsamum*, baume.

† BEL-Z-ET BIEN, loc. adv. Bel et bien. *Tout ça est bel-z-et bien. Tout ça est bel-z-et bon, mais ça ne me va pas.* Cette liaison et celles de *petit-z-à petit* et de *peu-z-à peu* ne sont pas rares dans notre dialecte populaire.

BENAITON, s. m. Corbillon, sébile, paneton, panier d'osier rond, de forme conique et sans anse, pour porter le pain au four. Dans plusieurs provinces de France, ce panier s'appelle *banneton*; dans la Bresse, dans le Mâconnais et en Savoie, on dit: *Benon*.

BENET, s. m. Écrivez et prononcez «Benêt.» Ce mot, qui rime avec *forêt*, s'écrivait anciennement *benais*.

BÉQUE ou BEKKE, s. f. Bout, pointe de quelque corps, et principalement d'un mouchoir ou d'un châle. Ce terme, qui nous vient des campagnards, n'est pas inconnu à nos citadines. Dans le vieux français, *béquu* ou *bécu* veulent dire: «Pointu.» [Voyez ROBERT-ESTIENNE, *Dictionnaire français-latin*, édition de 1605.]

BÉQUETTE, s. f. Pied d'alouette, plante.

BÉQUILLES, s. f. pl. C'est le nom que nos jeunes campagnards donnent aux «Échasses.»

BERCHE, adj. et subst. Brèche-dent. Se dit d'une personne à laquelle il manque une ou plusieurs dents de devant. *Elle est berche; il est berche. Connais-tu Isabeau la berche?* Terme suisse-roman et savoisien.

BERNE, nom propre de ville. Ce nom entre dans plusieurs de nos locutions proverbiales. Par exemple: *Nous sommes de Berne*, signifie: Nous sommes sauvés, nous n'avons rien à craindre, nous sommes des bons. *La justice de Berne* est une justice sévère, une justice sans merci. *Votre Mr N. N*** est tendre comme la justice de Berne.*

BESINGUE. Voyez BISINGUE.

BESOLET, s. m. Hirondelle de mer.

BESTIACERIE, s. f. Stupidité extrême, bêtise consommée.

BESULE, s. f., ou BESU, s. m. Ces deux noms se donnent indifféremment aux diverses espèces de mouettes, oiseaux de mer de l'ordre des palmipèdes.

BESULE, s. f. Terme d'écolier. Petite bille en marbre ou en grès, petit *mâpis*.

BÉTANDIER, s. m. Terme rural, par lequel on désigne cet endroit du fenil où l'on entasse les gerbes après la moisson.

BÊTARD, s. m. Lourdaud, maladroit. *Un gros bêtard.* Terme suisse-roman et lyonnais. Les dictionnaires disent: «Bêta.»

BÊTE (UN). *Voilà un bête d'homme. Ce village est un bête d'endroit. Je n'ai pas pu achever de lire ce bête de roman.* Expressions très-usitées à Genève, et qui ne sont pas plus extraordinaires que les suivantes: Une diable d'affaire, une diable de femme, nous fûmes reçus dans une diable d'auberge: toutes expressions qui figurent dans les dictionnaires.

BÊTE, s. f. Nous disons d'une personne que sa famille ou ses amis négligent, délaissent, abandonnent: *On ne lui dit pas seulement: Bête, que fais-tu?* Expression languedocienne. Les dictionnaires français disent: On ne lui dit pas seulement: Es-tu chien? Es-tu loup?

BÊTE NOIRE, s. f. Porc, cochon. *Engraisser des bêtes noires.* Expression adoucissante, euphémisme des campagnards.

BÊTIOLER, v. n. Faire la bestiole, faire la bête, faire des niaiseries, niveler, s'occuper à des riens. *Deviens un peu sérieux, François, et ne sois pas toujours à bêtioler.*

BÊTION, s. m. Nigaud, niais. *Quel bêtion d'homme! Le pauvre bêtion veut nous parler politique, et il confond sans cesse Cavaignac et Changarnier. Excusez-le: c'est une tête faible, c'est un bêtion.* La Fontaine a dit: *Bestion.* A Lausanne on dit: *Bâtion.*

BÊTISE (UNE). Une chose de peu d'importance, une misère, un rien. *Combien as-tu payé cette canne?—Une bêtise, quelques sous, quelques centimes.*

BÉTON ou BETTON, s. m. Lait d'une vache qui vient de vêler. Terme vaudois. Les médecins appellent aussi *béton* le premier lait d'une femme qui vient d'accoucher.

BEUFFER, v. n. *Le cœur me beuffe*, signifie: J'ai le cœur gêné, serré, oppressé.

La sauce semblait de la rafe;

En la voyant le cœur me savatait,

Et je sentais ma fara qui *beuffait.*

BEUFFERIE, s. f. Terme fort trivial, qui signifie: 1º Une lourde bêtise, une balourdise; 2º Une chose ennuyeuse à l'excès. *Mieux vaudrait se taire que de raconter des beufferies pareilles. Conviens, Auguste, que ce vaudeville tant vanté n'était qu'une beufferie.*

BEUGNET, s. m. Beignet.

BEURRÉE ou POIRE BEURRÉE. Dites: Un beurré, ou une poire de beurré. Un beurré blanc, un beurré gris.

BEURRES (LES). L'argent monnayé, les écus. *Avoir des beurres. Palper des beurres.* Expression triviale.

BEURRIÈRE, s. f. Baratte, vase où on bat le beurre. Terme suisse-roman, savoisien et dauphinois.

BEUVONS, BEUVEZ. Dites: Buvons, buvez. Ces formes du verbe «Boire» appartiennent à l'ancien français, et on les trouve encore dans Spon: «Il mangeait et *beuvait* sans que personne le pût empêcher.» [Voyez *Histoire de Genève*, tome I, p. 236, édition de 1730.]

BEVABLE, adj. Buvable.

BEZALLER, v. n. Terme des campagnards. Se dit d'un bœuf ou d'une vache que les mouches tourmentent et qui se sauve en sautant et en levant la queue. Il se dit aussi d'un enfant qui se dépite et se mutine. [P. G.]

BI, s. m. Biez, ou Bief, canal qui conduit les eaux pour les faire tomber sur la roue d'un moulin. *Passer le bi.* Terme vieux français.

BIAUDER, v. n. Sauter, jouer. *Nos enfants biaudaient ensemble; ils ne faisaient que biauder et folâtrer.*

BIBI, s. m. Terme enfantin. Joujou.

BICLE, adj. et s. Bigle, louche, qui a la vue courte. *Comment, Gustave, tu n'aperçois pas ce chalet dans les Voirons? Es-tu donc bicle?* Terme vieux français.

BICLER, v. n. et a. Bigler, loucher. *Il braqua son lorgnon et se mit à nous bicler. Bicler l'œil,* veut dire: «Clignoter.»

BICLŒIL ou BICLE-L'ŒIL, s. m. Celui qui regarde en biglant, en louchant. Terme trivial.

BIDODI, BIDOGNOL ou BIDOT, s. m. Niais, simple, innocent; homme d'un esprit faible et borné, homme qui s'abêtit par les excès. *Il est dans les bidodis; c'est un vrai bidodi.* Terme nouveau.

BIDOLION, s. m. Ce mot, connu surtout des campagnards, signifie: 1° Vin âpre, vin dur; 2° Cidre; 3° Petit bidon.

BIEN, s. m. Pour marquer que tout homme dispose avec plus de libéralité du bien d'autrui que du sien propre, nous disons proverbialement: *Du bien d'autrui large courroie.* L'expression véritable est celle-ci: Du cuir d'autrui large courroie.

BIGNET, s. m. *Un plat de bignets.* Terme vieux français. Dites: Beignet.

BIGOUDI, s. m. Espèce de doigt de gant rembourré, autour duquel on roule les cheveux pour des papillotes. [P. G.]

BILER, v. n. Courir vite et sans s'arrêter.

BILEUX, BILEUSE, adj. Écrivez «Bilieux, bilieuse,» en faisant sonner les deux *i*, et ne dites pas: *Fièvre bileuse, tempérament bileux, teint bileux.* Faute très-répandue en France, en Suisse et en Savoie.

BILLARD, s. m. Terme d'écolier. Toupie. *Jouer au billard; lancer un billard; entortiller un billard; son billard dormait et ronflait.* Dans les trois quarts de la France, ce jouet s'appelle *moine.* En Provence on dit: *Boduffe.*

BILLET, s. m. *Je t'en donne mon billet,* est une formule affirmative qui répond à: Je te l'assure, je t'en donne la promesse positive, je t'en donne ma parole.

BIOLE, s. f. Bouleau, arbre. *Une verge de biole. Menacer un enfant de la biole; lui donner la biole.* En Franche-Comté on dit: *Bioule* ou *boule.* Dans le canton de Vaud, *la bioulée,* c'est la fouettée. *Oui, continue à crier, et tu recevras la bioulée.*

BIOLES, s. f. pl. *Être dans les bioles,* signifie: 1° Être un peu fou, être un peu toqué; 2° Être un peu gris, être entre deux vins.

BIOLET, s. m. Extrémité, fin bout d'une branche. S'emploie surtout au pluriel, et en parlant des arbres à fruits. *Si tu cueilles nos cerises, Arnold, fais bien attention de ne point casser de biolets.*

BIRON, s. m. Couvet, sorte de chaufferette.

BISCOIN, s. m. Sorte de brioche au safran. Dans nos campagnes, on appelle *biscoin* un petit pain rond que l'on fait pour les enfants avec les derniers restes de la pâte.

BISCÔME, s. m. Pain d'épice. *Nous tirâmes trois coups à cette loterie de cinquante centimes, et nous eûmes pour tout lot... un biscôme!* Terme suisse-roman.

BISCÔMIER, s. m. Fabricant de *biscômes*.

BISE, s. f. Nous disons proverbialement d'une personne très-économe: *Elle n'ouvre pas son sac de farine quand il fait la bise.*

BISÉ (ÊTRE). Être assailli par une forte bise. *En passant sur les quais du Rhône, nous fûmes bisés d'importance.*

BISINGUE (DE), ou DE BESINGUE, ou DE BISINGLE, adv. De travers, de biais, de guingois. *Cet habit va tout de bisingue. Que t'est-il donc arrivé, Ferdinand, que tu marches tout de bisingue? Avoir les yeux de bisingle.* Terme vaudois et franc-comtois.

BISQUE, s. f. Dépit extrême. *Quelle bisque, quelle fameuse bisque il a eue! Voilà ce qui s'appelle une bisque pommée!*

BISTOT ou BISTAUD, s. m. Le dernier apprenti dans un bureau, dans un magasin.

BLÂCHE, s. f. Fourrage des marais.

BLAGUE (UNE). Un blagueur, un hâbleur, un vantard. *Va, Jean-Pierre, va, tu n'es qu'une blague.* Terme trivial.

BLANC, BLANCHE, adj. (fig.) Inutile, qui n'aboutit à rien, qui est sans résultat. *Faire une course blanche.* Terme méridional. Dans le canton de Vaud on dit: *Faire une course en blanc.*

BLANC, s. m. Nous disons: *Saigner quelqu'un à blanc.* Les dictionnaires disent: «Saigner quelqu'un au blanc,» ou «jusqu'au blanc.»

BLANCHE (LA). Terme des campagnards. *On craint la blanche pour cette nuit.* Le mot français est Gelée blanche.

BLANCHE GELÉE, s. f. Dites: Gelée blanche. *Chaque automne les blés noirs souffrent plus ou moins de la blanche gelée.* Terme suisse-roman. On dit à Chambéry: *Le blanc gel.*

BLANCHET, s. m. Robe de dessous, ordinairement de laine, qu'on met aux enfants.

BLANCHIMENT, s. m. Nous disons: *le blanchiment d'un plafond; le blanchiment d'une cuisine; écrire sur le blanchiment; odeur de blanchiment.* «Blanchiment» est français; mais le sens genevois n'est pas dans les dictionnaires.

BLESSIR (SE), v. pron. Se blossir, devenir blet.

BLESSON, s. m. Tache noire qui se forme à la peau, à la suite d'un coup.

BLESSON, s. m. Poire sauvage. Terme vaudois, etc.

BLESSONIER, s. m. Poirier sauvage.

BLETTIR, v. n., et SE BLETTIR, v. pron. Devenir blet. *Les poires commençaient à se blettir.* Terme dauphinois, lorrain, etc. En français on dit: «Se blossir.»

BLEU, BLEUE, adj. (fig.) Surpris, frappé d'étonnement, stupéfait. *Oui, notre jeune cousine s'est laissée enlever par un Polonais, et j'en suis bleue.*

BLOUSIER, s. m. Ouvrier en blouse. Ce terme si connu n'est dans aucun dictionnaire.

BOBÈCHE, adj. et s. f. Fille ou femme sotte, niaise, nigaude et maladroite. Voyez le mot suivant.

BOBET, adj. et s. m. Niais, sot, inepte, nigaud. *Ce garçon est si bobet qu'on l'a exempté, pour cela seul, du service militaire. Le frère et la sœur se valent bien: l'un est un vrai bobet, l'autre une franche bobèche.*

BOBICHON, s. m. Diminutif de *bobet.*

BOBUE, s. f. Oiseau, la huppe d'Europe.

BOC ou BOT, s. m. Sorte de petit crapaud, qui est gris sur le dos, avec le ventre rouge. *Éclaffer un boc.* Les campagnards disent: un *bot. Être fier comme un bot. Bot* se dit en Savoie, en Dauphiné et en vieux français.

BOC, s. m. *Mettre de la graisse de boc* sur une écorchure, sur un très-léger coup, sur une petite entamure à la peau, c'est: Y mettre sa propre salive. Expression facétieuse et dérisoire. *Tu t'es piqué au doigt, mon pauvre Élisée, et tu souffres beaucoup; eh bien! mets-y de la graisse de boc.*

BOC, s. m. Le *jeu de boc* est une sorte de jeu de cartes, qui n'exige aucune combinaison et où le hasard seul décide. On l'appelle quelquefois *Jeu des petits paquets*, ou *Jeu des petits plots.*

BOCHOT, s. m. Petit tonneau.

BOCON, s. m. Petit morceau, bouchée. *Je n'en veux qu'un bocon. Tu nous donnes là un bien crouye bocon. Notre Jeannot ne nous écrit que des bocons de lettre. Où allez-vous? disais-je à un mendiant savoyard.—Pauvre Monsieur, me répondit-il, je vais chercher mon bocon.* Nous disons proverbialement: *Tenir le bocon haut à quelqu'un*, pour signifier: Faire qu'une chose lui soit difficile et qu'il ne l'obtienne qu'avec de grands efforts. *Crois-tu que M^r N** finisse par accorder sa fille à notre Amédée?—Je l'espère; mais il lui tient le bocon furieusement haut.*

BOILLE, s. f. Mot d'une orthographe difficile, presque insaisissable: il rime avec *De Broglie*, et devrait peut-être s'écrire *boglie*. On appelle ainsi une sorte de hotte en bois de sapin, dans laquelle nos laitières mettent le lait qu'elles transportent à la ville sur leur petite charrette. *Une paire de boilles. Laver les boilles.* Terme vaudois et savoisien. A Neuchâtel, en Franche-Comté et en vieux français on dit: *Bouille.*

BOIRE, v. a. Nous disons figurément et énergiquement: *Boire le sang à quelqu'un*, pour signifier: «Le tourmenter, l'excéder de sollicitations importunes.» *Finiras-tu, Henri, avec tes demandes? En vérité, tu me bois le sang.*

BOIRE SUR. Prendre une infusion. *Boire sur la camomille; boire sur le tilleul; boire sur la fleur de bonhomme.*

BOÎTE À GIFFLES, s. f. Se dit d'un cabaret bruyant où les querelles et les batteries sont quotidiennes.

BOÎTE DE TONNEAU, s. f. Cannelle, robinet de cuivre ou de buis qu'on met à un tonneau pour en tirer le vin ou toute autre liqueur.

BOÎTIER, s. m. Terme de la fabrique d'horlogerie. Monteur de boîtes.

BOITON, s. m. Étable à cochons, toit à porcs, porcherie. *Nettoyer le boiton.* Terme suisse-roman.

BOLANT ou BOULANT, adj. m. Ne s'emploie guère qu'en parlant du *pain. Un pain bolant* est un pain léger, bien levé, bien boulangé.

BOLLIOT, BOLLIOTTE, adj. et s. (*ll* mouillés.) Gros, trapu, ramassé. *Un petit bolliot; un gros bolliot.* Dans le vieux français, *beuillu* se disait d'un homme ventru. Voyez BOILLE.

BOMBONNE, s. f. Sorte de grosse bouteille ou dame-jeanne à l'usage des droguistes. Ce terme, connu dans quelques parties de la France, n'est dans aucun dictionnaire usuel. En français, «Bombe» se dit d'une bouteille de verre ronde, qui n'a qu'un collet fort court.

BON-À-DROIT, s. m. Bonne mesure, bonne ration. *J'aime bien à me servir chez cette marchande, parce qu'elle me fait toujours bon-à-droit.* Terme jurassien.

BOMBONAILLE, s. f. Bonbons, grand assortiment de friandises. *Je préfère une tranche de pâté à vos meringues et à votre bombonaille.*

BON COURANT (LE). L'ordinaire, ce qui n'est en son genre ni très-bien, ni très-mal. *Ce roman nouveau est du bon courant. Les plaidoyers de notre jeune avocat sont du bon courant,* etc. Expression utile et claire, fort usitée chez nous. Les dictionnaires disent: «Le courant des affaires, le courant du marché, le courant du monde,» et rien de plus.

BONFOND, s. m. Signifie: 1° Un réjoui, un Roger-Bontems; 2° Un étourdi, un tapageur, un évaporé.

BONHEUR, s. m. *Du bonheur que*, veut dire: «Heureusement que.» *Du bonheur que la sécheresse a fini. Du bonheur que l'incendie a eu lieu de jour.* «Par bonheur que» est français.

BONNE (DE). Nous disons de quelqu'un qui est gai, qui est en train, qui est sur son beau dire: *Il est de bonne.* En Languedoc on dit: *Il est dans ses bonnes*; en vieux français, *il est en bonne.*

BONNE-MAIN (LA). Petite libéralité, petite gratification faite à un domestique, à un cocher, à un porte-faix, etc. On dit en français: «Le pour-boire, la pièce.»

BON-NER, v. a. Combuger, c'est-à-dire: Remplir d'eau un tonneau ou un autre vaisseau en bois, et les mettre en état de recevoir du vin ou une liqueur quelconque. *Bon-ner un cuvier avant la lessive; bon-ner un jarlot.* L'action de *bon-ner* s'appelle *bon-nure. Faire une bonnure.*

BON-NER, v. n. Se dit d'une soupe, d'un légume, d'une viande qui, placée près du feu, cesse de cuire faute de feu, languit et contracte un mauvais goût. *Si Madame tarde encore de dîner, sa soupe bon-nera.* Nous appelons *goût de bon-né*, le goût que contracte une soupe qui a cuit trop longtemps.

BONNETTE, s. f. Sorte de petit bonnet. *Bonnette de nuit.* Terme méridional.

BON OISEAU (LE). Expression adoucissante, euphémisme, par lequel nos paysans désignent «L'épervier,» et en général toute espèce d'oiseaux de proie.

BONTABLE, adj. Qui a de la bonté, qui est bienveillant, affable, complaisant, serviable, débonnaire. Terme savoisien et franc-comtois.

BONTABLEMENT, adv. Avec bonté, avec affabilité.

† BORGNE D'UN ŒIL. Borgne. Terme méridional.

BORNE (UN). Une borne.

BORNICANT, BORNICANTE, s. Celui ou celle qui a la vue très-basse; celui ou celle qui a les yeux faibles, malades, et qui les cligne au grand jour. A Neuchâtel on dit: *Bornicle*; dans le Jura, *bourniclard*, et en Languedoc, *bourniquel.*

BORNU, BORNUE, adj. Creusé, sillonné de fissures, troué plutôt par le laps du temps et par la nature que par la main de l'homme. *Pomme de terre bornue; rave bornue; boule bornue; tronc d'arbre bornu; aqueduc bornu.* En patois, *borna* ou *bourna* signifie: «Trou.» En provençal, *bourna* veut dire:

Creuser, rendre creux. *Aqueou roure est tout bourna* (ce chêne est tout creusé, tout plein de cavités).

BOSCULER, v. a. Bousculer. Voyez BUSCULER.

BOSSE, s. f. Grand tonneau de la contenance d'environ 914 litres. Terme vieux français. Dans quelques provinces de France, *bosse* se dit d'un tonneau à mettre le sel.

BOSSETTE, s. f. Grand tonneau dont la capacité varie de 17 à 22 setiers, et qui sert principalement à rentrer la vendange.

BOT, s. m. (*o* bref.) Crapaud. Voyez BOC.

BOTASSER, v. n. Se dit des plantes et signifie: Végéter, rester rabougri. Terme vaudois.

BOTASSON, s. m. Rabougri, qui ne croît pas. Se dit des enfants et des plantes. Terme vaudois.

BOTET, s. m. *Faire botet.* S'associer. Terme d'écolier.

BOTOLION ou BOTOLIOT, s. m. Nabot, courtaud, trapu. *Botoglle*, en patois, signifie: «Bouteille.»

BOTON, s. m. Terme dérisoire. Bout d'homme, homme d'une taille très-petite, contrefaite et qui apprête à rire.

BOUBE, s. m. Jeune bouvier, jeune pâtre. En patois, *boube* veut dire: «Enfant.» En allemand, *bube* (prononcez *boube*) signifie: Jeune garçon. Voyez BOUÈBE.

BOUCANEUR, s. m. Tapageur. «Boucan et Boucaner» sont dans quelques dictionnaires.

BOUCHARD, BOUCHARDE, adj. et s. Qui a le visage malpropre, surtout autour de la bouche. *Un enfant bouchard. Regarde-toi au miroir, petite boucharde.* Terme méridional et vieux français.

BOUCHARDER, v. a. Barbouiller, salir le visage. *Caïon que tu es, où t'es-tu ainsi bouchardé?*

BOUCHE, s. f. Bouchoir, grande plaque de fer qui sert à fermer la bouche d'un four. [P. G.]

BOUCHÈRE, s. f. Barbuquet, bouton, élevure au bord des lèvres. *Laisse donc ta bouchère et ne la touche pas continuellement.* Dans le patois provençal on dit: *Bousserio*; à Lyon, *boucharle*; en Lorraine, *bouque*.

BOUCHON (À), adv. Voyez À BOUCHON.

BOUCLER, v. a. (fig.) Conclure, terminer. Se dit surtout en parlant d'un achat, d'une vente, d'un marché, d'une transaction quelconque, et se joint le plus souvent au mot *affaire*. *L'affaire est bouclée; elle va se boucler. Nous aurons bientôt bouclé cette affaire.* Expression heureuse, que je ne trouve dans aucun dictionnaire, ni dans aucun glossaire.

BOUDINS, s. m. pl. Nous disons: *Manger des boudins; faire griller des boudins, etc.* Il faut dire au singulier: Manger du boudin, faire griller du boudin. Dans le langage des écoliers, *Saigner des boudins, saigner les boudins, faire les boudins,* signifie: Saigner du nez, saigner par le nez, *boudiner.*

BOUÈBE ou BOËBE, s. des 2 genres. Fils ou fille d'un tel. *Où est ton bouèbe, voisine? Voyez donc cette bouèbe, qui va se fourrer dans la pétrissoire!* Ce mot nous vient probablement du canton de Vaud, et ce canton l'a reçu des Suisses allemands. Dans le patois de la Lorraine, *buôbe* veut dire: «un garçon.» En allemand, *bube.*

BOUELLE ou BOÈLE, s. f. Ventre, panse. Dans le vieux français, *boël* ou *bouèle* signifient: Boyau, intestins.

BOUER, v. a. Crotter, couvrir de boue, embouer. *Maladroit que tu es, tu m'as boué. Se bouer,* v. pron. Se crotter.

BOUFFAILLE, s. f. Grande bombance, repas copieux. *Faire une bouffaille.*

BOUFFAILLER, v. n. Augmentatif de Bouffer. *Il n'aime qu'à bouffailler. Il ne pense qu'à bouffailler.*

BOUFFEUR, s. m. Bâfreur, glouton.

BOUFFISURE, s. f. Écrivez et prononcez «Bouffissure.»

BOUGER, v. n. Nous disons de quelqu'un qui, par frayeur, demeure immobile: *Il n'ose ni bouger, ni griller. Elle voyait le voleur se glisser dans la salle voisine, et, blottie dans l'angle du mur, elle n'osait ni bouger, ni griller.*

BOUGER, v. a. Remuer, ôter de sa place, changer de sa place. *Bouger une table; bouger un canapé*: phrases vicieuses, puisque le verbe *bouger* n'est pas actif. On ne doit pas dire non plus: *Se bouger,* pour: Se remuer, se déplacer, changer de place. *Bouge-toi de là, paresseux! Te bougeras-tu quand je te parle?* Terme gascon et vieux français.

BOUGILLER, v. n. Bouger sans cesse. *L'ennuyeux enfant, qui ne fait que bougiller! Auras-tu bientôt assez bougillé?* Terme savoisien.

BOUGILLON, BOUGILLONNE, adj. et s. Mièvre, qui change toujours de place, qui ne peut se tenir en repos, qui est incommode par ses perpétuels déplacements. *Faire le bougillon. Tu es bien bougillonne, Alexandrine. Votre jeune écolier est un enfant étourdi et bougillon.* M.

Bescherelle, qui a recueilli ce mot, ne le donne que comme substantif; nous l'employons fréquemment comme adjectif.

BOUGILLONNAGE, s. m. Action de *bougiller.*

BOUGILLONNER, v. n. Se dit des personnes, principalement des enfants, et signifie: Être dans un mouvement continuel et fatigant.

BOUGNET, ETTE, adj. Se dit des enfants et signifie: Joli, gentil, mignon. Voyez le mot suivant.

BOUGNON, adj. et s. des 2 genres. Joli, gentil, mignon. *Un bougnon d'enfant. Cette petite est bougnon. Quel bougnon que votre Amélie!*

BOUÏE, s. f. Petite lessive. *Tu fais la lessive, Madelon?—Non, Madame, ce n'est qu'une bouïe.* Les mots *Bouïe* et *buie* se disent en Suisse, en Savoie, en Bourgogne et dans le Lyonnais; *bouaye* ou *boaïe* se disent dans les Vosges; enfin le vieux mot de *buée* est encore d'un fréquent usage dans plusieurs provinces du nord et de l'orient de la France.

BOUILLIR, v. n. et a. Ce verbe est estropié dans les phrases suivantes: *Quand ma servante me répondait avec ce mauvais ton, je bouillissais* (je bouillais). *Eh bien, Jacqueline, qu'attendez-vous là, plantée comme une idoine?—Pardine, Madame, j'attends que ce maudit coquemar bouillisse* (bouille).*—Eh! ne voyez-vous pas qu'il bouillit* (qu'il bout), *et que moi aussi je bouillis d'impatience* (je bous d'impatience) *en voyant vos patetages?*

BOUILLON, s. m. Pluie, grosse pluie, averse. *Nous allons avoir du bouillon.* A Rennes, *mettre les pieds dans le bouillon*, signifie: Mettre les pieds dans la crotte.

BOUILLON À LA REINE, s. m. Lait de poule. *Prendre un bouillon à la reine.* Terme languedocien, etc.

BOUILLON BLANC. Breuvage empoisonné. *Elle fit tout doucettement prendre au cher homme un bouillon blanc,... et ni vu ni connu.* On dit en français, dans le même sens: Administrer un bouillon d'onze heures.

BOUILLON POINTU, s. Lavement. Français populaire.

BOUION, s. m. Petite lessive, petite *bouïe.*

BOULANT, adj. m. Voyez BOLANT.

BOULE, s. f. Nous disons figurément: *Perdre la boule*, pour: Perdre la tête, se troubler dans un discours, perdre le fil de ses idées. *Avant l'audience, il parlait crânement et avec un flux de paroles; arrivé devant le juge, il perdit la boule, et balbutia.* Expression signalée aussi dans le *Dictionnaire jurassien* de M. MONNIER.

BOULE, s. f. Nous disons figurément: *Tenir pied en boule*, pour signifier: Être assidu, être appliqué. On dit en français: Tenir pied à boule.

BOULEVARI, s. m. Grand bruit, grand tapage, grand désordre. *Un boulevari assourdissant.* Terme français populaire. A Reims on dit: *Houlvari.* Le dictionnaire de l'Académie dit: «Hourvari.»

BOULI, s. m. *Du bouli; un bon bouli.* Terme français populaire. Écrivez et prononcez «Bouilli,» en mouillant les *ll.*

BOURANFLE ou BOURENFLE, adj. Enflé, bouffi. *Un visage bouranfle; des joues bouranfles. Tu es aujourd'hui un peu bouranfle.* Terme suisse-roman et savoisien. En provençal, *boudenfle*; dans le dictionnaire de Cotgrave [édition de 1650], on trouve *bourranflé.*

BOURDIFAILLE, s. f. Sorte de pâtisserie.

BOURDIFAILLE, s. f. Femme sans tête, femme étourdie et négligente. Dans l'*Album de la Suisse romane*, tome I, page 122, Mr J.-Fr. Chaponnière a tracé un spirituel portrait de la *Bourdifaille.* Nous y renvoyons nos lecteurs. *Bourdifaiho*, en provençal, veut dire: Ravauderies, bagatelles, guenilles, rebuts. A Neuchâtel, *bourdifaille* est synonyme de «Canaille.»

BOURGUIGNÔTE, s. f. Bourguignonne, paysanne du Jura. *Votre dame est aussi marchandeuse qu'une bourguignôte.* On disait dans le vieux français: *À la Bourguignôte*, pour signifier: A la façon des Bourguignons.

BOURI! BOURI! Cri dont on se sert dans nos basses cours pour appeler les canards. En Normandie et dans le vieux français, *bourre* signifie: «Canard;» dans le patois lorrain on dit: *Bouorre.* Dans le patois vaudois, *bourita* est le nom de la femelle du canard.

† BOURIAUDER, v. a. Tourmenter, faire souffrir.

BOURILLON, s. m. Nombril. Dans le patois du Jura on dit: *Berelion*; dans le patois de la Bresse, *beurelion.* Dans le dialecte languedocien, *bourillon* signifie: «Bourgeon.»

BOURNEAU, s. m. Nous appelons *bourneau:* 1º Le tuyau de bois, de grès ou de terre cuite, destiné à conduire l'eau à une fontaine; 2º Par extension, la fontaine elle-même. *Le bourneau du Molard. La conche d'un bourneau. Tomber dans le bourneau. Changer les bourneaux. Les bourneaux sont arrêtés.* Terme suisse-roman et savoisien. Dans le midi de la France et en vieux français, *bourneau* a le sens de Tuyau de grès ou de terre cuite.

BOURRAIN, s. m. Brisures de menu bois, menues parcelles qui se détachent des fagots entassés dans un grenier. *Une poignée de bourrain. Ramasser du bourrain.* En français, *bourrée* signifie: «Bois menu et mauvais.» A Rennes, les balayeurs s'appellent *des bourriers.*

BOURRATIF, IVE, adj. Se dit d'un mets qui bourre et rassasie promptement. *Nos matafans et nos châchauds à la drachée sont bourratifs.* Terme un peu trivial.

BOURREAUDE, s. f. Femme qui se livre à des actes de cruauté. *Voyez cette bourreaude qui va noyer elle-même son chat.*

BOURREAUDER, v. a. Faire souffrir, tourmenter. *Bourreauder un chien; bourreauder un lapin. Bourreauder un petit enfant.* Terme suisse-roman et savoisien, connu aussi dans le nord de la France. *Bourreauder une poupée,* c'est: La gâter, l'abîmer. En Franche-Comté, *bourreauder un ouvrage,* c'est: Le bousiller, le faire avec précipitation et sans soin.

BOURREAUDEUR, BOURREAUDEUSE, s. Se disent quelquefois pour: Bourreau, *bourreaude.*

BOURRÉE, s. f. Fougade, travail acharné mais court; effort considérable, mais qui dure peu. *Travailler par bourrées.* En Languedoc on dit: *Bourrade; donner une bourrade.* A Rumilly (Savoie), *une bourrée de mal de ventre,* c'est: Une douleur violente, mais courte, de mal de ventre.

BOURRÉE, s. f. Bourrade, rebuffade, réprimande faite avec humeur, avec dureté et avec une sorte d'éclat. *Faire une bourrée.* «Bourrer» est français dans le sens de Tancer durement et en élevant la voix.

BOURRER, v. a. Pousser rudement après soi. *Bourrer les portes.*

BOURRIQUE (UN). *Le bourrique se mit à galoper et l'enfant tomba.* Bourrique est féminin.

BOURROCHE, s. f. Plante potagère. *Sirop de bourroche.* Terme vieux français. On dit aujourd'hui: «Bourrache.»

BOURTILLE, s. f. Sous-bois.

BOUSINER, v. a. Tracasser, ennuyer, chiffonner, vexer. *Laisse-moi, Gaspard, tu me bousines. Lequel, de vous autres, voudrait s'en retourner avec moi? Je me bousine ici.* Terme trivial, qui appartient au français populaire.

BOUTE-ROUE, s. m. Borne qu'on établit au coin ou le long des rues et des chemins. *Heurter contre un boute-roue.* Terme connu dans le Berry et ailleurs. En Dauphiné on dit: *Un butte-roue;* en Savoie, *un chasse-roue.*

BOUTIFAILLE, s. f. Mangeaille, victuailles, vivres, provisions de bouche. [P. G.]

BOVAIRON, s. m. Jeune gardeur de vaches, petit bouvier. On donne quelquefois le nom de *bovaironne* aux gardeuses de vaches.

BRAFFE, s. f. La *braffe* est une femme qui fait les choses vite et mal; une femme qui cause beaucoup, s'agite et se trémousse pour des résultats insignifiants et chez laquelle on ne trouve d'ordinaire ni économie, ni ordre, ni tenue, ni propreté. Ce mot de *braffe*, emprunté à nos campagnards, vient du mot *brasse* (indicatif du verbe «Brasser»), les lettres *ss* ou *s* se changeant fréquemment en *f* dans notre patois. Une *braffe* est donc celle qui aime à *brasser* beaucoup d'affaires. A Chambéry on appelle *brasse-femme* celle qui est toujours en mouvement. Dans nos Alpes, *brassa* se dit d'une femme qui se mêle sans nécessité des affaires d'autrui.

BRAILLÉE, s. f. Cris, paroles prononcées en braillant. *Tu m'essourdelles avec tes braillées. Braillée* est quelquefois synonyme de Gronderie. *Peu à peu il se fâcha et nous fit une braillée.*

BRAISES (DES). Ce mot ne s'emploie pas au pluriel. On ne dira donc pas: *Le fayard fait des braises excellentes. Notre soupe versa dans les braises. Étouffer des braises.* Dans ces exemples, et exemples semblables, mettez le singulier.

BRAMÉE, s. f. Cri, hurlement. *Faire des bramées. Pousser des bramées.*

BRAMER, v. n. Crier, hurler, parlant des personnes. Terme vaudois, dauphinois, etc. En français, «Bramer» ne se dit que du cerf. En Languedoc: *Bramer*, et dans notre patois, *bran-ma*, se disent du beuglement des vaches et des bœufs.

BRAND ou BRANT, s. m. Bande de papier soufré qu'on brûle dans les futailles pour fortifier le vin. En allemand: *Brand. Ce vin est bon, mais il a un goût de brand.*

BRANDE, s. f. Hotte faite de douves, hotte de bois pour porter la vendange, le vin, l'eau ou d'autres liquides. *Les bretelles d'une brande.* Terme suisse-roman et savoisien. A Fribourg on dit: *Brente*; en Provence, *brindo.*

BRANDÉE, s. f. Le contenu d'une *brande.*

BRANDENAILLES, s. f. pl. Terme de pêcheur. Blanchaille, menu fretin, petites perches, *perchettes.*

BRANDER, v. a. Faire brûler dans une futaille un papier soufré. Voyez BRAND.

BRANLETTES, s. f. pl. Échalottes, ciboulettes, espèce d'ail. *Cueillir des branlettes.* Terme suisse-roman.

BRANQUER, v. a. Braquer. *Branquer un canon; branquer une lunette.* Terme suisse-roman.

BRAQUE, s. m. Vantard, hâbleur, blagueur. «Braque,» en français, veut dire: «Étourdi, inconsidéré.»

BRASAILLE ou BRAISAILLE, s. f. Menu charbon, poussier de charbon de bois. Dans le canton de Vaud on dit: *Braisette* ou *brasette*.

BRASSE, s. f. Brassée, nagée, espace que parcourt un nageur par un seul mouvement de ses bras et de ses jambes. *Notre fils commence à savoir nager: il fait douze brasses de suite.*

BRASSE (LA). Les bras, le courage, la force. *Couper la brasse; ôter la brasse. Tes histoires de champs de bataille et d'hôpitaux m'ont coupé la brasse.* Expression connue dans le canton de Vaud.

BRASSE-CORPS (À), loc. adv. À bras-le-corps, c'est-à-dire: «À bras (qui entourent) le corps.» *Ils se prirent à brasse-corps.* Français populaire.

BRASSÉE, s. f. *Se battre à la brassée*, signifie: Lutter, se prendre corps à corps avec quelqu'un pour le terrasser.

BRASSER, v. a. *Brasser la boue*, signifie: Marcher dans la boue, patauger, barboter. A Neuchâtel on dit: *Brasser dans la boue.*

BRASSER LES CARTES. Mêler les cartes.

BRASSEUR DE BIÈRE, s. m. Brasseur. *Ils se donnèrent rendez-vous chez le brasseur de bière.* Cette faute nous vient de la Suisse allemande. *Bierbrauer* signifie littéralement: Brasseur de bière.

BRASSERIE DE BIÈRE, s. f. Brasserie.

BRAVE, adj. Joli, joliet, mignon, grassouillet. En français, «Brave,» appliqué aux enfants, signifie: Bien paré, vêtu avec soin. [ACAD.]

BRAVET, ETTE, adj. Joli, gentil, mignon. *Que notre Élisa était bravette avec son chapeau rose!* Terme dauphinois, languedocien, etc.

BRECAILLON ou BROCAILLON, s. m. Dénomination dérisoire donnée aux soldats de l'ancienne milice, et, par extension, à tout fantassin qui est mal équipé. Ce terme a vieilli. En français, *briquaillon* signifie: Vieux restes d'un pot cassé, objet de rebut.

BREDOUILLE, s. f. et adj. Celui ou celle qui fait les choses à l'étourdie, sans exactitude et sans soin. En Dauphiné et en Lorraine, *bredouille* se dit d'une personne qui ne parle pas distinctement.

BREDOUILLON, s. m. Diminutif de *bredouille*.

† BREGANTIN, s. m. Brigantin, sorte de barque.

BREGAUSSER ou BREGAUCHER, v. n. Tracasser, ranger, nettoyer dans un appartement.

BREGOLET, s. m. Roulette d'enfant, machine roulante où les enfants se tiennent debout lorsqu'ils commencent à faire quelques pas.

BREGON, s. m. Se dit d'une domestique active et bruyante, d'une domestique toujours en action, toujours agitée. *Justine est un bon bregon.*

BREGONNER et BREGOUNER, v. n. Faire du bruit en se trémoussant dans les diverses occupations du ménage. *Nous l'entendîmes bregonner toute la nuit. Elle bregonnait dans la chambre avoisinante, et nous empêchait de dormir.* Ce terme et les trois précédents tirent leur origine du mot *brego,* qui, dans le patois vaudois signifie: Rouet, machine à roue dont on se sert pour filer, et dont le bruit devient souvent importun.

BRELAIRE (UNE). Une tête légère, une personne évaporée, un étourneau. *Il oublie tout, il embrouille tout: c'est une brelaire, c'est une tête de brelaire.* Dans les cantons de Vaud et de Fribourg, *brelaire* signifie: Fantaisie, caprice, lubie, idée bizarre. *Avoir une brelaire; une brelaire lui a passé par la tête.*

BRELANCHER, v. n. Vaciller, locher, chanceler, branler, n'être pas bien ferme. *Notre Jacques avait trop bu et il commençait à brelancher. Mes enfants, cottez donc votre table, vous voyez bien qu'elle brelanche. Brelancher* est probablement un diminutif de «Branler,» v. n.

BRELAUDES ou BRELÔDES, s. f. pl. Lambeaux, pièces, loques. *Il avait un chapeau gras et percé, et son habit s'en allait tout en brelaudes.* Terme connu dans le canton de Vaud. Au sens figuré, *avoir la tête en brelôdes,* veut dire: Avoir la tête fatiguée et souffrante.

BRELAUDÉ, ÉE, adj. Qui est gâté, qui est déchiré, qui s'en va en *brelaudes.* Voyez ce mot.

BRELINGUE, s. f. Mauvaise voiture. En français, «Berlingot» signifie: Berline.

BRELINGUER, v. a. Voiturer.

BRELINGUER (SE), v. pron. Se faire voiturer, se promener en voiture. *Je m'ennuyais, j'étais seul: je me fis brelinguer deux fois par l'omnibus de Fernex. Brelinguer ne se dit qu'en plaisantant, et se prend d'ordinaire en mauvaise part.*

BRELOQUE, s. f. Se dit d'une personne bavarde, d'une personne sans jugement et sur laquelle on ne peut compter. *Ne l'écoutez pas, c'est une breloque; c'est une tête de breloque.* «Battre la breloque» est une expression française qui signifie: Divaguer, déraisonner.

† BRELUE, s. f. *Avoir la brelue*. Terme français populaire et vieux français. On dit aujourd'hui: «Berlue.»

BRELURIN ou BRELURON, s. m. Étourdi, tapageur. *Après le bal, nos brelurins se mirent à boire et à faire mille extravagances.*

BRENIQUE, adv. Bernique, bernicles, point du tout. *Je comptais sur sa visite: mais brenique! il n'a pas paru.*

BRESOLER ou BRISOLER, v. a. Rissoler, rôtir. *Châtaignes bresolées.* Terme suisse-roman et savoisien. Au sens figuré, *bresoler* signifie: Être impatient, pétiller d'impatience. *Il bresole d'être marié. Nos deux enfants bresolent d'aller sur un bateau à vapeur; ils en bresolent d'envie.* Expression qui appartient au langage le plus familier. *L'os qui bresole*, est une dénomination plaisante donnée à ce nerf du coude que les médecins appellent «Nerf cubital.» Quand ce nerf reçoit un coup sec, la main et le bras en éprouvent un frétillement, un *bresolement* très-douloureux.

BRESOLEUSE, s. f. Femme qui *bresole*, femme qui rôtit des châtaignes et les vend au coin des rues. *La mère Colloux, la bresoleuse, vient de mourir.*

BRETANTAINE, s. f. *Courir la bretantaine.* Le mot français est «Pretentaine.»

BRETIFAILLE, s. f. Le mot français correspondant est «Promiscuité,» c'est-à-dire: Mélange confus et désordonné. *Dans plusieurs écoles les enfants sont instruits à la bretifaille;* c'est-à-dire: Pêle-mêle, jeunes garçons et jeunes filles à la fois. *Les moissonneurs et les moissonneuses sont entassés le soir à la bretifaille.* [P. G.] Ce mot n'est qu'une corruption du mot *Bourdifaille*, p. 58.

BRETILLANT, ANTE, adj. Croustillant. *Pain bretillant, pâtisserie bretillante,* c'est-à-dire: Dont la croûte est bien cuite, ferme et friable.

BRETINTAILLE, s. f. Pretintaille, ornements de femme, frivolités, bagatelles, choses de peu de valeur.

BRIBANDER, v. a. Se promener sans but, flâner, fainéanter, mener une vie oisive et vagabonde. En vieux français, *briban* signifie: Mendiant.

BRIFE, s. f. Espèce de petit-lait blanc et épaissi qui se forme sur le *séret* dans la chaudière d'une laiterie. [P. G.]

BRIFFE-TOUT, s. m. Celui qui gâte tout, fripe et détruit tout. *Votre Hippolyte est un briffe-tout.*

BRINNÉE, s. f. Volée de coups, rossée. *Flanquer une brinnée.* Terme trivial.

BRINNER, v. n. Résonner, renvoyer un son léger mais clair. Se dit surtout des objets en métal. *J'entendais brinner un grelot. Elle faisait brinner ses petits sous dans sa cachemaille.* Dans le patois du Faucigny, *brin-nà* signifie: «Tonner.» *Y brin-ne* (il tonne).

BRIONNER, v. a. Émietter, réduire en petits morceaux. *Brionner son pain.* En provençal, *briè* signifie: Miette de pain; et *friouna* a le sens de notre mot *brionner.*

BRIQUE, s. f. Signifie: 1° Débris, éclat, partie ou fragment d'une chose cassée; 2° Pièce, morceau d'une chose non brisée. *Les briques d'un vase; les briques d'une terrine. Voilà ma jolie pipe en briques! Il vendit tout son ménage brique par brique* (pièce à pièce). *Il avait mis ses vêtements en gage jusqu'à la dernière brique. Ta lessive est-elle sèche, Marion?—Oui, Madame, à l'exception de deux ou trois briques.* Terme suisse-roman, savoisien, lyonnais et franc-comtois.

BRIQUET, s. m. Petit cheval.

BRISE, s. f. Miette, brin, petit fragment d'une chose brisée. *Brises de pain; brises de sucre. Ils achetèrent chez le confiseur pour deux sous de brises.* Terme méridional.

BRISER EN ARGENT. Convertir en argent la valeur de divers objets mobiliers pour en faire une somme. Terme de pratique.

BRISÉS, s. m. pl. *Aller sur les brisés de quelqu'un.* Chercher à s'emparer de la place qu'il occupe. Le mot français est «Brisées,» s. f. pl.

BRISETTE (UNE). Un brin, une petite *brise*, tant soit peu. Terme languedocien.

BRISOLER, v. a. Voyez BRESOLER.

BRISSELET, s. m. Sorte de gaufre plate. *Un plat de brisselets. Les brisselets du nouvel an.*

BROSSETIER, s. m. Brossier, celui qui fait les brosses ou qui les vend.

BROSSU, UE, adj. Se dit des personnes et signifie: Hérissé, qui a les cheveux crépus. Terme connu dans le canton de Vaud et dans une partie de la Savoie.

BROT, s. m. Terme d'agriculture dont on se sert pour désigner les jeunes sarments de vigne quand ils sont tendres et cassants. Il ne faut pas confondre ce terme avec le mot français «Brout,» qui ne se dit que de la pousse des jeunes taillis au printemps, lesquels sont *broutés* par les bestiaux. [P. G.]

BROTTER, v. a. Brocher, écrire vite et mal, gribouiller. *Brotter un pensum. En vingt minutes il avait brotté toute sa tâche.*

BROUHÂR, s. m. Brouhaha. *Tout le monde parlait à la fois: c'était un brouhâr à n'y pas tenir.*

BROUILLARD, s. m. Brouillon. *Le brouillard d'une lettre. Écrire sans faire de brouillard.* Terme méridional.

BROUILLARDS, s. m. pl. Nous disons proverbialement d'une affaire que nous regardons comme fort incertaine et fort chanceuse: *Elle est sur les brouillards du Rhône.* On dit à Paris, dans le même sens: «Ma créance est hypothéquée sur les brouillards de la Seine.»

BROUILLER, v. n. Tromper au jeu, tricher.

BROUILLON, BROUILLONNE, s. Tricheur, tricheuse.

BROUSTOU et BROSSETOU, s. m. Gilet de flanelle qui se porte sur la peau. Terme formé du mot allemand *Brusttuch.*

BRUCHON, s. m. Brin de paille, brin de bois. *Il lui était entré un bruchon dans l'œil.* En Bretagne, *brochon* veut dire: Petit morceau de bois.

BRUGNOLE, s. f. Brignole, sorte de prune desséchée qui vient de Brignoles, ville de Provence.

BRÛLE (LE). Le brûlé. *Odeur de brûle. Ta robe sent le brûle.* Terme français populaire. A Lausanne et à Neuchâtel on dit: *Le brûlon.*

BRÛLE-BOUT, s. m. Brûle-tout, sorte de petit cylindre d'ivoire, de métal, d'albâtre, sur lequel on met un bout de bougie ou de chandelle qu'on veut brûler entièrement.

BRÛLEMENT, s. m. *Avoir un brûlement dans le gosier, un brûlement dans l'estomac. Je n'ai pu dormir à cause d'un rhume affreux et d'un brûlement continuel dans la poitrine.* Ce mot, si connu chez nous, est inusité en France, s'il en faut croire tous les dictionnaires usuels.

BUCHANCE ou BUCHÉE, s. f. Terme des collégiens. Batterie, conflit entre écoliers.

BÛCHE DE BOIS, s. f. Bûche. *Nous avions brûlé, dans cette seule journée, douze bûches de bois.* Ce pléonasme, si c'en est un, se retrouve dans le canton de Vaud, à Neuchâtel, en Dauphiné, à Lyon, à Limoges, en Languedoc, en Lorraine, et sans doute ailleurs.

BÛCHE DE PAILLE, s. f. Brin de paille. En vieux français, *bûche* signifiait: «Brin de paille;» ce qui explique fort bien nos expressions: *Bûche de bois* et *courte-bûche* (courte-paille).

BÛCHER, v. neutre. Travailler à force, s'occuper vigoureusement, abattre une besogne considérable. *Amusons-nous encore aujourd'hui; demain il faudra bûcher*. En vieux français, *bûcher*, v. n., signifie: Abattre du bois, faire des bûches.

BÛCHER, v. actif. Rosser, battre très-fort. *Bûcher un cheval; bûcher une bourrique.* Terme savoisien, normand, etc.

BÛCHETTE, s. f. *Élever un oiseau à la bûchette.* Terme français populaire. Dites: À la brochette. *Élever un enfant à la bûchette*, c'est l'élever tendrement et délicatement.

BÛCHEUR, s. m. Grand travailleur. *Alexis n'a pas un esprit bien éminent; mais c'est un bûcheur.*

BUCHILLES, s. f. pl. Bûchettes, menu bois qu'on ramasse dans les forêts. *Une flambée de buchilles; une hottée de buchilles. Mettre le vin sur les buchilles.* Terme suisse. Ce que nous appelons *Chapeaux de buchilles*, s'appelle à Paris «Chapeaux de bois.»

BUCHILLONS, s. m. pl. Copeaux, menues *buchilles.*

BUFFÉTERIE, s. f. Buffleterie, certaines parties de l'équipement d'un soldat. R. *buffle.*

BUFFLE, s. m. Jeu d'écoliers. *Jouer à buffle; faire à buffle.* De ce substantif a été formé le verbe *buffler. Je t'ai bufflé, tu es bufflé.*

BUGNE, s. m. Chapeau de feutre.

BUGNET, s. m. *Pâte de bugnet. Faire des bugnets.* Terme français populaire. Dites: Beignet.

BUGNON, s. m. Beignet.

BUIDON, s. m. Écurie à porcs, porcherie.

BUMANT, s. m. Engrais, fumier. En patois, *bù* veut dire: «Un bœuf.»

BUMANTER, v. a. Mettre de l'engrais, mettre du *bumant. Bumanter un pré.*

BUSCULER, v. a. Bousculer.

C

CABARET, s. m. Sorte de petite table.

CABINET, s. m. Atelier d'horlogerie. *État de cabinet* se dit d'une profession prise dans une des branches de l'horlogerie.

CABINOTIER, s. m. Ouvrier horloger. Terme dérisoire.

CABOLER, v. a. Déformer, bossuer. *Caboler une montre; caboler un arrosoir. La bouilloire tomba et fut cabolée.* En Franche-Comté et en vieux français, on dit: *Cabouler.* A Besançon, *caboule* signifie: Bosse que l'on se fait au front par l'effet d'un coup.

CABORGNON ou CABOURGNON, s. m. Cabinet borgne.

CABOSSE, s. f. Caboche, tête. *Bonne cabosse; forte cabosse; avoir de la cabosse.* Terme méridional.

CABOSSER, v. a. Bossuer, déformer. *Cabosser de l'étain; cabosser un pochon. Nos fashionables s'étudient à cabosser leurs chapeaux avec art.* Ce terme, qui appartient au vieux français, s'est conservé dans le langage français populaire.

CABOURNE ou CABORNE, s. f. Baraque, cabine, petit logement, cache. *Abattre une caborne.* Terme savoisien. En provençal et en languedocien, *caborno* signifie: Antre, caverne, tanière, réduit, cache; en Franche-Comté, *cabourot*, réduit obscur, cabinet borgne. Voyez le mot S'ENCABOURNER.

CABUSSE, adj. féminin. Le dictionnaire de l'Académie et tous les autres dictionnaires modernes refusent un *féminin* à l'adjectif «Cabus.» Ils disent: «Chou cabus,» et rien autre. A Genève nous disons: *Laitue cabuce* ou *cabue*, et les dictionnaires de Robert Estienne et de Cotgrave le disent aussi.

CACABO, s. m. (*o* bref.) Tache d'encre sur le papier, pâté. *Faire des cacabos.* A Chambéry on dit: *Cacabon.*

CACADIOT, s. m. Demi-imbécillité, état d'enfance. *Tomber dans le cacadiot.* Expression triviale. On dit aussi: *Un cacadiot*, pour signifier Un idiot, un personnage stupide.

CACAPHONIE, s. f. Cacophonie.

CACHARD, ARDE, adj. et subst. Se dit d'une personne mystérieuse et sournoise.

CACHEMAILLE, s. f. *Cachemaille en terre cuite. Mettre dans la cachemaille; briser la cachemaille.* Terme méridional. *Maille* est le nom d'une ancienne petite monnaie, valant un centime. Quelques personnes disent, par corruption: *Cachemille*. Le mot français est «Tire-lire.»

CACHER, v. a. Serrer, enfermer. *Cacher des joujoux*, c'est: Les serrer dans le tiroir, dans la boîte, dans l'armoire qui leur est destinée. *Aie un peu d'ordre, Jules, et va cacher tes habits*. Dites: «Et va serrer tes habits.»

CACHOTTER, v. n. Faire des cachotteries. *Durant tout le bal ils n'ont fait que cachotter et se moquer. À quoi bon tant cachotter?* Terme vaudois, dauphinois, lorrain, etc., qu'on ne trouve dans aucun dictionnaire moderne, mais dont Mme de Sévigné a fait usage: «Je lui contai tout naïvement mes petites prospérités, ne voulant point les *cachotter*. À Genève, *cachotter* est un verbe neutre.

CACIBRAILLE ou CASSIBRAILLE, s. f. Se dit des personnes, et signifie: Racaille, lie, rebut. *Ne fréquente pas ces gens-là, c'est de la gogne, c'est de la cassibraille.*

† CADENAR, s. m. Cadenas.

CADENATER, v. a. Cadenasser. *Cadenater une porte, cadenater un coffre.* Terme formé de *cadenat* (*t* final), ancienne orthographe du mot «Cadenas.»

CADENATIÈRE, s. f. Se dit de la charnière et de l'anneau auxquels s'adapte le cadenas. Ni *cadenatière* ni *cadenassière* ne sont français.

CADET (LE). Le moindre. Ne s'emploie guère que dans cette phrase: *C'est le cadet de mes soucis*; c'est-à-dire: C'est le dernier, c'est le moindre de mes soucis.

CADRACTURE, s. f. Terme d'horlogerie. Cadrature.

CADRE DE LIT, s. m. Ciel de lit.

CADRETTE ou QUADRETTE, s. f. Sorte de jeu de cartes qu'on joue à quatre personnes, et qui est surtout en usage parmi les domestiques et les cochers. *Faire la cadrette.*

CAFFARD, s. m. Blatte, insecte qui recherche les endroits chauds, les fours, par exemple, et les cuisines. Au figuré, *feu de caffard* signifie: Grand feu. *Vous mettez dans cette chaufferette un feu de caffard.* Terme savoisien et lyonnais. Nous disons aussi, mais abusivement: *Rouge comme un caffard.*

CAFFE, s. fém. *Casse*, casserole. Nous citons ce mot à cause de ce dicton populaire: *Il y a caffe et caffe, dit le magnin*; c'est-à-dire: Il y a une distinction à faire entre les choses qui paraissent au premier coup d'œil toutes semblables. *Mais, dites-moi, Monsieur le cordonnier, je n'ai payé jusqu'ici mes souliers que huit francs, et vous m'en demandez dix!—Monsieur le professeur, il y a caffe et caffe: je vous apporte des souliers qui sont à double semelle et en cuir de vache. Caffe*, mot patois, est notre mot genevois *casse* (casserole).

CAFFE, loc. adv. Rien, néant, bernique.

Le poisson vient: autre tatouille,

Des moutailes, des rondions,

Accommodés en milcantons:

Mais cherchez-y du beurre... *caffe.*

[CH.]

CAFIOT, CAFIOTE, s. Nabot, nabote; garçon ou fille d'une taille ridiculement petite.

CAFORNET ou CAFOURNET, s. m. *Faire le cafornet*, se dit des femmes qui se tiennent baissées et comme accroupies sur leur chaufferette. *Cafforno*, en provençal, signifie: Cabinet sombre.

CAGNE, s. f. Cache, cachette, bon coin. *Jouons à ilaî, jouons à ilaî! Je sais une cagne, une excellente cagne. Venez tous avec moi, je sais la cagne du diot.* Dans le patois vaudois on dit: *Can-ne. Se can-ner* se blottir. En languedocien et en vieux français, *cagnard* signifie: Abri.

CAHOTEMENT, s. m. Cabotage, cahot, secousse qu'on éprouve dans une voiture qui chemine sur un terrain raboteux. Terme suisse-roman, dauphinois, gascon, orléanais, parisien populaire, etc. *Cahotement*, mot connu partout, vaut bien Cahotage, qui est beaucoup moins usité.

CAILLE, s. f. *Il attend que les cailles lui tombent toutes rôties*: se dit d'un paresseux qui voudrait avoir les choses sans peine. Les dictionnaires français disent: «Il attend que les alouettes lui tombent toutes rôties.»

CAILLÉE, s. f. Caillé, lait caillé, caillebotte.

† CAILLOTON ou CAILLOU, s. m. Caillot, grumeau. *Des caillous de sang; des caillous de lait tourné.*

CAÏON, CAÏONNE, s. Ne se dit que des personnes, et signifie: Très-sale, très-malpropre. *Faut-il être caïon pour relever une pomme rongillée et la manger!* Terme connu en Savoie, en Dauphiné et en Franche-Comté.

CALABRE (LA). *Battre la Calabre.* Déraisonner, battre la campagne.

CALAMANDRE, s. f. Calmande, étoffe de laine, lustrée d'un côté comme le satin. *Un habit de calamandre.* Terme méridional. On dit à Lyon: *Calmandre.*

CALAMAR, s. m. Sorte d'étui à mettre les plumes. Terme vieux français. R. *calamus.*

CALEMBOURDAINE, s. f. Calembredaine. *Battre la calembourdaine,* signifie: Parler à bâtons rompus, déraisonner. «Calembredaine» est français. Mais «Battre la calembredaine» ne se trouve dans aucun dictionnaire.

CALLOT, s. m. Têtard, arbre qu'on taille entièrement à des époques fixes. En Flandre, *hallot* signifie: Vieux saule étêté.

CALVINE, s. f. Calville, sorte de pomme. *Des calvines rouges.* Terme suisse-roman, lorrain, parisien populaire, etc. Selon l'Académie, «Calville» est du genre masculin; selon Boiste et M. Bescherelle, il est féminin.

† CAMAMILE, s. f. Camomille.

CAMELOTTE, s. f. Contrebande. *Faire la camelotte.*

CAMOMILE, s. f. Écrivez et prononcez «Camomille,» en mouillant les *ll* comme dans *Famille.*

CAMOUFLET, s. m. Soufflet, mornifle. *Donner un camouflet.* Terme français populaire du nord.

CAMPAGNE (EN). À la campagne. *Tous les étés ils vont en campagne. Notre cousin Bernard a un cercle en ville et un cercle en campagne. Mme N*** demeure toute l'année en campagne.*

CAMPAN-NE, s. f. Terme patois. Sonnette en fonte que l'on suspend au cou des bœufs et des vaches. Terme suisse-roman, savoisien, franc-comtois, méridional et vieux français. R. *campana,* cloche.

CAMPE, s. f. Voyez EN CAMPE.

CAMPÈNE, s. f. Plante nommée en français Aïault, ou Campane jaune, ou Narcisse sauvage.

CAMPHRER (SE), v. pron. Faire abus de vin, ou de liqueurs.

CAMUE, adj. f. *Une petite camue.* L'adjectif «Camus» fait au féminin «Camuse.»

ÇAN, pron. rel. Terme patois, qui signifie: Ceci, cela. *Y é çan* (c'est cela). Ce mot *çan,* qui appartient au vieux français, se retrouve dans les expressions suivantes, que chacun de nous a pu entendre: *Çan mien, çan tien, çan nôtre, çan leur,* et qui signifient: Le mien, le tien, le nôtre, le leur. Dans le Jura on dit exactement de même. Dans le dialecte populaire du Limousin on dit: *Ça mien, ça tien,* etc.

CANARD, s. m. Bourde, fausse nouvelle politique. Dans le français populaire, *donner des canards à quelqu'un*, signifie: Lui en faire accroire. [Voyez le *Dictionnaire du Bas langage*, t. I, p. 151.]

CANARDER, v. n. Nager au fond de l'eau; plonger.

CANARDIÈRE, s. f. Bateau destiné surtout à la chasse des canards sur notre lac.

CANDI, CANDIE, adj. S'emploie figurément dans le sens de: Penaud, interdit, stupéfait, immobile d'étonnement. *Elle demeura muette et candie; ils restèrent candis et confondus.*

CANFARER ou CAFARER, v. a. Brûler, enflammer. *Ces épices m'ont canfaré la bouche. Se cafarer,* se brûler. *Quel cafarô de chauffe-pied tu me donnes là!* c'est-à-dire, quel chauffe-pied brûlant, etc. *Être rouge comme un cafarô,* signifie: Être rouge écarlate. Voyez CAFARD.

CANIULE, s. f. Canule.

CANONNER (SE), v. pron. Boire avec excès. En français, «Canon» signifie: Petite mesure de boisson spiritueuse.

CANOTER et CANIOTER, v. n. Marcher comme les canes, c'est-à-dire, en se balançant, en se tortillant, en jetant son corps successivement à droite et à gauche, *Elle canote; elle marche en canotant.* Dans le vieux français, *caneter* avait la même signification.

CANTALOUPE (UNE). Sorte de melon. Ce mot est masculin; il s'écrit «Cantaloup,» et le *p* final est muet.

CANTINE, s. f. Dame-jeanne, grosse bouteille de verre. Terme méridional.

CAOUET, CAOUETTE, ou COUET, COUETTE, adj. et s. Se dit d'un animal qui n'a point de queue, ou qui a eu la queue coupée. On dit en français: «Écoué.» Le premier mot (*caouet*) est employé sur la rive gauche du Rhône et en Savoie; le second (*couet*) est en usage sur la rive droite et en France. [P. G.]

CAPÉ, CAPÉE, adj. Huppé, qui a une huppe (une cape) sur la tête. *Alouette capée, canari capé.*

CAPELLADE, s. f. Coup de chapeau, salut qu'on fait en ôtant son chapeau. Terme méridional, fort ancien chez nous, puisqu'on le trouve déjà dans la chanson de l'Escalade:

Y vou leu fit on-na grant capellade.

On dit à Neuchâtel: *Une chapelade.* R. *capel,* chapeau.

CÂPITE, s. f. Cabane, hutte dans les jardins ou au centre des vignes, maisonnette rustiquement construite et isolée dans la campagne. *Les câpites de Plainpalais; la câpite de Grange-Canal; la câpite de Vésenaz.* Terme connu dans le canton de Vaud, et qui existait déjà dans le vieux français. L'ancien *Glossaire* pense que ce terme vient du mot latin *capitatio,* qui signifie: «Taxe.» Il viendrait plutôt du mot latin *caput,* tête, sommité, parce que ces cabanes sont ordinairement placées de manière à dominer toute la campagne environnante.

CAPO ou CAPOT, s. m. (*o* bref.) Capote, sorte de chapeau ou de capuchon que nos dames mettent quelquefois par-dessus leur coiffure pour la préserver. Terme berrichon. Dans la plupart des dialectes de France, *capo* a le sens de «Manteau.»

CAPONNERIE, s. f. Poltronnerie, lâcheté.

CAPOTE, adj. fém. Confuse, déconcertée. *Elle se retira toute capote. Combien elle fut capote, quand elle trouva la porte fermée!* «Capot» est un adjectif des deux genres. On doit donc, en parlant d'une femme, dire: Elle est capot; elle s'en alla bien capot.

CAPOTISANT, ANTE, adj. Qui rend capot. *Une mésaventure capotisante. Cette pluie est bien capotisante.*

CAPOTISER, v. a. Rendre capot, déconcerter. *Ce contre-temps nous capotisa. Le bal fut renvoyé à huitaine, et la jeune fille en fut bien capotisée. Ma réponse l'a capotisé,* écrivait De Sonnaz à Grenus, en 1794. Terme connu en Savoie et dans la Suisse romane.

CAQUEGRAISSE, s. m. Avare, ladre, taquin.

CAQUEUX, EUSE, adj. et s. Misérable, chétif. Se dit surtout des choses, et s'emploie principalement dans cette expression: *Un air caqueux.*

CARABASSE, s. f. Terme des campagnards. Sarments de *hutins* avec lesquels on lie les haies.

CARABASSE, s. f. Frasque, équipée, tour malin, espièglerie, mystère. *Faire des carabasses.* L'expression *Vendre la carabasse,* revient à celle-ci: Découvrir le pot aux roses. [P. G.]

CARAMELLE (UNE). *De bonnes caramelles.* Ce mot s'écrit «Caramel,» et il est du genre masculin.

CARCAGNOU, s. m. Se dit principalement de la petite armoire qui est pratiquée à l'extrémité des barques. Par extension, ce mot signifie: Petit réduit dans une cuisine; petite chambre borgne, bouge à peine éclairé. *Ils occupaient au cinquième étage deux mansardes et un carcagnou.*

CARCAN, s. m. *Sonner le carcan*, se dit: 1° Du son que rend un vase fêlé; 2° D'une personne atteinte de marasme et dont l'existence est compromise. Quelques-uns disent: *Sonner le carquet.*

CARCASSE, s. f. Terme d'écolier. Sabot, sorte de toupie qu'on fait tourner avec un fouet.

CARDE, s. f. Cardon, plante potagère. *Accommoder des cardes.* Terme méridional.

CARAMBOLER, v. a. (fig.) Meurtrir, contusionner. *Il tomba et se carambola le nez.* Ne se dit qu'en plaisantant.

CARON, s. m. Voyez CARRON.

CAROTTE, s. f. Betterave.

CAROTTIER, s. m. Carotteur, celui qui tire des carottes, dupeur, escroc.

CARPIÈRE, s. f. En français, ce mot ne se dit que d'un étang où l'on nourrit des carpes; il se dit chez nous de toute espèce d'étang. M. PAUTEX, dans son *Vocabulaire*, pense que notre mot de *carpière* doit être rendu par celui de «Mare.»

CARQUEVELLE, s. f. Plante. Crête de coq des prés.

CARQUILLON, s. m. Insecte de l'espèce des charançons. *Les lentilles sèches sont continuellement envahies par les carquillons.* Dans les dialectes vaudois et neuchâtelois on dit: *Gorgolion*; dans le Jura, *gargouillon*; en Languedoc, *gourgoul*; en latin, *curculio.*

CARRE, s. f. Ondée, averse, pluie subite et de peu de durée. *Une carre de pluie. Une grosse carre; recevoir une carre.* Terme de la Suisse romane. En Savoie, et même dans quelques villages de notre canton, on dit aussi bien *carre de soleil, carre de neige, carre de grêle*, que l'on dit *carre de pluie*. Et quand je demandais à un paysan savoisien le sens véritable de ce mot, il me répondit: Une *carre*, Monsieur, c'est un *bocon* (c'est-à-dire: Une petite quantité).

CARREAU DE JARDIN, s. m. Planche de jardin, carré de jardin. *Nous cultivions deux carreaux de chicorée et un carreau d'asperges.* Terme vieux français, etc.

CARRELET, s. m. Voyez CARROLET.

CARRÉMENT, adv. (fig.) Fermement, nettement, crânement. *Répondre carrément.*

CARRIEUR, s. m. Carrier, celui qui exploite une carrière, l'ouvrier qui y travaille. Terme vieux français. A Bordeaux on dit: *Carréyeur.*

CARRIÔLER (SE), v. pron. Aller en voiture, se faire traîner en voiture, se faire charrier en voiture. *On les voit chaque dimanche se carriôler, se brelinguer.* Terme dérisoire.

CARROLET ou CARRELET, s. m. Petit carré, petit objet coupé en carré. *Des carrolets de papier. Écrivez les noms sur des carrolets de carton et tirons au sort.* Je trouve dans une lettre écrite au *Journal de Genève*, le 8 décembre 1846: «Il faut faire bouillir les bulbes de dahlias et les couper par tranches et par *carrolets.*» En Normandie, *carrelet* se dit d'un petit carré de papier. [Voyez DUMERIL, *Dictionnaire du patois normand*, p. 59.]

CARRON, s. m. (*a* bref.) Carreau de terre cuite, brique. *Les carrons d'une cuisine. Rougir les carrons. Carrons déjoints. Tomber sur les carrons.* Terme suisse-roman, savoisien et franc-comtois.

CARRONNAGE, s. m. Carrelage.

CARTE ou QUARTE, s. f. Mesure de capacité pour les solides, laquelle contient la sixième partie d'une coupe. *Une carte de châtaignes. Une carte de gros blé.*

CAS, s. m. *Faire du cas.* Faire cas, estimer. *Que penses-tu de Pierre Des Mouilles?—Pierre Des Mouilles? C'est un homme certainement dont je fais du cas.*

CASSANT, ANTE, adj. Nous disons figurément d'un homme qui, dans les discussions, tranche durement et contredit avec roideur: *C'est un homme cassant.* Expression remarquable.

CASSE, s. f. (*a* bref.) Poêle à frire. *Le manche d'une casse. Poissons à la casse; œufs à la casse.* Terme suisse-roman, savoisien, jurassien, lyonnais, etc. Dans le patois bourguignon on dit: *Caisse.* En Normandie et en Picardie on appelle *casse* une Lèchefrite.

CÂSSE, s. fém. Se dit des objets cassés. *Le voiturier ne répond pas de la câsse.*

CÂSSE, s. f. Altération sensible dans la santé d'une personne qui n'est plus jeune. *Avoir une câsse. Prendre une câsse.* Expression connue aussi dans le canton de Vaud.

CASSÉ, adj. masc. Se dit du sang et signifie: Coagulé, figé.

CASSÉS, adj. m. pl. Se dit des yeux et signifie: Cernés, battus. *Avoir les yeux cassés.*

CASSÉ, ÉE, adj. Se dit des fruits tombés de l'arbre et meurtris. *Poires cassées, pommes cassées. On fit avec ces fruits cassés une excellente marmelade.*

CASSÉ, adj. masc. Se dit du papier. Ce que nous appelons *papier cassé* s'appelle en France: «Papier brouillard, papier gris.»

CASSE-MUSEAU, s. m. Sorte de massepain très-dur et de nature à *casser* les dents. En français, «Casse-museau» a une signification différente.

CASSE-NOISETTES, s. m. Muscardin, sorte de mulot ou petite souris rousse. Les campagnards l'appellent: *Maragnou* ou *casse-alagnes*.

CASSER, v. a. (fig.) Dans le langage des cuisinières, *on casse le lait*, c'est-à-dire, on le dispose à s'aigrir et à tourner, lorsque, en été, l'on touche à un pot plein de lait, où la crème commence à se former, et dont l'emploi n'est pas immédiat.

CASSEROLE D'UNE CHAUFFERETTE, s. f. Brasier.

CASSETTE, s. f. Sorte de poêlon dans lequel on fait cuire le lait. *Le manche d'une cassette.*

CASSEUR, s. m. (fig.) Homme tranchant, hâbleur, fanfaron. Terme français populaire.

CASSIBRAILLE, s. f. Voyez CACIBRAILLE.

CASSIN, s. m. Ecchymose, épanchement du sang entre la peau et la chair, causé par une contusion. Voyez CASSÉ, n° 1.

CASSOTON, s. m. Poêlon, ustensile de cuisine.

CASTONADE, s. f. Cassonade.

CATAPLÂME, s. m. Écrivez et prononcez «Cataplasme,» en faisant sonner l'*s*.

† CATAPLASSE, s. m. Cataplasme.

CATARATE ou CATARAQUE, s. f. Cataracte. Terme de médecine.

CATÉCHIME, s. m. Écrivez et prononcez «Catéchisme,» en faisant sonner l'*s*, comme dans le mot Gargarisme.

CATELER, v. a. Terme rural. Élever, faire monter les gerbes au moyen d'une *catelle*. Le verbe français est «Poulier.»

CATELET, CATET ou CHÂTELET, s. m. Terme des campagnards. Trochet de noisettes, c'est-à-dire: Noisettes qui ont crû attachées ensemble.

CATELLE, s. f. Terme rural par lequel on désigne la poulie et la corde dont on se sert dans les granges pour élever les gerbes qu'on place sur le *soli*. Terme dauphinois.

CATELLE, s. f. Brique vernissée, carreau de poterie. *Catelle fendue; remettre des catelles. Poêle de catelles; fourneau de catelles.* Terme suisse-roman. L'expression française est «Faïence.» Poêle de faïence.

CÂTIULE, s. f. Ce terme, qui nous vient des campagnards, signifie: Femme maladive et chétive, femme qui se plaint toujours de ses maux et ennuie par cela même ses alentours. *Ayez un peu de patience avec notre pauvre câtiule.* En languedocien, *câitiou*, et en vieux français, *caitiu*, veulent dire: Chétif, misérable.

CATOLION ou GATOLION, s. m. Grumeau, caillot. *Des gatolions de sang. Une soupe en gatolions.* On dit à Lyon: *Des catons.* Dans le Jura on donne le nom de *catons* à une bouillie très-épaisse de farine de maïs.

CATTE, s. f. Boucle de cheveux, mèche de cheveux. *Se prendre aux cattes; tirer les cattes. Fais-toi donc couper les cattes, John, tu as l'air d'un ours.*

CAUQUE, s. f. Terme de dérision, de compassion et d'amitié. Il se dit: 1º D'une vieille femme en général; 2º D'une vieille femme maladive; 3º D'une vieille femme grognon et commère. *Qu'as-tu, cousin, que tu sembles triste?—J'ai... que ma cauque est toujours malade et qu'elle me gongonne toujours. Toutes nos cauques sont en émoi à cause que le café a renchéri.*

CAUSER À QUELQU'UN. Cette expression n'est pas française. Il faut donc éviter les phrases suivantes, et phrases analogues: *Je lui ai causé après le sermon. Finis, Jules, et ne me cause plus. Sur les bateaux à vapeur on trouve toujours à qui causer.* J.-J. Rousseau a dit dans ses *Confessions*, livre VII: «La première fois que je la vis, elle était à la veille de son mariage. *Elle me causa* longtemps avec cette familiarité charmante qui lui est naturelle.» Faute fréquente en Suisse, en Dauphiné, en Lorraine, en Franche-Comté, en Normandie, en Provence et en Languedoc, c'est-à-dire, faute universelle.

CAUSETTE, s. f. Causerie, entretien qui a de l'abandon et de la bonhomie, conversation nourrie et animée, mais douce et facile. *Faire la causette.* Terme très-connu en France. «J'aime le feu, les criscris, une salade de homards, une bouteille de Champagne et la *causette*.» [*Don Juan*, chant Iᵉʳ, § 134, traduction d'A. PICHOT.] Expression heureuse, qui n'a point d'équivalent dans la langue des dictionnaires et dont ils feraient bien de s'enrichir.

CAVAGNE, s. f. Grande corbeille carrée qui se fabrique dans le Jura, et dont on se sert pour emballer. *Une paire de cavagnes.* Terme qui nous vient de la Provence et du Piémont.

CAVALAIRE (À), loc. adv. À califourchon, à chevauchons, jambes de çà, jambes de là. *Se mettre à cavalaire. Mets-toi à cavalaire sur moi et je te porterai.* En vieux français, *cavalart* veut dire: Cavalier.

CAVALCADER, v. n. Se dit des promenades que plusieurs personnes réunies font à cheval. *Nos trois étourdis s'échappèrent du pensionnat dès le matin, et on les aperçut dans l'après-midi cavalcadant près du château de Fernex.* Excellente expression, qui n'a pas été négligée par Töpffer.

CAVALE, s. f. Se dit figurément d'une jeune fille qui se réjouit avec excès en dansant, en sautant, en gambadant. [P. G.]

CAVALER, v. n. Prendre ses ébats, se réjouir avec excès en dansant, en sautant, en gambadant. [P. G.]

CAVALIER MAL MONTÉ, s. m. Jeu d'écoliers.

CAVALIÈRE, s. f. Terme de tailleur. Petit pont. *Cavalière* n'est pas dans les dictionnaires, mais il se dit à Marseille et sans doute ailleurs.

CAVALIERS (LES). Nous appelons de la sorte trois jours regardés comme funestes, à cause des pluies, des gelées ou des ouragans qui les accompagnent d'ordinaire. Ces jours sont: le 25 avril, fête de saint Marc; le 28 avril, fête de saint Georges, et le 1er mai, fête de saint Philippe. Cette croyance populaire se retrouve en Franche-Comté, en Languedoc et ailleurs. Dans le Chablais (Savoie) on donne le nom de *Cavaliers* aux trois derniers jours d'avril et aux trois premiers jours de mai.

CAVETTE, s. f. Petite cave ou caverne pratiquée au dedans d'un poêle pour y tenir chauds les mets qu'on va servir. Terme connu aussi à Neuchâtel.

CAVILLE, s. f. (*ll* mouillés.) Bévue, erreur, sottise, méprise, manque-à-toucher. *Mme N** a voulu prendre en main la direction de sa grande campagne, et elle n'y a fait que des cavilles. Tu ne fais donc que des cavilles, Alexis! tu vas demander à Mme Bouvard des nouvelles de son mari, et tu sais très-bien qu'elle a divorcé depuis deux ans.* Cette expression, *Faire des cavilles*, est si usitée chez nous, que la plupart de mes lecteurs genevois, la croyant française, seront étonnés de la rencontrer ici.

CAVOT, s. m. (*o* bref.) C'est ainsi qu'on prononce, dans toute la Suisse romane, le mot de «Caveau» (petite cave). *La clef du cavŏt.* «Caveau» rime avec *nouveau*.

† CELUI-LÀ, CEUX-LÀ, pron. dém. Celui, ceux. *Que ceux-là qui veulent venir baigner lèvent la main! À qui est ce mâpis?—C'est celui-là à Jean Renaud. À qui est cette ronfle?—C'est cette-là à Dufournet.* Quelques-uns vont plus

loin encore, et disent: *Cettui-là-là, cette-là-là, ceux-là-là. Bandits, vauriens! lequel de vous trois a jeté cette pierre?—Eh! Monsieur, ce n'est pas nous deusse* (nous deux), *c'est cettui-là-là qui s'en sauve.*

CENAISE, s. f. Vase d'étain destiné au transport du vin dans nos temples, lorsque l'on y communie. *Les cenaises sont la propriété de l'Hôpital.* R. *cæna*, Cène, sainte Cène.

CENSÉMENT, adv. Cet adverbe (qui du reste n'est pas français) a une signification vague et bien difficile à saisir. *Le voisin Jean-François est parti censément pour un voyage; mais c'est pour échapper à ses créanciers. Vous voudriez savoir la signification du mot* niâniou? *Eh! pardine, Monsieur, c'est comme qui dirait censément Louis Guillerot ou Jean Treboulioux.*

CENTIME (UNE). Un centime.

CERCEAU, s. m. Trouble, sorte de filet rond.

† CERCHER, v. a. Chercher. *Jean-Pierre, va-t'en voir me cercher ma veste.* Terme vieux français.

CERCLE, s. m. Cerceau, jouet d'enfant.

CÉRÉMONIEL, ELLE, adj. Cérémonieux, qui fait trop de cérémonies. *Ce jeune Mr B** est fort aimable, mais trop cérémoniel.*

CERUSE, s. f. *Blanc de ceruse. Blanchir à la ceruse.* Écrivez et prononcez, avec un accent aigu sur l' *é*, «Céruse.»

† CÉRUSIEN et CÉRUGIEN, s. m. Chirurgien. *La voisine courut appeler le cérusien.* Barbarisme qui n'est pas inconnu en France.

CERVELAS, s. m. Terme de charcutier. Tête marbrée, fromage de cochon. «Cervelas» est français dans une acception différente.

† C'EST MOI QUE J'AI... Dites: C'est moi qui ai... *C'est moi que j'ai paillé vos chaises, Monsieur le Receveur, et c'est moi que j'ai ployé votre tante Livache.*

CET AUTRE ou S'TAUTRE! Sorte d'exclamation, qui exprime une surprise mêlée de doute. *Attache-moi le bras gauche, et je te parie de nager tout de même.—Oh! s'tautre!*

† CETTUI-CI, CETTUI-LÀ, CETTE-CI, etc. Celui-ci, celui-là, celle-ci, etc. Termes vieux français.

CHÂCHAUD ou CHÂCHÔ, s. m. Terme de boulangerie. Galette, gâteau plat. *Châchô au beurre, châchô à la drâchée.* Pris figurément, ce mot désigne: 1° Un enfant mou et paresseux, un enfant choyé outre mesure; 2° Toute personne flasque, lâche, qui se meut difficilement, ou qui se soigne, s'écoute et se dorlote à l'excès. *Votre jeune dame se plaint toujours de quelque malaise: c'est un vrai châchô.* Nos paysans disent d'un enfant gâté: *Y et on châchô mâ cuë* (c'est un châchô mal cuit). Au milieu du dix-huitième siècle, un de nos malins citoyens, qui voulait blâmer certaines élections faites au Conseil des Deux-Cents, disait: «Ne voyez-vous pas que dans chaque fournée on met un *châchô*» [*Lettre de* TREMBLEY, *avocat.*]

CHÂCHOLER, v. a. Dorloter, choyer à l'excès. *Sa mère le châchole et le pourrit.* Au réfléchi, *se châcholer,* se dorloter. *Quoi, Fanny, il est onze heures, et tu n'es pas levée!—Que veux-tu, ma chère? il fait mauvais temps, j'ai un commencement de rhume, et je me châchole.*

CHADE, adv. Terme d'écolier. Vigoureusement, fortement, dru, serré. *Allons, chade, chade! donne-lui-en, tape-le-moi.* Par un rapprochement fortuit, mais curieux, le mot arabe *chadd* a le même sens. Dans le patois lorrain, *dchâde* veut dire chaud. *L'air a dchâde* (l'air est chaud).

CHADANCE ou CHADENCE, s. f. Force, vigueur, énergie. *Regarde cet agoûtion! Regarde avec quelle chadance je vais y aller!*

CHAFOUILLER, v. n. Pignocher, manger salement et sans appétit.

† CHAFTAL ou CHAFTANE, s. f. Chaptal, sorte de cafetière. *Son câfé et sa chaftal: c'est le parfait bonheur de la Joséphine.*

CHAGRIN, s. m. Nous disons: *Cette nouvelle me fait chagrin. J'ai bien chagrin que Philippe soit parti,* etc. Ce retranchement de l'article est vicieux.

CHAÎNE D'OIGNONS. s. f. Glane d'oignons.

CHAIRCUITIER ou CHAIRCUTIER, s. m. Charcutier.

CHÂLÉE, s. f. Traînée d'une chose qui s'est répandue goutte à goutte, ou grain à grain, ou brin à brin. *Une châlée d'huile; une châlée de blé; une châlée de cendre; une châlée de poudre. Faire une châlée.*

CHALENDE. Noël, le jour de Noël. *Quel âge as-tu, Bastien?—Oh là, Monsieur, j'ai quatorze ans contre Chalende.* R. *calendæ.*

CHALOUREUX, EUSE, adj. Chaleureux. *Chaloureux* appartient au vieux français.

CHAMBRE À LESSIVE, s. f. Buanderie. Rien ne ressemble moins à une chambre que nos *chambres à lessive.*

CHAMBRE À MANGER, s. f. Salle à manger.

CHAMBRE À RESSERRER, s. f. Galetas dépendant d'un appartement, et où l'on dépose le linge sale qui attend la grande lessive.

CHAMEAU, s. m. (fig.) Terme grossier, qui répond à: Butor, sot achevé, homme stupide. *Va-t'en, chameau, et ne nous impatiente plus.*

CHAMEAUDER, v. a. Vexer, ennuyer, être à charge.

CHAMPER, v. a. Jeter, jeter là, laisser tout de suite.

CHAMPILLERIE, s. f. Se dit d'une chose qui ne vaut rien ou dont on ne peut tirer aucun parti. *C'est de la champillerie; tâchez de vous défaire de cette champillerie.* [P. G.]

CHANGE, s. m. Terme de Cercle. *Faire le change,* signifie: Boire bouteille au Cercle. *Faire un change banal,* boire bouteille en commun. *Change de la Compagnie,* réunion militaire au cabaret.

CHANGER, v. neutre. Tourner. Se dit des raisins qui commencent à prendre de la couleur.

CHANGER (SE), v. pron. Changer de linge, changer de vêtement, changer. *Ils durent se changer de pied en cap. Tu es tout trempe, Frédéric, va te changer.* Français populaire.

CHANTEPLEURE ou CHANTAPLEUR, s. m. Se dit d'une personne qui passe rapidement de la tristesse à la joie, et, *vice versâ,* de la joie à la tristesse. [P. G.]

CHANTE-POULET, s. m. Œillet des Chartreux, sorte de fleur.

CHANTER, v. n. Frémir. Se dit de l'eau qui commence à bouillir et à faire entendre ce frémissement des bulles qui arrivent à la surface. A Besançon on dit: *Crier;* en Normandie, *gourgousser.*

CHANTOLEMENT, s. m. Fredonnement, chant à demi-voix.

CHANTOLER, v. n. Chantonner, fredonner, chanter tant bien que mal, chanter entre ses dents. *N** avait une telle habitude de murmurer toujours un refrain, qu'il chantolait même aux enterrements.*

CHAPITOLAGE, s. m. Action de marchander, de taquiner en marchandant. *Finissons-en avec tous ces chapitolages. Vos chapitolages, ma chère Dame, n'aboutiront à rien.*

CHAPITOLER, v. n. Marchander, disputer sur le prix d'une marchandise, taquiner, batailler. *Vaut-il donc la peine de chapitoler pour si peu de chose?* Terme très-familier, qui se retrouve dans l'argot des enfants au jeu des *mâpis. Chapitoler* est probablement une corruption du mot «Capituler.»

CHAPITOLEUR, s. m. Celui qui *chapitole,* celui qui a l'habitude de *chapitoler.*

CHAPLE, s. m. Signifie: 1° Massacre, tuerie, carnage; 2° Ravage, dégât. *Ils en vinrent à la fin aux bâtons et aux cailloux, et ce fut un véritable chaple. La grêle nous a fait cette nuit un beau chaple.* Terme méridional et vieux français. On trouve déjà ce mot dans le *Roman de la Rose*, c'est-à-dire, au treizième siècle.

CHAPLE-COUTEAUX (À), loc. invar. *Être à chaple-couteaux*, signifie: Être à couteaux tirés. *Sais-tu que nos deux sous-lieutenants sont à chaple-couteaux?*

CHAPLER, v. a. Gâter, endommager un objet en le coupant, ou en l'entaillant avec maladresse ou avec malice. *Les écoliers se plaisent à chapler les tables et les pupitres. En coupant une gaule, il s'est chaplé le doigt. La couturière m'a chaplé cette robe. Voilà un manteau chaplé, abîmé.* Terme suisse-roman, savoisien, jurassien et méridional. «Chapeler,» en français, signifie: Ôter avec un couteau le dessus de la croûte du pain.

CHAPLOTAGE, s. m. Action de *chapler.*

CHAPLOTER, v. a. Diminutif de *chapler.* Voyez ce mot. Dans les patois savoisiens et dauphinois on dit: *Chapota* ou *çapotà*; dans le Berry, *chapoter.*

CHAPLOTON, s. m. Rognures, mauvais restes d'objets coupés. *Le tailleur avait promis de me rendre des morceaux, et il ne m'envoie là que des chaplotons. Le travail fini, les couturières laissèrent la chambre toute jonchée de chaplotons.*

CHAQUE, pron. ind. On ne dit pas: *Ces volumes coûtent six francs chaque*; on dit: Coûtent six francs chacun.

CHAR, s. m. Cabriolet. *Aller en char; faire une partie de char; verser de char. Il faisait beau temps, nous prîmes un char. Elle acheta à bon marché un char d'enfant.* Dans tous ces exemples, *char* n'est pas français. «Char» se dit: 1º D'une sorte de voiture à deux roues, dont les anciens se servaient dans les triomphes, dans les jeux, dans les combats. Il se dit, 2º en poésie et dans le style oratoire, de toute espèce de voitures, de chariots, et principalement d'une voiture remarquable par son élégance ou sa richesse. Voilà les seuls cas où le mot de *char* se puisse employer seul. Mais on dira très-bien: Un char de côté, un char à banc, un char en face, parce que ces sortes de voitures, propres à notre pays et aux pays qui nous avoisinent, n'ont point en français de terme correspondant.

CHAR, s. m. Chariot. Nous appelons *char à échelles* ce qu'on appelle en français: «Chariot à ridelles.» Nous disons aussi: *Acheter un char de fascines, marchander un char de bois, peser un char de foin, conduire un char de fumier,* etc.; «Chariot» est le véritable terme.

CHAR, s. m. Ne dites pas: *Char de roulier, char de Provence*; dites: Charrette de roulier, charrette de Provence.

CHAR, s. m. Mesure de capacité pour les liquides, et principalement pour le vin. *Le char contient douze setiers.*

CHARAVOÛTE, s. f. Se dit d'une femme, et quelquefois d'un homme sale, fainéant et de mœurs crapuleuses. *Cette charavoûte de femme a été rapportée chez elle ivre morte. Il n'est pas étonnant que le mari et la femme en soient venus à mendier: ce sont deux charavoûtes.* Terme ignoble.

CHARBEUILLE ou CHARBOUILLE, s. f. Petit goûter ou repas que les jeunes bergers et bergères font en commun dans les champs le jour de la Toussaint, époque à laquelle ils cessent ordinairement de mener le bétail aux pâturages. [P. G.]

CHARBONNIÈRE, s. f. Charbonnier, endroit de l'appartement où l'on serre le charbon. *Remplir la charbonnière; nettoyer la charbonnière.* Terme méridional. On appelle en français «Charbonnière» le lieu où l'on fait le charbon dans les bois.

CHARCUITIER, s. m. Charcutier.

† CHARDINOLET, s. m. Chardonneret.

CHARGE, adj. Plaisant, drôle, jovial, amusant, singulier, bizarre. *N'est-ce pas charge de le voir saluer? Quel charge d'accent il a! Ne trouves-tu pas, femme, que notre Antoine a été bien charge hier soir?* Terme français populaire.

CHARITÉ, s. f. Nous disons proverbialement: *Première charité commence par soi-même.* Les dictionnaires disent: «Charité bien ordonnée commence par soi-même.»

CHARLON. Voyez POIRE CHARLON.

CHARMEUR DE SERPENT, s. m. Ce terme, que les dictionnaires donnent comme hors d'usage, est usité encore dans plusieurs communes de notre canton.

CHAROGNE, s. f. (fig.) Terme ignoble et injurieux.

CHAROTON, s. m. Charretier. En vieux français: *Charton.*

CHAROTTER, v. a. Trimballer, mener partout, charrier. [P. G.]

CHAROUPE, s. f. Se dit d'une personne paresseuse, lâche, indolente. *J'ai cessé de prendre intérêt à cette tailleuse: ce n'est qu'une charoupe. Cette jeune femme est active et vaillante; mais sa charoupe de mari se contente de boire, manger et dormir.* Terme suisse-roman et dauphinois. En provençal, *charospo* se dit d'une femme de mœurs dissolues.

CHAROUPÉE, s. f. Quantité de monde, ribambelle. *Une charoupée de badauds. C'est grande pitié de voir un si petit cheval traîner une pareille charoupée de monde* (une pareille charretée).

CHAROUPER, v. n. Fainéanter. Une lavandière me disait, en se plaignant de son mari: *Pendant que je m'estringole tout le jour, lui ne fait que charouper.* Dans le canton de Vaud on dit: *S'acharoupir.*

CHAROUPERIE, s. f. Profonde paresse.

CHAROUPIONGE, s. f. Paresse excessive, apathie complète, fainéantise incurable. Terme trivial, mais énergique. *Tu la crois malade, la Glaudine? Pas plus: c'est la charoupionge qui la tient et rien d'autre.* Terme suisse-roman.

CHARPI ou CHARPIS, s. m. (*s* muet.) Charpie. *Le charpi manquait dans les hôpitaux.* Français populaire et vieux français.

CHARPILIÈRE ou CHERPILIÈRE, s. f. Serpillière, toile d'emballage.

CHARPIN, s. m. Signifie: 1° Grabuge, tapage; 2° Inquiétude, chagrin. *Il y aura du bruit, il y aura du charpin. Elle a du charpin, notre Marguerite: son tenant a l'air de l'abandonner.* Terme méridional.

CHARPINER, v. a. Tarabuster, préoccuper désagréablement. En provençal, *charpinà* signifie: Être de mauvaise humeur; et en languedocien, *charpa* veut dire: Gronder, quereller.

CHARRE, s. m. Gomme, ou apprêt que les tisserands mettent au fil de la toile pour que le tissage en soit plus facile. *Avant la lessive, il faut avoir soin d'ôter le charre.*

CHARRIÈRE, adj. f. *Les rues charrières étaient alors pleines de boue.* Dites: Les rues charretières.

CHARTE, s. f. Chartre, prison. *Tenir quelqu'un en charte privée.* Terme français populaire. R. *carcer.*

† CHARTUTIER, s. m. Charcutier.

CHASSE, s. f. (fig.) Gronderie, réprimande sévère. *Donner une chasse.* Français populaire.

CHASSE D'UN FOUET, s. f. Mèche, corde à fouet. *Mettre une chasse.* Terme provençal, etc. On dit en Lorraine: *Une chasseuse.*

CHASSE-GUEUX, s. m. Valet de ville, écorcheur de voirie, équarrisseur. «A commencer dès demain matin 19 de septembre, les *Chasse-gueux* auront ordre de jeter du poison dans les rues et places publiques, et d'assommer tous chiens non emmuselés.» [*Ordonnance de police* du 18 septembre 1786.]

† CHASSE-PAREILLE, s. f. Salsepareille.

CHAT, s. m. «Chat échaudé craint l'eau froide,» est un proverbe français qui signifie: Que lorsqu'une chose nous a causé une vive douleur, ou nous a été fort nuisible, nous en craignons même l'apparence. A Genève, beaucoup de personnes estropient ce proverbe et disent: *Chat échaudé craint l'eau chaude;* ce qui n'est plus qu'une très-insipide niaiserie.

CHÂTAGNE, s. f. *Cuire des châtagnes, bresoler des châtagnes.* Écrivez et prononcez «Châtaigne.»

CHÂTAGNE, s. f. Férule, coup donné sur la main d'un écolier avec une petite palette de bois ou avec une lanière pour le punir de quelque sottise. *Recevoir la châtagne; mériter la châtagne.* Punition inconnue aujourd'hui dans nos écoles.

CHATANCE, s. f. Voyez CHETTANCE.

CHATIÈRE, s. f. Nous disons figurément et facétieusement de quelqu'un qui déménage à la sourdine et sans payer ses dettes: *Il a mis la clef à la chatière,* c'est-à-dire: «Il a mis la clef sous la porte,» comme s'expriment les dictionnaires. *Quand il s'est vu assailli de créanciers, il n'a fait ni un ni deux; il a mis la clef à la chatière, et il a filé.*

CHATON, s. m. Gourdin, bâton. Dans le dialecte fribourgeois et en vieux français on dit: *Saton.*

CHATTE, s. f. Nous disons proverbialement: *C'est où la chatte a mal au pied,* pour signifier: C'est là le point difficile, c'est là le hic, c'est là le nœud de l'affaire. *Nous savons où la chatte a mal au pied* (nous savons où le bât blesse).

CHAUD, s. m. Nous disons: *Prendre quelqu'un au chaud du lit.* On doit dire: Prendre quelqu'un au saut du lit, c'est-à-dire, au moment où il saute à bas de son lit.

† CHAUD (LA). Le chaud, la chaleur. *Tu es drôlement bâti, Robert: tu crains également la froid et la chaud.*

CHAUDELET, s. m. Chaudeau, boisson chaude composée de lait, d'œufs et d'eau de fleur d'orange, qu'on donne aux femmes, lorsqu'elles viennent d'accoucher.

CHAUDELET, s. m. Folle fleur de l'ormeau. *Abattre des chaudelets. Salade de chaudelets.*

CHAUDES (LES), s. f. pl. Terme de lessiveuse. *Lissu* bouillant qu'on jette sur le cuvier après qu'on a retiré les cendres. *Ces rideaux ne sont pas bien sales: vous ne les mettrez qu'aux chaudes.*

CHÂVAINE, s. f. Chevaine ou Chevanne. Petit poisson du genre Able.

CHEBER ou QUEBER, v. a. Terme des écoliers dans certains jeux. Gagner tout, mettre à sec son adversaire. *Je suis chebé. Ils m'ont chebé, je m'en vais.*

† CHÉCUN, CHÉCUNE, pronom. Chacun, chacune. *Un chécun. Tout chécun donnera cinq sous. Chécun pour soi, ce n'est pas trop.* Terme vieux français.

CHÉDAL, s. m. Le bétail, l'attirail, les outils, les ameublements d'un domaine.

CHÉ-MIETTE (À), loc. adv. Par parcelle, par très-petite quantité, chichement, mesquinement. *Acheter le bois à ché-miette. Rembourser à ché-miette.* Les campagnards disent: *À châ-miette.* A Lyon et dans le vieux français, *à cha un* signifie: «Un à un.» Voyez CHÉ-PEU.

CHENÂ, s. f. Chenal, chéneau, s. m. A Genève nous confondons le Chéneau avec le Tuyau de descente: c'est une erreur. Voyez les dictionnaires.

CHENAILLER, v. a. Secouer, tracasser une porte ou une serrure pour ouvrir.

CHENEVAR, s. m. Chènevis, graine de chanvre.

CHENEVIER, s. m. Dites: Chènevière, champ semé de chanvre. *Labourer le chenevier.* Cette faute nous vient du patois: *On çenevi.*

CHENIÛLE ou SENIÛLE, s. f. Terme des campagnards. Manivelle. *La cheniûle du moulin à café.*

CHENU ou CHENIU, UE, adj. et s. Se dit des choses et signifie: Exquis, excellent, cossu. *Goûtez ce vin, Messieurs: c'est du chenu. Le repas de noce fut splendide: truite, pâté de foie d'oie, punch et glaces... C'était du chenu et du porpu.* Terme français populaire.

† CHÉ-PEU (À), loc. adv. Par parcelle, par très-petite quantité, une petite quantité après l'autre, peu à peu. *Si M'cieu voulait parmettre que je le rembourse à ché-peu, ça m'irait tant bien. Ces marchands, pour m'attirer, m'ont vendu d'abord bon marché, et puis ils ont augmenté à ché-peu, à ché-peu.* En patois: *A châ-pou, à châ-sou, à châ-pot,* signifient: Peu à peu, sou à sou, pot à pot. Terme savoisien, qu'on retrouve tel quel dans le dialecte provençal: *Paou acha paou* (peu à peu), *soou acha soou* (sou après sou).

CHERCHE, s. f. Recherche, quête, soin que l'on prend pour chercher. Nous disons: *Être en cherche de,* ou *être à la cherche de,* pour: Être à la recherche de, à la poursuite de, en quête de.» *Je suis en cherche de ma tabatière. On est à la cherche du voleur. Nos physiciens sont en cherche de la solution d'un grand problème.* Terme méridional et vieux français.

CHERCHER, v. a. Agacer, provoquer. *Finis donc, Jacot: c'est toujours toi qui me cherches,* c'est-à-dire: C'est toujours toi qui es l'agresseur. Français populaire.

CHÉRI, s. m. Terme enfantin. *Tu es mon chéri, oui, tu es mon chéri, ne pleure pas.* En français, ce mot n'est pas substantif.

† CHÉRUZIEN, s. m. Chirurgien.

CHETTANCE ou CHETTE, s. f. Pénurie d'argent, état de gêne. *Être dans la chette.* En vieux français, *chétif* signifiait: Pauvre, indigent, misérable.

CHEVILLIÈRE, s. f. Ruban de fil. *Une aune de chevillières.* Terme suisse-roman, savoisien et méridional.

CHÈVRE, s. f. Nous disons d'un homme ivre: *Il a sa chèvre. Avoir sa chèvre,* signifie aussi: Se fâcher, se dépiter. Dans ce dernier sens on dit en français: «Prendre la chèvre.»

CHEVRELLE, s. f. Sorte de bécassine.

CHEVRER, v. n. Chevroter, se dépiter, pester. *Tes lambineries me font chevrer. Attendre deux mortelles heures! n'y a-t-il pas là de quoi chevrer?* Terme formé du mot «Chèvre,» par allusion aux trépignements, aux hauts de corps de cet animal, quand on le gêne ou qu'on l'impatiente.

CHEVROTIN, s. m. Fromage de lait de chèvre.

CHEZ, prép. Cette préposition, suivie du nom des propriétaires ou des fondateurs, a formé chez nous des noms de localités. *Chez-Charrot* est un hameau de la commune de Compésière. *Louons un char, et l'on ira à Chez-Charrot.* L'auteur du *Vocabulaire du Berry,* M. JAUBERT, a observé la même expression dans sa province. Le mot *chez* a signifié originairement Maison, *chezal.* R. *casa.*

CHICOT, s. m. Chicorée non frisée.

CHIENNERIE, s. f. Cochonnerie, vilenie. *Nous punir pour si peu de chose: quelle chiennerie!* Terme bas.

CHIFFON, s. des 2 genres. Terme insultant qu'on adresse à de jeunes enfants, surtout à de jeunes filles qui nous manquent de respect. Il équivaut à «Impertinent» ou à «Insolent.» [P. G.]

CHIFFON DE PAIN, s. m. Gros morceau de pain. Terme usité à Rennes, à Paris et dans le nord.

CHIFFRE (LA). L'arithmétique. *Nous voulons pousser notre garçon dans la chiffre.* Expression franc-comtoise, lyonnaise et méridionale.

CHIFFRER, v. a. *Chiffrer une addition. Chiffrez-moi ce compte.* Français populaire.

CHIGOUGNER ou CHEGOUGNER, v. a. Secouer fortement. Voyez SIGOUGNER.

CHILLES, s. f. pl. (*ll* mouillés.) Terme méridional. Écailles à la peau, peau squammeuse, peau furfuracée.

CHILLEUX, EUSE, adj. Écailleux, squammeux, furfuracé. *Peau chilleuse, tête chilleuse, visage chilleux.*

CHIPOTER, v. a. Chagriner, contrarier, quereller. *Ce mauvais temps me chipote. Le mari et la femme sont toujours à se chipoter.* «Chipoter,» v. n., est français dans le sens de: Vétiller, barguigner, baguenauder.

CHIPOTEUR, CHIPOTEUSE, s. Chipotier, vétilleur, taquin. Terme français populaire.

CHIQUE, s. f. *Avoir sa chique*, signifie: Être ivre. *Une chique morte*, désigne un état d'ivresse complète. En Dauphiné, *chiquer*, et dans le vieux français, *chinquer*, signifient: Boire, boire beaucoup.

CHIQUE, adj. Ivre. *Louis Francaleu est habituellement chique dès le matin.* Dans le langage des collégiens, *un chique* se dit d'un homme ivre.

CHIQUE, s. f. Terme d'écolier. Manière de tenir un *mâpis* (voyez ce mot) et de le lancer. *Chique grasse; chique forte; chique molle. Avoir une bonne chique; avoir une chique rogneuse; montre-nous ta chique.* En français, «Chique» signifie: Bille de terre cuite, de marbre ou d'agate, avec laquelle jouent les enfants.

CHIQUE, s. f. Chiquenaude donnée à un *mâpis. Chique! chique! chique à donner!* En provençal, *chiquo* veut dire: Chiquenaude.

CHIQUER, v. n. Terme d'écolier. Lancer le *mâpis* en roidissant le pouce contre l'index. *Fais voir comme tu chiques.*

CHIQUER (SE), v. pron. Se griser, s'enivrer.

CHIQUET, s. m. Gros morceau d'une chose qui se mange. *Chiquet de pain; chiquet de viande; chiquet de fromage.* En Picardie, *un chiquet* est un gros morceau de pain. Dans le Berry, *chiquet* signifie: Excédent de mesure. *Donner le chiquet* (faire bonne mesure). A Bordeaux, *chicot de pain* se dit pour: Morceau de pain. Du mot *chiquet* s'est formé l'ancien verbe *chiqueter* (couper, tailler) et son composé «Déchiqueter.»

CHIQUET, s. m. Signifie: Lourdaud, dans le langage des collégiens.

CHIQUEUR, s. m. Terme d'écolier. Se dit: 1° De celui qui *chique* bien, qui joue bien aux *mâpis*; 2° Du mâpis lui-même. *Voici mon chiqueur. Cette agate est ma chiqueuse.*

CHIRUGIEN, s. m. Écrivez et prononcez «Chirurgien.»

CHOCOLAT, s. m. En France, les personnes qui parlent bien, disent: Prendre du chocolat. Nous disons souvent: *Boire du chocolat*, expression qui n'est autorisée par aucun dictionnaire.

CHOGNER, v. n. Chômer, ne rien faire. [P. G.]

CHOGNER UN ENFANT. Avoir pour lui des soins minutieux et exagérés, le traiter délicatement, le dorloter.

CHOGNET, ETTE, adj. Mou, paresseux, choyé à l'excès.

CHOGNON, s. m. Se dit d'un enfant mou et d'un enfant gâté.

CHOUCROÛTE. Ce mot est féminin.

CHOUGNET, ETTE, adj. Terme enfantin, qui signifie: Mignon, gentil. *Cette petite est chougnette. Quel chougnet d'enfant! A-t-on rien vu de plus chougnet?*

CHOUQUET, ETTE, adj. et s. Mot de tendresse qui ne s'emploie qu'en parlant aux enfants, et qui signifie: Gentil, joli, mignon, aimable. *Tu es mon chouquet; tu es mon petit chouquet.* Ce mot est un diminutif de «Chou,» qui a, en français, cette même signification. «Tu es mon chou, tu es mon chou-chou.» [ACAD.]

CHOÛTE (À LA), loc. adv. À l'abri, à couvert. *Se mettre à la choûte.* Voyez SIOÛTE.

CHOUX, s. m. pl. Nous disons proverbialement et figurément: *Faites-en des choux et des pâtés*, pour signifier: Faites-en ce qu'il vous plaira. L'Académie dit: «Faites-en des choux, faites-en des raves.»

CHRÉTIÉNETÉ, s. f. Écrivez «Chrétienté» et prononcez la syllabe *tien* comme vous la prononcez dans *chrétien.*

CHRISTIANISME, s. m. Ne prononcez pas *Christianizme*, en donnant au second *s* le son du *z*. Ne prononcez pas non plus *schizme*, ni *paganizme.*

CHRYSANTHÈME. Plante. Ce mot est masculin.

CHUCHOTAGE, s. m. Chuchoterie.

CHUTER, v. n. Tomber. *Le baromètre qui avait monté hier, a chuté cette nuit. Le pavé était fort glissant, j'ai failli chuter. Depuis quelques mois le sieur Damirond a beaucoup chuté dans notre estime.* Terme suisse-roman.

CIBARE, s. m. Marqueur à la cible, celui qui signale et marque les coups des tireurs. Terme suisse-roman.

CIBE, s. f. Cible. *Tirer à la cibe; atteindre la cibe; cibe tournante.* Terme suisse-roman. Ce terme, venant de l'allemand *Scheibe*, nous pouvons affirmer que «Cible» est l'expression corrompue, et *cibe* la véritable.

CICLER, v. n. Voyez SICLER.

CIGALE, s. f. La grosse sauterelle verte. Dans le patois limousin, *sigalo* a le même sens.

CIGARRE (UNE). Ce mot, dont le genre a été longtemps douteux et l'orthographe incertaine, est aujourd'hui masculin, et s'écrit avec un seul *r*, «Cigare.»

CIGOUGNER, v. a. Voyez SIGOUGNER.

CINTIÈME, adj. Mauvaise prononciation du mot «Cinquième.»

CIRÉ, adj. m. Se dit du pain qui est compacte et *diotu* comme de la cire. *Pain ciré* est l'opposé de *pain bolant.*

CISEAUX. *De bonnes ciseaux.* Ce mot est masculin.

CITER, v. a. Réciter, conter, dire. *Citez-nous donc quelque chose; citez-nous un des charmants contes de Petit-Senn ou de Chaponnière. Demain, au Cercle littéraire, on chantera, on fera de la musique et l'on citera.*

CITRONNELLE, s. f. Seringat. Sorte d'arbrisseau.

CLÂFI, IE, adj. Plein, rempli de. *Un lit clâfi de punaises; une tête clâfie de poux.* Terme trivial. Dans le patois de l'Isère, *claffi* se dit d'un arbre chargé de fruits.

CLAIRE, s. f. Terme de lingère. Rang de mailles usées et où le trou va se faire. *Refais tes claires avec soin, Georgette, si tu veux que tes bas n'aient jamais de trous.*

CLAIRETTE, s. f. Clarette. Petit vin blanc.

† CLAIRINETTE, s. f. Clarinette. R. *clair* (sons clairs).

† CLAIRTÉ, s. f. Clarté. Terme vieux français.

† CLÂMEAU, s. m. Crachat très-épais. *Faire un clâmeau.* Expression ignoble.

CLARET, adj. *Vin claret.* Dites: Vin clairet.

CLÉDAL, s. m. Porte à barreaux de bois ou de fer; fermeture d'un champ, d'un jardin, d'une cour; claydas, barrière. *Escalader un clédal.* En languedocien on dit: *Clèdas;* en limousin et en provençal, *clédo.*

CLÉDAR, s. m. Fermeture d'un champ, d'un jardin, d'une cour. *Ouvrir le clédar. Changer le clédar.* Terme vaudois, valaisan et neuchâtelôis. A Lyon, *clédar* signifie: «Claire voie.» Voyez CLÉDAL, qui a le même sens.

CLEF, s. f. Mérelle. Jeu d'écolier. *Faire une clef. Jouer à la clef.*

CLICLI-MOUCHETTE. Cligne-musette. Sorte de jeu très-connu. *Jouer à clicli-mouchette; faire à clicli-mouchette.* Terme vaudois et neuchâtelois. *Mouchette,* en vieux français, et *muchette,* dans les dialectes normand et picard, signifient: «Cachette,» et viennent de l'ancien verbe *musser* (cacher).

CLIE, s. f. Claie: *Réparer une clie.* Terme méridional et vieux français.

CLINER LES YEUX. Cligner les yeux, clignoter. *Son tic est de toujours cliner les yeux.* Terme vieux français.

† CLINQUAILLER, s. m. Quincaillier. R. *clinquant.*

CLINQUETTE (À LA). Au point du jour. *Se lever à la clinquette.*

CLOCHE, s. f. *Est-ce la cloche de Monsieur ou celle de Madame que je viens d'entendre?* Quand on parle des cloches d'un appartement, il faut se servir du mot «Sonnette.» [Voyez le *Recueil de mots français* de M. PAUTEX.]

CLOCHE, s. f. Liseron ou clochette, plante.

CLOCLO, s. m. Montre, petite horloge de poche. Terme badin. En languedocien: *Cloco,* coup de cloche; en allemand, *die Glocke,* la cloche.

CLOPET, s. m. Petit somme, sieste, méridienne. *Faire un clopet.*

CLOPORTE (UNE). Ce mot est masculin: «Un cloporte,» sorte d'insecte. Quelques-uns disent: *Cléoporte;* c'est un barbarisme.

CLOUS, s. m. pl. Nous disons: *River les clous à quelqu'un,* pour dire: Lui répondre fortement, vertement et de manière qu'il n'ait rien à répliquer. *Qu'il y revienne seulement, et je saurai bien lui river ses clous.* L'Académie dit, avec le singulier: «Lui river son clou.»

CLOUSSER, v. n. Glousser.

CLUSSE, s. f. Poule qui a des poussins. *La courageuse clusse força Médor à battre en retraite.* Terme dauphinois. Dans le Jura et à Reims on dit: *Clousse;* dans le midi et en vieux français, *clouque:* tous mots dont le son imite le cri habituel des poules qui couvent ou qui sont mères.

COAILLÉE, COUAILLÉE, ou COUÉLÉE, s. f. Cri aigu. *Ces petits enfants faisaient des couaillées à nous rompre le tympan.* Dans le canton de Vaud on dit: *Couilée.*

COAILLER, COUAILLER, COUALER, ou COUÉLER, v. n. Crier, pousser des cris aigus. Dans le dialecte du Berry, *coualer* signifie: Pousser des cris semblables à ceux du corbeau.

COÂTEUX, EUSE, adj. Voyez COITEUX.

COCARD, adj. m. Voyez COQUARD.

COCASSE, s. f. Voyez COQUASSE.

COCHES, s. f. pl. Terme rural. Débris de blé ou d'autres céréales qui tombent du van quand il est secoué alternativement sur l'un et l'autre genou. [P. G.]

COCHON, s. m. Nuque du cou. *Avoir le cochon découvert.* Terme suisse-roman.

COCHON, ONNE, adj. Sale, très-sale. *Un enfant cochon. Avoir des mains cochonnes.* Ce mot n'est pas adjectif.

COCHON DE MER, s. m. Terme suisse et savoisien. On dit en français: «Cochon d'Inde.»

COCHONNER (SE), v. pron. Se salir. En français, Cochonner un ouvrage, c'est: Le faire grossièrement et sans soin.

COCO, s. m. Terme enfantin. Œuf. *Allons voir si ta jolie poule a fait son coco.* Terme usité en Normandie. *Coconnier*, en vieux français, signifiait: Marchand d'œufs.

COCO, s. m. Homme simple, dadais, nigaud, niais. *Après l'étourderie que je viens de faire, me voilà un joli coco. Le pauvre N** a été le coco de la farce.* Plus souvent ce mot se place dérisoirement devant un nom propre d'homme. *Coco un tel, coco X**, coco Z**.* Dans le dialecte rouchi, *coco* ou *cocosse* signifient: Niais, imbécile.

COCO, s. m. Dénomination amicale qu'on donne aux enfants. *Oui, tu es mon coco, tu es mon valet,* disent les bonnes et les mamans à leur enfant qui se désole. *Coco* est aussi l'équivalent de Benjamin, enfant de prédilection. *L'aîné est le coco de la famille.* Français populaire.

COCOCHER (À), ou À COCOCHÉ, loc. adv. *Mettre un enfant à cococher,* c'est: «Le porter sur le dos, jambe deçà, jambe delà. En français on dit: «À califourchon.» Les Gascons disent: *Mettre en croupe, porter en croupe.*

† COCODRILLE, s. m. Crocodile. *Des larmes de cocodrille*, c'est-à-dire: Des larmes feintes. Terme parisien populaire et vieux français.

COCOLE, s. f. Enfant gâté. Dans le dialecte rouchi, *cocole* se dit de toute personne molle et nonchalante.

COCOLER, v. a. Dorloter, choyer, traiter délicatement. *Notre Auguste est un peu malade et je le cocole.* Dans le dialecte du Jura on dit: *Cocoter*, et en languedocien, *acocoula.* R. *coco*, terme d'amitié.

COCOLER, v. n. Terme des campagnards. Bégayer.

COCOLI, s. m. Celui qui bégaie. Onomatopée remarquable.

COCOMBRE, s. m. Concombre. *Salade aux cocombres.* Terme vaudois, neuchâtelois et français populaire. Dans l'évêché de Bâle et en vieux français on dit: *Coucombre.*

COCU, s. m. Terme des campagnards. Coucou, oiseau. En vieux français, *cucu.*

COCU, s. m. Coucou des prés, plante.

COCUE, s. f. La grande ciguë, fleur.

CŒUR, s. m. Nous disons: *Cela me tient à cœur.* L'Académie et les meilleurs écrivains disent: Cela me tient au cœur.

CŒUR, adj. invar. Charmant, joli, mignon, adorable. Ne se dit que des jeunes enfants. *Cet enfant est cœur. Votre petite Adélaïde est cœur.*

COFFE, adj. et s. Sale, saligaud. En vieux français, *gof* ou *goffe* signifie: 1° Mouillé, trempé; 2° Mal fait, grossier, maussade.

COGNER, v. a. Presser, serrer, fouler. *La salle était pleine à regorge: nous y étions cognés jusqu'à étouffer.* En français, «Cogner» signifie: Frapper, heurter, faire entrer à force au moyen d'un coin.

COI, adj. fém. *Elle se tenait coi; elle restait coi.* Dites: Coite. «Elle se tenait coite.»

COIFFAGE, s. m. Coiffure. *Toutes les danseuses avaient un coiffage simple, mais plein de goût. Coiffage* n'est pas français.

COIGNÉE, s. f. Cognée, hache.

COIGNIER, s. m. Cognassier, arbre qui porte les coings. Le mot *coignier* appartient au vieux français.

COIN (À), loc. adv. En réserve. *Mettre à coin*, mettre en réserve, serrer. *Elle avait mis à coin quelques sous pour les cas d'ovaille.*

COINEAU, COËNEAU, ou COINET, s. m. Sorte de planche brute, arrondie d'un côté et plate de l'autre. *Un cent de coineaux.* Terme vaudois, comtois, etc. On dit en français: «Dosse.»

COIN-NÉE, s. f. Cri des petits enfants quand ils souffrent, ou qu'ils s'impatientent et font les méchants. *Faire des coin-nées.*

COIN-NER, v. n. Se dit des petits enfants et signifie: Crier, pleurer en grognant. *Sa fièvre ourtillière le tourmentait, et il ne cessait pas de coin-ner.* Onomatopée évidente. Dans le Jura, *coin-ner* se dit du cri des petits cochons quand on les porte. A Lyon, *quiner* veut dire: Crier d'un ton aigre; en Languedoc, *caïner.*

† COISSIN, s. m. Coussin. *Coissin* appartient au vieux français. Dans le Berry on dit: *Cuissin.*

COÎTEUX, EUSE, adj. Qui a grande hâte, qui se dépêche beaucoup. Quand on parlait patois à Genève, on chantait une chanson dont le refrain était: *Vo-z-êtes tant coîteux, Vo-z-âtres amoireux;* c'est-à-dire: Vous avez tant de hâte, vous êtes si pressés, vous autres amoureux. *Coîte* signifie: «Hâte;» *à la coîte,* à la hâte. Ce terme, très-connu de nos campagnards et de ceux du canton de Vaud, appartient au vieux français. Dans le patois de l'Isère, *coëïta* veut dire: «Empressement.»

COITRE ou COUATRE, s. f. Couette ou coite, lit de plume.

COÎTRON, s. m. Petit limaçon qui fait beaucoup de mal aux légumes. Dans le canton de Vaud, on dit d'une personne très-laide, qu'*elle est laide comme un coîtron.*

COÎTRON, s. m. Culot. Oiseau dernier éclos d'une couvée. *Tout le nid s'envola; mais nous attrapâmes le coîtron.* On le dit aussi de quelques quadrupèdes.

COL D'HABIT, s. m. Collet d'habit.

† COLIDOR, s. m. Corridor. *Colidor étroit, colidor sombre.* Terme connu à Lyon, à Reims, à Nancy, etc. Le changement de l'*r* en *l* est très-fréquent.

COLLARD, s. m. Carcan. Cercle de fer avec lequel on attachait par le *cou* à un poteau celui qui avait été condamné à cette peine.

COLLECTER, v. n. Faire une collecte. *En 1840, le gouvernement de Genève permit de collecter pour les incendiés de Sallanches.* Terme clair et utile.

COLLER QUELQU'UN. Le réfuter victorieusement, le mettre dans l'impossibilité de répondre. Terme normand, etc.

COLLIOT, adj. m. (*ll* mouillés.) Se dit: 1° D'un homme large d'épaules, fort, vigoureux; 2° De celui qui est le coq de son village, c'est-à-dire, qui en est le plus riche et le plus considéré.

COLOGNE, s. f. Terme patois. Quenouille. A Reims et dans le vieux français on dit: *Quelongne*.

COLORER et COLORIER, v. a. On ne doit pas employer indistinctement ces deux verbes. «Colorer» se dit des couleurs naturelles: Un teint coloré; un visage coloré; le soleil colore les fruits. «Colorier» se dit des couleurs artificielles: Estampe coloriée; images coloriées; ce peintre colorie mieux qu'il ne dessine.

COMÂCLE ou COUMÂCLE, s. m. Crémaillère.

J'espérais m'attabler et bâfrer sans obstacle,

Mais, hélas! rien n'était plus froid que le *comâcle*.

[CH.]

C'est-à-dire: Rien n'était plus maigre, ni plus chétif que le repas qui nous fut servi. Dans le patois de l'Isère on dit: *Coumaclo*; dans le Jura, *coumacle*, et en Provence, *cumascle*.

COMBE, s. f. Petite vallée, pli de terrain, lieu bas entouré de collines. L'Académie n'a pas enregistré ce mot, et Boiste dit qu'il est vieux. *Combe* est, en effet, un mot très-ancien, mais qui est fort usité en Suisse, en Savoie, en Franche-Comté, dans le Midi, et sans doute ailleurs.

COMBIEN (LE)? Le quantième? *Le combien du mois tenons-nous? Le combien est-ce aujourd'hui? Le combien es-tu dans ton école?* Dites: Quel quantième du mois avons-nous? Quel quantième est-ce aujourd'hui? Ou bien, dites: Quel est le quantième du mois? À quel quantième sommes-nous aujourd'hui? Le quantième es-tu dans ton école?

COMÈTE, s. f. Nous disons d'un homme ivre: *Il a sa comète*, par allusion à l'excellent vin de 1811.

COMMAND, s. m. Nous disons d'un domestique qui est facile à diriger: *Il est de bon command.* En vieux français, *command* signifie: «Commandement.»

† COMME? adv. *Comme est-on chez vous, Blaise? Comme va-t-il chez ton père, Fanchette?* Cette expression appartient au vieux français.

† COMME, est employé pour «que» dans les phrases suivantes: *Votre garçon n'est pas aussi grand comme le mien. Je n'ai pas autant d'éducation comme vous autres.*

COMME ÇA. Cette locution adverbiale est employée inutilement dans la phrase suivante, et phrases analogues: *Notre bourgeois qui était de très-bonne humeur me dit comme ça: Garcin, aimes-tu les figâces?* Français populaire.

COMME DE. *Comme de juste* (comme cela est juste); *comme de vrai* (comme cela est vrai).

COMMENCEMENT (DU), loc. adv. Au commencement, dans le premier temps, dans l'origine. *Nous allâmes demeurer tout auprès de lui, et du commencement l'on se visitait.* Cette expression appartient à l'ancienne langue française.

COMMISSION, s. f. Affaire, emplette. En Suisse et en Savoie, une dame qui sort pour vaquer à ses propres affaires, dit qu'*elle va faire ses commissions.* Terme impropre, puisque *commission* signifie: Charge, mandat, ordre donné à quelqu'un de faire telle ou telle chose.

COMMUNAL, s. m. Terres communales, pâturages communaux. *Sa vache paissait dans le communal.* Terme vieux français, connu dans le Berry et ailleurs.

COMMUNAUTÉ, s. f. Manières et tons communs, grossièreté de mœurs et de langage. *Quel accent! quel ton! quelle communauté! Ce M^r N*** est d'une communauté sans égale.*

COMMUNICATION, s. f. Nous appelons *communication de mariage,* ce qu'on appelle en France «Billet de faire-part,» ou simplement «Billet de part.» *Recevoir une communication de mariage. Envoyer une communication de mariage,* ou simplement: *Envoyer une communication; recevoir une communication.* Cependant on peut très-bien dire: «M^r X** m'a donné communication de son mariage,» c'est-à-dire: M'a donné avis, m'a fait savoir qu'il allait se marier, ou qu'il venait de se marier.

COMMUNIQUER UN MARIAGE. Au lieu de dire: *C'est lundi prochain que votre cousine communiquera son mariage,* dites: C'est vendredi prochain que votre cousine enverra ses billets de faire part. Mais la phrase suivante est très-française: C'est à mon ancien précepteur que je veux premièrement communiquer mon mariage; c'est-à-dire: C'est à lui le premier que j'en veux communiquer la nouvelle. (Il n'est pas question ici de Lettres circulaires, ni de Billets de faire part.)

† COMMUNS, s. m. pl. Latrines.

† COMPANIE, s. f. Compagnie. *Viens-t'en, Jeannot, et tire ta casquette à la companie.*

COMPAGNONNE, s. f. Luronne, femme grande, forte et effrontée. *Le jeune officier crut pouvoir tourner en ridicule l'accent traînard de la fille d'auberge: mais cette compagnonne le prit aux cheveux et le sigougna.*

COMPARAISSANCE, s. f. Comparution.

COMPARITION, s. f. Comparution. *Je veux que tu ailles à ce bal, quand tu ne devrais y faire qu'une comparition.* Terme vieux français.

COMPÔTE, s. f., et COMPÔTIER, s. m. Ces mots s'écrivent et se prononcent «Compote» et «Compotier» (*o* bref). Ne dites donc pas comme plusieurs, en appuyant sur la deuxième syllabe: *Compôte de Chambéry; compôte de poires et de coings.*

COMPTE, s. m. *Être en compte à demi avec quelqu'un*, signifie: Être en société d'intérêt avec quelqu'un. Les dictionnaires disent: «Être DE compte à demi avec quelqu'un.»

COMPTER, v. n. Nous disons d'une chose qui sort de ligne, d'une chose remarquable, considérable en son espèce, excellente, qu'*elle compte au piquet*; expression un peu triviale, mais fort usitée. *On nous servit un dîner qui comptait au piquet. Notre petit vagabond recevra demain une saboulée qui comptera au piquet.*

COMPTER, v. a. *Compter ses chemises*, se dit figurément et populairement d'un soulard, et signifie: Rendre le superflu des aliments, vomir.

COMTÉ (LA). *La comté de Neuchâtel.* Ce mot, qui a été féminin jusqu'à la fin du dix-septième siècle, est aujourd'hui masculin.

CONCHE, s. f. Bassin de fontaine. *Tomber dans la conche. Vider la conche. Laver du linge dans la conche.* Terme savoisien, dauphinois, etc. Dans le patois du canton de Vaud, *contza* signifie: Bassin de pressoir. En provençal, *conquo* veut dire: Abreuvoir. Nos bateliers appellent le lac *La grande conche, la conche.*

CONCHON, s. m. Sorte de jeu de boule.

CONDUITE, s. f. Manière sage d'agir, manière prudente et raisonnable de se gouverner. *Notre Josette est une fille de conduite. Ta blanchisseuse est une femme active et économe, une femme de conduite.* Dites: Une femme qui a de la conduite.

CONFÉRENCE, s. f. Accessit, distinction accordée dans notre Collége à l'écolier qui a beaucoup approché du prix. *Trois conférences sont d'ordinaire plus honorables qu'un prix.*

CONFÉRENT, s. m. Écolier qui a obtenu un accessit. *Il n'a pas le prix, mais il est conférent.*

CONFESSION, s. f. Prononciation vicieuse du mot Confection, sorte de médicament. *Une prise de confession. Faire usage de confession.* Cette faute est déjà signalée dans le *Traité d'orthographe* de Jean BARBE, Genève, 1701.

CONFIRE, v. a. *Confire son argent,* signifie: Ménager ses écus, les choyer, les laisser séjourner dans le coffre-fort, comme on laisse séjourner au fond d'un bocal les fruits que l'on veut *confire.* Expression heureuse, connue en Dauphiné, en Languedoc, et sans doute ailleurs.

CONFISSEUR, s. m. Ancienne orthographe du mot Confiseur, lequel ne s'écrit plus avec deux *s.*

CONFIT, ITE, adj. Stupéfait, ébaubi.

CONFORON, s. m. Dans les villages catholiques du canton, ce mot signifie: Bannière d'église (bannière qui est d'un rouge écarlate). Figurément et proverbialement, *rouge comme un conforon* est l'équivalent de Très-rouge, extrêmement rouge. *Il avait tant et tant couru, qu'il était rouge comme un conforon.* Ce terme, connu aussi en Savoie et dans le Jura, est une corruption des mots *gonfanon* ou *gonfalon,* ancien étendard militaire.

CONFUSIONNER, v. a. Rendre confus, couvrir de confusion. *Ses prévenances vont si loin que j'en suis presque confusionné.* Terme français populaire.

CONGRÉGATION, s. f. Sermon de paraphrase. *Assister aux congrégations; suivre les congrégations. Les Congrégations du pasteur Cellérier ont paru en 1825, sous le titre d'Homélies.*

CONNAISSANCE, s. f. Nous disons: *Être en connaissance avec quelqu'un,* pour signifier: Avoir des relations avec quelqu'un. *Il y a dix ans que je suis en connaissance avec cette famille.* Les dictionnaires ne donnent pas cette expression, dont l'emploi chez nous est journalier.

CONNAISSANCE, s. f. *Avoir une connaissance,* terme consacré, signifie, dans le langage des ouvrières et des domestiques: Avoir une liaison d'amour. *La Rosalie a une connaissance* (elle a un tenant, elle a un prétendant).

CONNAÎTRE (SE), v. pron. Se dit des moribonds et signifie: Avoir sa connaissance, conserver sa connaissance. *Ce malade s'est connu parfaitement jusqu'au dernier moment de sa vie.* Expression méridionale, etc.

CONNAÎTRE (SE), verbe impersonnel. *Il se connaît que tu as été chez l'Italien. Il se connaît facilement que Monsieur est étranger.* Dites: On connaît, on voit, il paraît bien que, etc. Terme méridional.

CONSCIENCE, s. f. Nous disons: *Se faire une conscience de... Je me fais une conscience de lui emprunter de l'argent, parce qu'il en refuse les intérêts.* Dites en retranchant l'article: Je me fais conscience de lui emprunter, etc.; ou: Je me fais un cas de conscience de, etc.

† CONSEILLER, v. a. *Je les conseille de partir. On les conseille d'être prudents.* Il faut dire: Je LEUR conseille de partir. On LEUR conseille d'être prudents.

CONSENTIR À CE QUE, suivi d'un verbe au subjonctif. *Je consens à ce que tu ailles au cirque. Consentez-vous à ce que nous sortions dimanche? Je ne consens pas à ce qu'on vienne me déranger.* Dans ces divers exemples et les exemples analogues, il faut dire: Je consens que tu ailles. Consentez-vous que nous sortions? etc.

† CONSENTU, UE, partic. Consenti, ie. *Ils y aviont consentu dans le principe. On y a tous consenti que la Fanchette et sa cauque de belle-sœur.* Cette expression, connue aussi dans plusieurs provinces de France, appartient au vieux français.

CONSÉQUENCE, s. f. Valeur d'une chose, prix d'une chose. *Notre excellente maîtresse m'a fait un legs de 2000 francs; si j'en suis satisfaite, c'est pour le sentiment, bien plus que pour la conséquence.* Français populaire.

CONSÉQUENT, TE, adj. Ne signifie pas: Considérable, important. C'est donc une faute de dire: *Un gain conséquent; une perte conséquente. Il a hérité cent louis d'or: c'est conséquent.* Mais on peut dire, avec un habile écrivain (DUCLOS): «Une erreur conséquente,» pour signifier: Une erreur qui tire à conséquence.

† CONSINE, s. f. Consigne. *Forcer la consine; changer la consine.* CONSINER, v. a. Consigner. *Le capitaine fit consiner les deux sous-lieutenants.* Voyez nos mots COMPANIE, MANIFIQUE, SÉNIFIER, BÉNINE, CLINER les yeux, etc. Ces fautes sont une tradition de l'ancien français.

CONSULTE, s. f. Consultation. *Il y eut deux consultes le même jour.* Terme français populaire et vieux français.

CONSUMÉ, s. m. Consommé, bouillon succulent.

CONTINUE (À LA), loc. adv. Sans relâche, sans interruption. *En 1817, le temps fut froid et pluvieux à la continue.* L'expression «À la continue» est française, mais dans un autre sens.

CONTRE, prép. de temps. Vers. *Tu ne manqueras pas d'arriver à l'audience contre neuf heures. La Nancy aura ses vingt ans contre Noël. Le mariage se fera contre la vogue.*

CONTRE, adv. Ce mot peut, dans certains cas, être employé comme adverbe; mais ce n'est pas dans les phrases suivantes ni dans les phrases analogues. *Fermez ce rideau: le soleil nous vient contre. Faites attention, s'il vous plaît, vous me jiclez contre.*

CONTRE, prép. de lieu. Du côté de. *Je m'acheminais contre Nantua. La voiture allait contre Lausanne.*

CONTRE, adv. Dans le langage des campagnards, *Faire contre,* signifie: Nuire, faire tort, porter dommage. *Sois tranquille, Gaspard, je ne te ferai jamais contre.* Un paysan savoisien sortait du tribunal, où il avait perdu son procès contre un Genevois. Nous causâmes et je tâchai d'adoucir un peu son dépit. *N'en parlons plus,* me dit-il en finissant; *on sait bien que les Genevois ne se font jamais contre.*

CONTRE FIN (À), loc. adv. Dites: A fin contraire. *En agissant de la sorte, tu vas directement à contre fin. Nos plans, nos mesures, nos combinaisons, sont allées à contre fin.* Expression très-répandue.

CONTRE-POIDS, s. m. Valet, poids qui pend avec une corde derrière la porte, pour faire quelle se ferme sans qu'on la touche. «Contre-poids» est français, mais il n'a pas cette signification dans les dictionnaires.

CONTRE-POINTE, s. f. Courte-pointe, couverture de lit piquée.

CONTRE-POINTIER, CONTRE-POINTIÈRE, subst. «Mademoiselle Giraud était *contre-pointière.*» [J.-J. ROUSSEAU, *Confessions,* livre IV.] Terme suisse-roman, français populaire et vieux français. Aujourd'hui on dit: Courte-pointier, courte-pointière.

CONTREVENTION, s. f. Contravention. *Être pris en contrevention.* Terme français populaire et vieux français.

CONTRIÈRES, s. f. pl. Gardes d'une serrure.

CONVENIR, v. a. et n. Faire accord. *Qu'avez-vous convenu ensemble?—Nous avons convenu de partir dans quinze jours.* Dites: De quoi êtes-vous convenus ensemble?—Nous sommes convenus de partir dans quinze jours.

CONVOI FUNÈBRE, s. m. *Vous êtes prié par la famille de Mr N** d'assister à son convoi funèbre qui aura lieu,* etc. Formule consacrée chez nous et dans plusieurs villes du midi de la France. Au lieu de *convoi funèbre,* dites: Enterrement, ou bien dites «Convoi» tout court, et sans y ajouter d'épithète.

COPON, s. m. Sébile, grande écuelle de bois, destinée à recevoir la pâte que l'on porte au four. Le *copon* avait jadis un second emploi: la plupart des marchands y tenaient l'argent de la vente journalière; et c'est de là qu'est venue cette expression proverbiale: *Mettre la main au copon*, laquelle signifie: Soustraire de l'argent à un patron.

COPON, s. m. Employé au sens figuré, ce mot est un terme de couturière. Il se dit d'un vêtement mal coupé ou d'une couture mal faite, qui occasionne un renflement dans l'étoffe. *Le dos de ta robe va mal: il fait le copon du côté droit et tu as l'air bossue.*

COPONNER, v. n. Faire le *copon*. Voyez ce mot, n° 2.

COPONNIER, s. m. Dans l'ancienne langue genevoise, on appelait *coponnier* l'ouvrier qui fabriquait la vaisselle de bois.

COQ, s. m. (fig.) *À nous le coq*, est une expression proverbiale qui signifie: À nous la supériorité, à nous le fion, à nous le bouquet. *Pour les chaînes de montres, à nous le coq. Pour accommoder une truite, à moi le coq, à moi le pompon.* «Le coq du village» est une expression française fort connue; mais celle-ci: *à nous le coq*, n'est pas dans les dictionnaires usuels.

COQUARD, adj. masc. *Être à son point coquard, être à son moment coquard*, signifient: Être à son maximum de bonté, de beauté, d'excellence, de perfection. *Mangez vite cet œuf, il est à son point coquard. Venez voir le Mont-Blanc, il est à son point coquard. Cueillez-moi ces pêches, François, c'est l'instant coquard. Ta fille n'a point de dot, mais elle est jolie; dépêche-toi de la marier pendant qu'elle est à son point coquard.* On voit par ces exemples: 1° Que notre mot *coquard*, inconnu à tous les dictionnaires et à tous les glossaires, appartient au style familier; 2° Qu'il n'a point de correspondant exact en français. L'étymologie de ce singulier terme pourrait se chercher dans le vieux mot *coquardise*. [Voyez le *Glossaire roman* de ROQUEFORT, et le *Dictionnaire wallon* de DON FRANÇOIS.]

COQUASSE, s. f. Signifie: 1° Femme ou fille ridicule; 2° Femme ou fille ivrogne. Dans l'ancien français, *coquasse* signifiait: Chaudron, coquemar, cruche, vase à vin. Voyez CAUQUE.

COQUEMOLLE ou CROQUEMOLLE, s. f. Sorte d'amande dont la coque est facile à briser. Le mot français est «Amande princesse.»

COQUER, v. n. Terme d'écolier. Frapper l'un contre l'autre deux œufs cuits durs. *Qui veut coquer? Veux-tu coquer avec moi?* Dans le canton de Vaud on dit: *croquer.*

COQUER, v. a. Enlever la coque. *Coquer des noix.*

COQUILLON, s. m. Boucle de cheveux. Dans le vieux français, *coquillon* signifiait: Petite coquille.

CORAILLON ou COURAILLON, s. m. Trognon, cœur d'un fruit ou d'un légume. *Coraillon de pomme, coraillon de poire, coraillon de chou, coraillon de salade.* Terme suisse-roman, savoisien et jurassien. A Lyon et dans le Berry on dit: *Curaille.* En vieux français, *coraille* signifiait: «Cœur;» *coraillon* signifiait: «Petit cœur.»

CORBE, s. f. Fruit du sorbier domestique. Terme connu dans le Berry et sans doute ailleurs.

CORBEILLE DE NOCE, s. f. *Préparer une corbeille de noce. Envoyer la corbeille de noce.* En français on dit: La corbeille de mariage, ou simplement: «La corbeille.» [ACAD.] «Notre ami Gremillet a dépensé 400 francs pour la corbeille.»

CORDONNIER, s. m. Petit insecte rouge et noir, de l'ordre des Coléoptères.

CORIANDE, s. f. Coriandre, sorte de plante. En latin, *Coriandrum.*

CORNER, v. a. Donner de la corne, frapper de la corne. *Éloignez-vous, mes enfants: cette vache corne; elle vous cornera.* Terme vaudois.

CORNER, v. a. *Corner un chapeau,* c'est le déformer. *Maladroit, tu viens de corner l'aile de mon chapeau.*

CORNIOLE, s. f. Terme de Boucherie. Œsophage de l'animal, conduit par où les aliments descendent du gosier dans l'estomac. *Je te demandais de la viande et tu me donnes de la corniole!* Terme méridional, etc. R. *corne.*

CORPORANCE, s. f. *Grosse corporance; énorme corporance.* Terme suisse-roman, français populaire et vieux français. Le mot véritable est «Corpulence.»

CORPORÉ, ÉE, adj. Membré. En vieux français, *corporu.*

CORPS, s. m. Dans plusieurs de nos villages, *être corps* se dit d'un mort non enterré. *Pendant que la Fanchon était corps, son mari en guignait déjà une autre.* Expression curieuse.

CORSÉ, ÉE, adj. Se dit des personnes et signifie: Membru, vigoureux, solide, bien taillé. Dans le vieux français on disait *Corsu,* terme usité encore en Normandie.

CORTI, s. m. Voyez COURTI.

CORTIAUD, s. Voyez COURTIAUD.

COSSU, s. m. Nous disons d'une chose belle, d'une chose riche, superbe, bien étoffée: *C'est du cossu.* En français, «Cossu» n'est pas substantif.

COSSU, s. m. Nom que l'on donne à une maladie ou indisposition des vaches, qui leur fait enfler le pis et gêne la sortie du lait. Ce mal leur vient le plus souvent après qu'elles ont vêlé. [P. G.]

COSTI, s. m. Cautère, ulcère artificiel. Dans le canton de Vaud on dit: *Costic*, et en Languedoc, *coustic*.

COTAPILE, s. f. Foule compacte. *C'était une cotapile à y étouffer. J'ai assez d'une pareille cotapile, et l'on ne m'y retrouvera pas. Être à la cotapile,* signifie: Être fort serrés, être fort pressés les uns contre les autres, de manière à en avoir les *côtes pilées.*

COTAPILER, v. a. Presser, fouler, serrer. *L'assemblée était infiniment trop nombreuse: on y était cotapilé.*

CÔTES, s. f. pl. Cardes de bettes, cardes de poirée. *Un plat de côtes. Plucher des côtes.* Terme languedocien.

CÔTES, s. f. pl. Nous disons figurément et facétieusement d'un homme bizarre, original, capricieux, qui ne fait rien comme les autres et ne peut se plier ni aux goûts ni aux désirs de personne: *Il a les côtes en long.* Locution provençale. Se dit aussi, mais plus rarement, d'un homme paresseux.

COTON SANS FILÉ, s. m. Coton qui n'est pas filé, coton en bourre.

COTONNE, s. f. Cotonnade, étoffe de coton. *Cotonne quadrillée.* Terme suisse-roman.

COTTE, s. f. Signifie: 1º Étai, appui, soutien. *Mettre des cottes à un pommier qui plie sous le poids des fruits. Mettre des cottes à une masure qui menace ruine. Cotte* signifie: 2º Cale, c'est-à-dire: Morceau de bois, de pierre, de carton, que l'on place sous un objet quelconque pour le mettre de niveau ou pour lui donner de l'assiette. *Ne voyez-vous pas que cette table remue? Mettez-y une cotte.* En Franche-Comté on dit: *Coute.*

COTTER, v. a. Serrer, assujettir, fixer, caler, mettre une *cotte. Cotter une porte, cotter une fenêtre, cotter un contrevent qui bat. Voici la troisième fois que le vent fait tomber ce devant de cheminée: cottez-le donc avec soin.* Dans un sens analogue, *cotter un lit,* signifie: Le border, c'est-à-dire: Mettre les bords de couverture sous le matelas. *Le lit était mal cotté: la couverture est tombée.* Terme suisse-roman, savoisien, méridional et vieux français. On dit en Franche-Comté: *Couter.* Notre mot *cotter* est le radical perdu des mots français «acoter» (appuyer) et «acotoir» (appui).

COTTER, v. n. S'arrêter, hésiter en récitant ou en déclamant. *Le jeune étudiant nous récita toute la première satire de Boileau sans cotter, sans cotter d'un seul mot. Notre ministre a fait un bien beau sermon: mais il a un peu cotté.* Terme vaudois. A Neuchâtel, *être cotte, rester cotte,* signifie: Rester court, demeurer court.

COTTER (SE), v. réc. Ne pas tomber d'accord sur une vente, sur un achat qui allaient être faits; se tenir à très-peu de chose. *On allait conclure le marché, quand on s'est cotté pour vingt francs. Cette magnifique campagne allait se vendre: on s'est cotté pour une vétille* (on s'est tenu à une vétille).

COTTES, s. f. pl. Cotillons.

COUAILLÉE et COUAILLER. Voyez COAILLÉE et COAILLER.

COUALER, v. n. Crier comme les enfants. Voyez COAILLER.

COUANNE, s. f. *Couanne de lard.* On écrit «Couenne de lard.» Au sens figuré, *couanne* signifie: Grande saleté, grande malpropreté. *Va te cacher, caïon, avec ta couanne; va laver ta couanne.* «Couenne» est français, mais non pas dans cette acception.

COUANNE, s. f. Force, vigueur, courage. *Avoir la couanne de,* signifie: Oser, avoir le courage de, avoir le cœur de. *As-tu la couanne de te battre? Lequel de vous quatre aurait la couanne de traverser le Rhône? Si tu as de la couanne, Marmilloud, fais-y voir.* Ce mot de *Couanne* n'est autre chose que le mot français «Couenne» pris dans un sens figuré, sens que les dictionnaires ne mentionnent pas.

COUANNEUX, EUSE, adj. Très-sale, fort malpropre. *Enfant couanneux; mains couanneuses.* Dans ce sens on ne dit, en français, ni *couanneux,* ni couenneux.

COUÂTRE, s. m. Culot. Le dernier né d'une famille d'animaux, et principalement le dernier éclos d'une couvée. *Voilà le couâtre de nos poulets; voici le couâtre de nos petits lards.* [P. G.]

COUBLE (UNE). Une paire de chevaux de carrosse, une couple. Terme méridional. Selon M. Pierre GAUD, ce mot signifie aussi: Bande, troupe, remonte. *Une couble de chevaux suisses.*

COUCHER, v. a. *Coucher le poil à quelqu'un,* le flatter, le cajoler, l'endoctriner pour obtenir de lui une faveur, un bienfait, un avantage quelconque. Image tirée des caresses qu'on fait aux chiens, aux chats, aux chevaux.

COUCI-COUÇÀ, loc. adv. *Et la santé, Monsieur Robert?—Couci-couçà, ni bien ni mal, tolérablement.* On dit en français: «Couci-couci.»

COUDE, s. m. Nous disons figurément et proverbialement d'un homme intelligent qui comprend vite les choses et ne se laisse pas duper: *Il ne se mouche pas du coude.* Le Dictionnaire de l'Académie dit: «Il ne se mouche pas du pied.»

COU DU PIED, s. m. Il faut dire: «Cou-de-pied,» puisqu'on disait anciennement: *Col de pied*. [Voyez les dictionnaires de Robert ESTIENNE et de COTGRAVE.] On disait de même: *Col de bras*.

COUESTE, s. f. Extrait d'absinthe.

COUGNARDE, s. f. Compote de coings, cotignac, résiné. Terme vaudois et neuchâtelois. Dans le Jura on dit: *Coignarde*. R. *coing*.

COUGNE, s. f. Se dit d'une ou de plusieurs personnes qui, étant prises et serrées dans une foule compacte d'où elles voudraient sortir, s'y démènent, s'y agitent violemment en tout sens pour reculer ou pour avancer, pressant ainsi à leur tour et bousculant ceux qui les enveloppent. La *cougne* est quelquefois un jeu entre écoliers ou entre gamins. On dit alors: *Faire à la cougne*, ou, *Faire une cougne*, ou, *Faire la cougne*.

COUGNER, v. a. Pousser vivement, presser fortement, pousser quelqu'un dans une encognure et l'y serrer. *Qui est-ce qui cougne? Ne cougnez donc pas! On s'est cougné sous le vestibule du Théâtre, jusqu'à y étouffer.* Le verbe français «Cogner» n'a pas ce sens. R. *cuneus*, coin.

COUIN-NÉE, s. f. Voyez COIN-NÉE.

COULERIE, s. f. Perte, ruine, déroute. *Quelle coulerie! Quelle fameuse coulerie! C'est une coulerie complète.*

COULEURS, s. f. pl. Façons, sortes. *Dans la dispute, ils se sont insultés et ils s'en sont dit de toutes les couleurs. Notre cadet devient chaque jour plus malin et il nous en fait de toutes les couleurs.*

COULEUSE, s. f. Buandière, femme chargée du soin de couler la lessive.

COULOUVRINE, s. f. Coulevrine, ancienne pièce d'artillerie plus longue que les canons ordinaires. C'est du mot *coulevrine* que s'est formé celui de *Coulouvrenière*, vaste emplacement consacré à nos tirs.

COUP DE CHALUMEAU, s. m. Soleil ardent, soleil donnant aplomb. Expression de nos milices. *Dis donc, Marcelin, quels coups de chalumeau on recevait hier à cette revue.*

COUP DE FROID, s. m. Coup d'air, refroidissement. *Prendre un coup de froid; avoir un coup de froid. Ce n'est pas une pleurésie, c'est un très-mauvais coup de froid.*

COUP DE PARTI, s. m. Coup de partie, coup qui décide du gain de la partie, coup avantageux. *En achetant cette bicoque, il a fait un coup de parti.*

COUPE, s. f. Mesure de capacité pour les grains, laquelle équivaut environ à soixante-dix-sept litres. *La coupe de blé a coûté, en avril 1847, quarante-deux francs.*

COUPEAUX, s. m. pl. Copeaux, éclats de bois.

COUPER, v. a. *Couper pique, couper trèfle,* etc. Terme du jeu de cartes. Dites: Couper À pique, couper À trèfle.

COUPER, v. neutre. Se dit des couleurs, et signifie: Trancher, faire un contraste trop grand, n'être pas assorti. *Le brun et le jaune coupent trop,* c'est-à-dire: Sont des couleurs trop tranchantes.

COUPER LA CHIQUE. Terme trivial. Rabattre le caquet, couper le sifflet.

COUPER, v. a. (fig.) Pour dire: Supplanter quelqu'un, lui enlever sa place, son poste, etc., nous disons figurément et proverbialement: *Lui couper l'herbe sous les pieds.* L'Académie dit: «Lui couper l'herbe sous le pied.» Les proverbes et locutions proverbiales quelconques doivent être conservées intactes, ou elles cessent d'exister. «Ils veulent nous couper l'herbe sous le pied,» dit Voltaire, dans ses *Dialogues,* t. II, p. 186, édition de Baudouin frères.

COUPEUR DE BOIS, s. m. Scieur de bois, fendeur de bois. «Tout *coupeur de bois,* qui, au débarquement d'une voiture, ne serait pas muni de ses outils, ne pourrait venir plus tard, prendre part au travail.» [*Règlement de police,* 1850.]

COUPILLE, s. f. Goupille, petite cheville de laiton ou d'autre métal.

COUPLE, s. m. *Un couple d'écus, un couple d'œufs,* etc. Dites: Une couple d'écus, une couple d'œufs; c'est-à-dire: Deux écus, deux œufs, etc.

COUPS, s. m. pl. *Faire les cent coups, faire les cent dix-neuf coups,* veut dire: Se porter à toutes sortes d'extravagances et d'excès. Français populaire.

COURANT, s. m. Terme de couturière. Coulisse. *Robe à courant.*

COURATIER, s. m. Voyez COURIATIER.

COURBATURE, s. f. Lassitude douloureuse.

COURBE, adj. des 2 genres. Courbé, courbée. *Il marche tout courbe; elle se tient toute courbe.*

COURGERON, s. m. Potiron, sorte de légume. *Peler des courgerons.* Terme suisse-roman et savoisien.

COURGE SAUVAGE, s. f. C'est le nom que nous donnons à une plante appelée en français Couleuvrée ou Bryone. [P. G.]

COURIATER, v. neutre. Courir, perdre son temps, vagabonder. Se dit surtout des jeunes garçons et des jeunes filles. *À çà, Françoise, où avez-vous été couriater, que vous rentrez si tard?—Couriater, Madame? Je me suis promenée tranquillement avec mon amie.* Ce mot de *couriater* n'a point d'équivalent exact en français.

COURIATERIE, s. f. Action de *couriater*.

COURIATIER, IÈRE, ou COURATIER, IÈRE, s. et adj. Celui ou celle qui perd son temps en courses de plaisir inutiles. Se dit surtout des jeunes garçons et des jeunes filles. Terme connu dans le Berry et sans doute ailleurs. En vieux français, *couratier* signifie: 1° Messager; 2° Courtier.

COURT (À). *Vous étiez à court d'argent; je suis à court de pommes de terre; elle est à court de fascines,* etc. Dites: Vous étiez court d'argent; je suis court de pommes de terre; elle est court de fascines. Dans ces exemples, «Court» est un adjectif invariable.

COURTE-BÛCHE, s. f. Courte-paille. *Tirer à la courte-bûche.* Terme suisse-roman. Voyez BÛCHE.

COURTI ou CORTI, s. m. Jardinet, petit jardin. Ce terme, qui appartient au vieux français, est fort usité dans la Suisse romane et dans la moitié de la France.

COURTIAUD, COURTIAUDE, s. et adj. Courtaud, courtaude; homme ou femme d'une taille ramassée et trapue. *Un petit courtiaud; un gros courtiaud; une courtiaude réjouie.* On dit quelquefois au féminin: *Courtiaule.*

COUSINER, v. n. *Cousiner* n'est pas un verbe neutre. On ne doit pas dire: *Cousiner avec quelqu'un; il cousine avec tous ceux de son village; les Vaudois, dit-on, cousinent beaucoup.* «Cousiner» est un verbe actif. On dira donc: Cousiner quelqu'un; il cousine tous ceux de son village; les Vaudois se cousinent beaucoup.

COÛTE, s. f. Coût, dépense, frais.

COUTEAU, s. m. (fig.) Rayon de miel.

COUTEAU DE BOIS, s. m. Plioir, petit instrument fort connu, que nous appelons aussi, mais improprement, *couteau de papier.* Terme français populaire.

† COUTELAR, s. m. Coutelas. Dans le patois bressan on dit: *Cutelar.*

COUTELER, v. a. Faire une blessure avec un couteau. *Se couteler,* v. récip. S'écharper. Terme vaudois.

COÛTE QUI COÛTE. Expression rapide et concise qui signifie: À quelque prix que ce soit. *Coûte qui coûte, je veux en finir avec mon procès.* L'expression française est: Coûte que coûte.

COÛTES, s. f. pl. *Vivre aux coûtes de quelqu'un, être sur les coûtes de quelqu'un,* signifie: Être à la charge de quelqu'un, vivre à ses dépens. *Ce jeune homme est depuis deux ans sur les coûtes de sa grand'mère.* On dirait, en français: Ce jeune homme est depuis deux ans sur les crochets de sa grand'mère.

COUTHIONS, s. m. pl. *Jouer aux couthions.* Ce jeu, fort en usage dans diverses communes du bassin de Genève, se joue entre filles et garçons le jour de Pâques, et quelquefois le lendemain. Il consiste à lancer des bâtons retordus et recourbés qu'on dirige contre une baguette appelée *margale.* Celui qui s'est le plus éloigné de la margale, en jouant, perd quelque chose. Le jeu se termine à la nuit par un régal, où l'on dépense l'argent qui a été perdu. [P. G.]

COUTUME, s. f. Nous disons: *Avoir de coutume,* pour: Avoir coutume. *Nous avions de coutume d'aller ensemble après dîner boire la demi-tasse.* Expression vieillie, qui a disparu des dictionnaires.

COUTURE RENTRÉE. Terme de couturière. Rentraiture.

COUVASSER, v. n. Se dit d'une poule qui cherche à couver.

COUVÉ, adj. masc. Ce que nous appelons *œuf couvé* s'appelle en français «Œuf couvi,» c'est-à-dire: Œuf à demi couvé, œuf gâté.

COUVERT, s. m. Couvercle. *Un pot et son couvert; une boîte et son couvert.* Terme suisse-roman, franc-comtois et méridional.

COUVERTE, s. f. Couverture. *La couverte du lit. Changer de couverte. Couverte de coton.* Au dix-septième siècle, les grammairiens français attaquaient déjà ce barbarisme, lequel cependant est resté vivace en France, en Suisse et en Savoie.

COVET, s. m. Couvet, vase de fer-blanc ou de terre, dans lequel on tient de la braise allumée, et dont quelques femmes se servent en guise de chaufferette. A Paris on dit populairement: *Couvot.* Ces mots viennent probablement du verbe «Couver,» parce que les femmes semblent, en quelque sorte, s'accroupir sur ce meuble, comme la poule sur ses œufs.

CRA, s. m. (*a* bref.) Crasse attachée à la peau de la tête d'un enfant. Terme vaudois.

CRA (À), loc. adv. Voyez À CRA.

CRACHE, s. f. Salive.

CRACHÉE, s. f. Très-petite quantité. Ne s'emploie guère que dans cette expression: *Une crachée de neige.*

CRAINTE DE. De crainte de. *Crainte des gendarmes, les deux filous disparurent. Crainte des brigands, nos voyageurs prirent une escorte.* Dans le style familier, «Crainte de» peut se dire en parlant des choses: «Crainte de malheur, crainte d'accident;» mais il ne se dit jamais des personnes.

CRAINTE DE. *Crainte de tomber, marchez doucement; crainte de vous égarer, prenez un guide.* Ces phrases sont incorrectes; il faut ajouter la préposition, et dire: «De crainte de tomber, de crainte de vous égarer,» etc.

CRAINTE QUE. *Crainte qu'on ne nous dérange, sortons d'ici. Crainte qu'il ne s'échappe, tiens-le bien.* Dites, avec la préposition: «De crainte que,» etc.

CRAINTER, v. n. Terme rural. Se dit principalement du raisin et signifie: Rester petit. *Les raisins ont crainté* (ils n'ont pu acquérir leur grosseur accoutumée).

CRAINTER, v. n. Terme rural. Secouer avec vitesse le van sur l'un et l'autre genou pour en faire sortir les épis et les mauvais grains. [P. G.]

CRAMARINS, s. m. pl. Terme des campagnards. Groseilles rouges.

CRAMOISIN ou CARMOISIN, s. m. La grosse blanquette, sorte de poire. Nous disons aussi adjectivement: *Une poire cramoisin.* Dans le dialecte languedocien, *cramoisin* et *cramoisien* signifient: «Cramoisi.»

CRAMPON, s. m. Ne dites pas: *Le crampon d'une boucle,* mais «L'ardillon d'une boucle.» [P. G.]

CRAPAUD, s. m. (fig.) Terme injurieux qui équivaut à: Polisson, mauvais drôle. En français, «Crapaud, vilain crapaud,» se disent d'un homme très-disgracié de la nature. [*Dictionnaire* BESCHERELLE.]

CRÂPE, s. f. Celle qui mène une vie dissolue. De ce mot peuvent dériver les mots «Crapule» et «Crapuleux.»

CRAQUER, v. n. Nous disons: *Les dents lui craquent.* On dit en français: Les dents lui claquent.

CRASANE, s. f. Sorte de poire d'hiver. *De bonnes crasanes. Une livre de poires crasanes.* C'est l'orthographe du dictionnaire de Trévoux. Mais GATTEL, BOISTE, NOËL ET CHAPSAL, BESCHERELLE, et Mr PAUTEX, dans son *Vocabulaire,* écrivent: *Crassane;* l'Académie française préfère *Cresane;* à Reims, à Gap et ailleurs, on dit: *Cressane;* le peuple de Paris prononce *Creusane.* Voilà, certes, de quoi choisir.

CRASE, s. f. Berge, falaise, rive escarpée. *Les crases de l'Arve, au-dessus de Champel.*

CRASET, ETTE, s. Se dit d'une personne petite, maigre et chétive. *Viens-y, craset, viens, que je te giffle. Mettez bien vite à la raison ce craset.* Terme vaudois.

CRASSER, v. a. Encrasser. *Crasser ses habits.*

CRASSERIE, s. f. Ladrerie, mesquinerie, avarice sordide. Terme français populaire.

CRENELLE, s. f. Crécelle, moulinet de bois qui fait un bruit aigre. [P. G.]

CRENET, s. m. Oiseau dont J.-J. Rousseau parle dans l'*Héloïse*. BOISTE et le *Complément du dictionnaire de l'*ACADEMIE disent: *Crenel*, et Mr BESCHERELLE a copié cette faute. Le terme véritable est «Courlieu.»

CREPETONS (À), loc. adv. À croupetons, c'est-à-dire: En s'accroupissant. *Se mettre à crepetons.* Terme jurassien. A Neuchâtel on dit: *À crepotons*; dans une partie de la Lorraine on dit: *À cripotons.* Voyez CROPETONS.

CRÉPISSAGE, s. m. Crépissure, crépi. *Ce mur aurait grand besoin d'un crépissage.* Terme suisse-roman et méridional.

CRESOLETTE, CREUSELIETTE, ou COURSELIETTE, s. f. Tire-lire, laquelle est quelquefois une botte en fer-blanc, et quelquefois un sac, que l'on présente à l'église en faisant la quête. *Mettre à la cresolette.* Dans le canton de Vaud on appelle *crusille*, la boîte ou tronc destiné aux aumônes dans le temple.

CREST ou CRÊT, s. m. Cime d'un coteau, mamelon, éminence de terre dans une plaine. *Les crêts du Grand-Saconnex. Le Crêt de Jussy. Les Hauts-Crêts*, dans la commune de Vandœuvres. Terme suisse-roman, savoisien et franc-comtois. R. *crista*, crête.

† CRÉTIQUE, s. fém. Critique, blâme.

CRÉTIQUEUR, s. m. Critiqueur.

CREUX (LE). Sorte de jeu d'enfant. *Jouer au creux.* On dit en français: Jouer à la fossette.

CREVAISON, s. f. Ne se dit que des animaux, et signifie: État de dépérissement, état de maladie mortelle. Les enfants disent d'un oiseau qui a la pépie et qui va mourir: *Il a la pipi, la mimi, la crevaison.* Dans le Berry on dit populairement d'une personne qui vient de mourir: *Elle a fait sa crevaison*; et dans le langage parisien, *elle a fait sa crevation.*

CRÈVEMENT DE CŒUR, s. m. Crève-cœur, grand déplaisir, grande mortification mêlée d'un certain dépit. *Ce fut un crèvement de cœur pour notre Étienne d'aller aux Promotions sans y recevoir de prix.*

CREVER, v. n. Nous croyons parler correctement, quand nous disons d'un chien, d'un chat, d'un bœuf, etc., qu'*ils ont crevé*, pour signifier qu'ils ont cessé de vivre. Il faut dire: Ils sont morts, ou, Ils ont péri. «Quarante vaches périrent dans les neiges du Bon-Homme. Le pauvre canari mourut de faim. Les moutons du fermier moururent de la clavelée.» On trouve dans le dictionnaire de l'Académie: «Le poison fait *crever* les rats;» mais cet exemple ne prouve rien contre ce qui vient d'être avancé. Voyez tous les dictionnaires.

CREVOTANT, ANTE, adj. Se dit des personnes et des choses et signifie: Malade, fort malade, près de finir. *Un feu crevotant; une lampe crevotante. Je trouvai la pauvre mère Trapelle toute crevotante.* Appliqué aux personnes, ce terme appartient au style badin ou au style trivial. *Eh bien, l'ami Tronchet, comment va ce te santé depuis deux mois?—Hélas! c'est toujours le catarrhe, toujours la goutte, toujours l'estomac qui digère mal: je suis tout crevotant.*

CREVOTER, v. n. Se dit des choses et des personnes, et signifie: Être près de finir, être sur le point de mourir. *La chandelle vient de s'éteindre, et tu laisses ton lumignon crevoter!*

CREZENET, s. m. Petite tomme ou fromage que les fruitiers se font dans les laiteries avec les égouttures de lait qui restent dans le couloir. [P. G.]

CRIBLETTE ou QUIBLETTE, s. f. Cresserelle, espèce de faucon.

CRIÉE, s. f. Crierie, gronderie. *Faire une criée. Il nous faisait des criées à épouvanter les voisins.*

CRIER, v. a. Réprimander en élevant la voix, gronder. *Crier ses domestiques; crier ses enfants. J'ai été criée tout le jour.* Terme méridional. Le verbe «Crier,» pris dans cette acception, est neutre, et l'on doit dire: «Crier après quelqu'un; il ne cesse de crier après ses enfants.» Dans le canton de Vaud, *crier quelqu'un*, signifie: L'appeler.

† CRINCAILLER, s. m. Quincaillier.

CRIQUET, s. m. Crécelle, moulinet de bois très-bruyant.

CRIQUET, ETTE, adj. Étroit, trop étroit, étriqué. *Un bonnet criquet.*

CROCHER, v. a. Agrafer, attacher avec une agrafe. *Crochez-lui sa robe, crochez-moi mon manteau.* Terme suisse-roman. Nous disons dans un sens analogue: *Crocher un contrevent*, c'est-à-dire: Le fixer au moyen d'un crochet.

CROCHET, s. m. (fig.) Croc. *L'affaire est au crochet; le procès est au crochet; l'ouvrage est au crochet.* Dites: L'affaire est au croc (elle est suspendue, interrompue); le procès est au croc, etc.

CROCHETER, v. a. Agrafer, attacher avec une agrafe. Terme méridional.

CROCHON, s. m. Grignon, entamure de pain, morceau de l'entamure du côté le plus cuit. *Un joli crochon; un gros crochon; s'emparer du crochon.* Terme suisse-roman et savoisien. En languedocien, on dit: *Crouchon*; en patois lorrain, *croche*; à Marseille, *corchon*.

CROCHONNER, v. a. Couper la croûte autour du pain. Nous appelons *pain crochonné*, un pain fait à cornes pour en multiplier les grignons ou *crochons*. Les Languedociens disent: *Pain crouchonné.*

CROCODILLE, s. m. (*ll* mouillés.) Écrivez et prononcez, avec un seul *l*, «Crocodile.»

CROIRE, v. a. Nous disons proverbialement et familièrement à une personne que nous voyons ajouter une foi aveugle à des récits invraisemblables ou absurdes: *Croyez cela et buvez de l'eau* (*buvez de l'eau* pour mieux digérer de semblables contes).

CROIRE DE. *Je croyais d'arriver le premier. Il croyait de ne pas se tromper. Nous avions cru d'être fouillés à la douane.* Retranchez le *de* et dites: Je croyais arriver le premier. Il croyait ne pas se tromper. Nous avions cru être fouillés à la douane.

CROIRE (S'EN), v. pron. S'en faire accroire, s'enorgueillir, être fier. *Tu t'en crois bien, Pierre, avec ton chapeau neuf. Voyez comme ces gamins de huit ans s'en croient avec leur cigarette à la bouche.*

CROISON, s. m. Pomme sauvage. Dans le Berry on dit: *Croix.*

CROIZONNIER, s. m. Pommier sauvage. Dans le Berry on dit: *Croizier.*

CROISSANT, s. m. Se dit des enfants et des adolescents, et signifie: Croissance, augmentation en grandeur. *Avoir le croissant; souffrir du croissant.*

CROPETONS (À), loc. adv. À croupetons, en s'accroupissant, à genoux repliés.

CROQUEMOLLE, s. f. Sorte d'amande. Voyez COQUEMOLLE.

CROSSE, s. f. Béquille. *Marcher avec des crosses.* Terme suisse-roman, savoisien et méridional. Proverbialement: *Un boiteux ne peut se servir que de ses crosses*; signifie: Nul ne peut employer que les ressources, grandes ou petites, qu'il possède.

CROTON, s. m. Cachot, prison obscure et enfoncée. *Être mis au croton; passer la nuit au croton.* Terme suisse-roman, savoisien et méridional. Ce mot vient du vieux mot français *crote*, lequel signifiait: Un creux, un caveau, une grotte. A Genève, ce qu'on appelle aujourd'hui «la Grotte aux Archives,» s'appelait autrefois *la Crotte aux Archives.* Dans le Berry, *crot* veut dire: Un creux, un trou, et *crotter*, v. a., signifie: Creuser, faire un trou. Enfin, dans le dialecte provençal, on appelle *crotto* un local souterrain pour tenir le vin.

CROTU, TUE, adj. Marqué de petite vérole, grêlé. Expression très usitée, et que J.-J. Rousseau a introduite dans sa *Nouvelle Héloïse:* «Veux-tu que je coure baiser un visage noir et *crotu?*» [IVe partie, lettre 8e.] *Crot*, dans le vieux français, signifie: Creux, fossette.

CROUILLE, adj. Voyez CROU-YE.

CROUSTILLEUX, EUSE, adj. En Suisse, nous donnons à cet adjectif une signification qu'il n'a point dans les dictionnaires; nous disons, par exemple, d'une affaire délicate, épineuse, embarrassante, qu'elle est *croustilleuse. Voilà qui est difficile et croustilleux.* «Croustilleux» signifie: Plaisant, leste, libre, graveleux, licencieux. «Anecdote croustilleuse; conte croustilleux.»

CROUSTILLON, s. m. Croustille, petite croûte de pain. *Ces messieurs voudraient-ils boucher par un croustillon?*

CROÛTE AU BEURRE, s. f. Tartine de beurre, tranche de pain recouverte de beurre. Nous disons dans le même sens: *Croûte au miel, croûte à la drâchée, croûte aux confitures, croûte dorée.* Terme suisse-roman.

CROÛTION, s. f. Morceau de pain mordu, rongé, et laissé sur la table après le repas; vieux reste de pain sec. *Ne jetez pas ces croûtions; ayez soin de ces croûtions. Si Madame exige que je fasse de la soupe avec ces croûtions, ce n'est pas moi qui en mangerai.* Le mot français «Croûton» n'est point l'équivalent de notre mot *croûtion.* Au sens figuré, nous disons quelquefois d'un chenapan: *C'est un croûtion d'homme*; et d'un mauvais dîné: *C'est un croûtion de dîné.*

CROU-YE ou CROUILLE, adj. Mauvais, grossier, gâté, en mauvais état. Se dit des personnes et des choses. *Une crou-ye marchandise; un crou-ye habit; un crou-ye déjeuné; une crou-ye auberge. Michel Godineau est un crou-ye sujet, mais son fils est plus crou-ye encore.* Terme suisse-roman. *Crou-ye* s'emploie aussi dans le sens de: Chétif, malade, malingre, souffreteux, cacochyme. *Oui, Madelon, je suis bien crou-ye aujourd'hui. Notre cousin Godefroi n'est pas des plus vigoureux, mais il n'est pas des plus crou-yes.*

CROU-YERIE, s. f. Objet de nulle valeur.

CRÛ, s. m. Crue, croissance. *Faire son crû*. Se dit des animaux et de l'homme. *Voilà un beau poulain qui aura bientôt fait tout son crû*. Terme vieux français.

CRUE, adj. fém. Écrue. *Toile crue*, toile qui n'a pas été blanchie. *Soie crue*, soie qui n'a pas été mise à l'eau bouillante. Terme dauphinois, etc.

CRULLION, s. m. (*ll* mouillés.) Fer pour attiser le feu, fourgon. [P. G.] Dans le canton de Vaud on dit: *Crullion* et *crouillon*.

CUARD, s. m. Terme de boucherie. Cimier, filet, pièce de bœuf charnue, prise sur le quartier de derrière.

CUCHET, s. m. Terme rural. Veillotte, petit tas de foin qu'on forme sur les prés. *Mettre le foin en cuchets. Étendre les cuchets; s'ébattre sur les cuchets.* Terme vaudois. Dans le vieux français, *cuche* veut dire: Tas de foin, meule de paille. En provençal, *cucha*, mettre les gerbes en tas.

CUEILLER ou CUEILLÈRE, s. f. Orthographe et prononciation vicieuses des mots «Cuiller» et «Cuillère,» qui sont tous deux français et se prononcent tous deux *kuillère*.

CUEILLIR, v. a. Beaucoup de personnes prononcent *ku-llir* (*ll* mouillés), au lieu de *keu-llir*. Plusieurs personnes aussi disent au futur: *Je cueillirai, tu cueilliras*, etc., au lieu de: Je cueillErai, tu cueillEras, etc. Cette forme, *je cueillirai*, appartient à l'ancienne langue française.

CUEILLIR, v. a. (fig.) *Cueillir du linge*, signifie: Ramasser du linge. *Cueillir les thèmes des écoliers*, signifie: Les recueillir, les rassembler.

CUEILLIR, v. a. (fig.) Gagner. *Cueillir un mal. Cueillir la petite vérole. La coqueluche se cueille.*

CUER ou COUER, s. m. (Faites sonner l'*r.*) Cuir, peau. *Entre cuer et chair.* Terme vieux français.

CUIRE, v. a. et n. *Votre lait va cuire, Colette; votre lait cuit déjà.* Dites: «Votre lait va bouillir; votre lait bout déjà.»

CUISON, s. f. Action de cuire ou de faire cuire. *La cuison du pain, la cuison de la viande. La cuison que fait éprouver une plaie.* Le mot français est «Cuisson.»

CUISSE-DAME, s. f. Cuisse-madame, sorte de poire.

CUIT, partic. masc. *Beurre cuit. Accommoder avec du beurre cuit. Toupines de beurre cuit.* On dit en français: «Beurre fondu.»

CUIT, CUITE, adj. Pourri. *Du bois cuit.*

CUITE, s. f. Terme de laiterie. Recuite, petit-lait recuit, dernière qualité de petit-lait, c'est-à-dire, celui qui reste après qu'on en a fait le *séret*. *La cuite sert à engraisser les cochons.* Terme vaudois.

CUITE, s. f. État d'ivresse. *Il a sa cuite* (il est soûl).

CULOT, s. m. (fig.) *Être culot*, terme du jeu de billard, signifie: Être inférieur à son adversaire, avoir moins de points que lui. Cette expression, qui est sans doute connue ailleurs, n'est pas consignée dans les dictionnaires.

CULOTTE, s. f. (fig.) Gronderie, mercuriale, réprimande. *Donner une culotte; recevoir une culotte. Un tel a eu sa culotte.*

CULOTTES, s. f. pl. *Dans sa chute, ses culottes furent déchirées. Il avait mis ce jour-là ses culottes du dimanche.* Dites: «Sa culotte,» et n'employez le pluriel que lorsque vous parlez de deux ou de plusieurs culottes.

CUPESSE, s. f. Culbute, saut que l'on fait en mettant la tête en bas et les jambes en l'air. *Quand nos jeunes écoliers apprirent qu'ils avaient congé, ils firent des cupesses de joie.* Terme suisse-roman et savoisien. *En cupesse*, locution adverbiale, signifie: Sens dessus dessous, à la culbute. *Mettre en cupesse* (bouleverser). *On déménageait; tout était en cupesse dans la maison.*

CUPESSER, v. n. Tomber, faire une chute légère, se renverser. Se dit des personnes et des choses. *La table où il écrivait cupessa. En voulant monter sur l'échelle, je cupessai.* Ce terme appartient au style le plus familier. Employé figurément, il signifie: Faire faillite. *La maison X., Y. et Cie vient de cupesser.* Quelquefois ce verbe s'emploie à l'actif. *Philibert se mit en rage et cupessa tout.*

CUPLAT ou CUL-PLAT, s. m. Chute sur le derrière, casse-cul. *Faire un cuplat. Les patineurs novices sont exposés à de continuels cuplats.*

CURAFIFI, s. m. Vidangeur, gadouard, maître des basses-œuvres, nettoyeur de latrines. Terme connu dans le canton de Vaud. En Dauphiné et en Provence, on appelle les gens de cette profession *cure-privés*, et en Languedoc, *maîtres fifi.* [Voyez VILLA, *Nouveaux Gasconismes corrigés*, t. 1, p. 232.] R. *Fi! Fi!*

CURE. Ce mot ne s'emploie que dans l'expression *faire cure*, qui se dit dans certains jeux, quand on ne fait aucun point, ou qu'on perd tout ce qu'on met sur jeu. C'est l'équivalent de: *Être à sec, mettre à sec.* [P. G.]

CURER, v. a. *Curer un poisson*, le vider. *Curer une volaille*, l'effondrer, c'est-à-dire, en ôter la poche, le gésier et la tripaille. *Curer des pommes*, c'est: Les cerner avec la pointe d'un couteau. Expressions méridionales.

CUSIN, s. m. Cousin, insecte.

CUTTRER ou CUTURER et COUTURER, v. a. Terme d'agriculture. Houer, labourer à la houe. *Cuttrer des pommes de terre.* En vieux français, on disait: *Culturer.*

CUVET, s. m. Nous appelons *char à cuvets*, ce qu'on nomme en français: «Chariot à hèches.»

CYTISE, s. f. *De la cytise en fleur.* Ce mot est masculin.

D

Les campagnards ajoutent un *d* euphonique ou énergique dans une foule d'expressions très-familières. Ils disent, par exemple: *Aller d'à quatre; mettre d'à coin; monter d'à reculons; faire une chose d'acachette* (en cachette); *tomber d'abouchon. Nous sommes de cousin avec Jean-Glaude. J'étais d'assis. Je vous ferai un mur bien soigné*, me disait un maçon, *je tiendrai les pierres bien d'égal.* Voyez les mots ACACHONS, D'AVAU, DOBLIGÉ et DÔTER.

DÂ, s. m. Terme enfantin qui équivaut à: Merci, je te remercie. *Dis dâ, ma petite; il faut dire dâ. Dâ, ma nainnain.*

DADA, s. m. Nourricier, mari de la nourrice.

DADERIDOU, s. m. Dadais. Voyez le mot suivant.

DÂDOU, s. m. Dadais, nigaud, bélître. *Grand dâdou, cesseras-tu une fois de faire crier cet enfant?* Terme suisse-roman et savoisien.

DAGUER, v. n. Pester, enrager. *Voyez comme il bisque! Voyez comme il dague!* Terme trivial.

DAILLE, s. f. Faux, instrument pour faucher. *Piquer une daille.* Terme méridional et vieux français.

DAM, s. m. (Prononcez *dan*.) *C'est ton dam, c'est bien ton dam*, se dit à une personne qui semble avoir mérité le mécompte, le désagrément, la mésaventure qui lui arrive. *Tu t'es coupée, Jenny, et c'est bien ton dam: on t'avait défendu de jamais toucher un canif. J'ai été trompé par Guichardin, et c'est bien mon dam: j'y avais été pris déjà deux fois.* Ce terme, qui appartient au vieux français, est d'un emploi journalier chez nous. R. *damnum.*

DANDINE, s. f. Volée de coups, rossée. *Administrer une dandine.* Français populaire.

D'À PLOMB, loc. adv. *Le soleil donnait d'à plomb; le soleil tombait d'à plomb sur nos têtes.* Dites: «Donnait à plomb; tombait à plomb.»

DARBON ou ZARBON, s. m. Nos campagnards désignent par ce mot tantôt le mâle de la taupe, tantôt le campagnol ou rat des champs. Terme savoisien, dauphinois et provençal. *Darbounîre*, s. f. Taupinière. *Edarbogni*, v. a., signifie dans le patois vaudois: Étendre la terre qui a été soulevée par la taupe.

† DARDE ou DAIRDE, s. f. Dartre.

† DARNIER, adj., adv. et prépos. Voyez DERNIER.

DARTE, s. f. Dartre, maladie de peau. *Darte rentrée; darte farineuse.* Français populaire.

DAUBER, v. a. Duper, tromper, flouer. *Pauvre nigaud, on t'a daubé et on te daubera encore.* En français: «Dauber» signifie: 1° Battre à coups de poing; 2° Railler, injurier. [ACAD.]

DAUDER, v. n. Mot patois. Donner de la corne, frapper de la corne. *Éloignez-vous, cette vache daude.*

DAUDINÉE, s. f. Rossée, volée de coups.

DAVANTAGE DE. *Tu as eu davantage de peine, tu auras aussi davantage d'argent.* Dans cette phrase et dans les analogues, employez l'adverbe «plus», et dites: Tu as eu plus de peine, tu auras aussi plus d'argent.

D'AVAU, adv. Là-bas, plus loin en descendant. Terme patois et vieux français. R. *vau* ou *val.*

DE, prép. Dans les phrases suivantes et phrases analogues, on doit retrancher la préposition *de. Il m'en a fait de cadeau. Cela ne fait de rien. Tu ne risques de rien sur ce bateau. Reprends ton couteau, je n'en ai plus de besoin* (expression, au reste, qui était encore française au milieu du dix-huitième siècle). *A quoi bon de se tourmenter? A quoi bon de lire tant de journaux? Il fait bon de s'asseoir. Il fait bon de boire frais en été.* Voyez FAIRE, n° 5.

DE, prép. Les phrases suivantes offrent une syntaxe remarquable, quoiqu'elles appartiennent au langage populaire. *Je n'ai rien dit qui ne soit de dire; je n'ai rien fait qui ne soit de faire,* etc.; c'est-à-dire: Qui ne puisse se dire, qui ne puisse se faire.

DÉBAGAGER, v. n. Plier bagage, déménager brusquement, décamper. *Ils débagagèrent de nuit et emportèrent tout le bataclan.* Terme suisse-roman, savoisien et français populaire.

DÉBARRAS, s. m. Nous appelons *chambre de débarras* un petit local où l'on serre les meubles, les ustensiles, et les vêtements qui ne sont pas d'un usage ordinaire, ou qui causent quelque embarras. Nos *chambres de débarras* s'appellent en français: «Décharge, pièce de décharge.»

DÉBARRASSÉE, s. f. Débarras, délivrance de ce qui embarrassait. *Les voilà partis! quelle débarrassée!*

DÉBIGOCHÉ, ÉE, adj. Se dit des personnes et des choses, et signifie: 1° Disloqué, détraqué, gâté, endommagé; 2° Malingre, sans entrain, lâche, débiffé. *Une poupée débigochée. Quand il veut pleuvoir, disait Mme N***, je me sens toute débigochée.* Dans le patois languedocien, *débigoussat* signifie:

Contrefait, tortu. [Voyez le *Dictionnaire patois* de M. l'abbé Gary. Castres, 1845.]

DÉBITE, s. f. Débit, vente. *Cette marchandise n'a pas de débite.* Terme vieux français.

DÉBITER, v. a. et n. Il se dit de certains oiseaux qui abandonnent pour toujours leur nid, quand on va les inquiéter pour voir leurs œufs ou leurs petits. C'est le propre des corbeaux, des geais, des pies-grièches, etc. [P. G.]

DÉBLOTTER, v. a. Réciter fort vite, débiter vivement. *Déblotter un discours; déblotter des injures. Il nous déblotta en moins de rien toute son histoire.* Terme suisse-roman. *Déblotter* signifie aussi: Manger avidement. *Déblotter un pain; déblotter un poulet.* La signification primitive de ce mot est: Ôter les jeunes pousses d'un arbrisseau; ôter la première enveloppe de certains fruits. *La chèvre a déblotté toute la haie. Déblotte-moi ces branches de noisetier,* etc. Expression familière à nos campagnards et à ceux du canton de Vaud. Quant à l'idée qui domine dans ces diverses significations et qui les lie entre elles, c'est évidemment l'idée de vitesse, de promptitude, de célérité.

DÉBLOTTURES, s. f. pl. Jeunes pousses qui viennent d'être ôtées d'un arbrisseau. *Ramasser les déblottures. Une corbeille de déblottures.*

DE BON, adv. Sérieusement, tout de bon, tout badinage à part. *Jouer de bon. Se fâcher de bon. Parlez-vous de bon ou plaisantez-vous?* Français populaire.

DÉBOQUER QUELQU'UN. Le déplacer, le chasser du poste qu'il occupait, le débusquer. En vieux français, *bos* ou *bosc* veulent dire: Bois, forêt. Les mots «Débusquer,» *débosquer* (vieux français), et *déboquer,* ont signifié originairement: «Faire sortir d'un bois.»

DÉBOUCHARDER, v. a. Laver, nettoyer le visage. *Va te déboucharder, Gédéon, avant qu'on se mette à table.* R. *bouchard.*

DÉBOULÉE, s. f. Sortie précipitée. Terme suisse-roman.

DÉBOULER, v. n. Déloger promptement, décamper, déguerpir. *Drôles que vous êtes, déboulez d'ici.* Français popul.

DÉBRANLER, v. n. *Ne pas débranler d'un endroit,* signifie: Ne pas le quitter. *Ne pas débranler de l'ouvrage,* signifie: Ne pas quitter le travail avant que la tâche donnée soit remplie. *Il bûcha tout le jour sans débranler. Ils restèrent toute la nuit au cabaret sans débranler.* Terme parisien populaire, etc.

DÉCESSER, v. n. *Tu ne décesses de babiller. Elle ne décesse de se plaindre. La pluie n'a pas décessé de toute la nuit.* Terme français populaire. Dites: Tu ne cesses de babiller; elle ne cesse de se plaindre; la pluie n'a pas cessé de toute la nuit.

DÉCHANTER, v. a. Désensorceler, ôter un mauvais sort, déguignonner.

DÉCHARGE, s. f. Dans notre langage, *Demander sa décharge* veut dire: Demander d'être déchargé d'une place, d'une fonction, d'un emploi; expression qui n'a rien de choquant.

DÉCHARGEOIR, s. m. Terme des campagnards. Grande cuve où l'on jette la vendange qui vient d'être cueillie.

DÉCHÂSSER, v. a. Ôter le *charre*. Voyez ce mot.

DÉCHAUX, adj. *Aller déchaux, être déchaux*, signifie: Aller sans chaussure, être sans chaussure. *Le frère et la sœur allaient déchaux.* Ce terme, qui appartient au vieux français, est encore fort usité chez nos campagnards et dans le nord de la France.

† DÉCHELOQUER, v. a. Disloquer. *Une serrure décheloquée.*

DÉCHICOTER, v. a. Déchiqueter, couper en morceaux. *Déchicoter la carcasse d'un poulet.* Français populaire.

DÉCIDER (SE), v. pron. *Je me décidai de partir; elle se décida de rester*, etc. Il faut dire, en employant la préposition *à*: Je me décidai À partir; elle se décida À rester.

DÉCOCHE, s. f. Ce terme n'est guère usité que dans l'expression suivante: *Être dur à la décoche*, c'est-à-dire: Être dur à la desserre, aimer trop l'argent, se faire tirer l'oreille pour boursiller.

DÉCOCHER, v. a. et n. (fig.) Payer, s'élargir, contribuer, boursiller. *On te fera décocher; il faudra bien que chacun de vous décoche. À la fin des fins, ils ont décoché dix francs.*

DÉCOMBRES, s. f. pl. *Toutes ces décombres nous arrêtèrent.* Ce mot est masculin.

DÉCOTTÉ, TÉE, participe. Ce terme n'est guère employé que dans l'expression suivante: *Un lit décotté*, c'est-à-dire, un lit dont les couvertures et le drap supérieur ne sont pas serrés avec le matelas. Voyez COTTER.

DÉCOTTER, v. a. et n. Terme de commerce. Arranger, rapprocher (fig.). *Je mettrai encore vingt-cinq francs pour décotter, pour vous décotter.*

DÉCOUVRIR UN LIT. Cette expression genevoise signifie: Faire la couverture d'un lit, préparer le lit avant que de se coucher. «Ô çà, écoutez, Mme Gray; rangez-moi cette chambre, *découvrez-moi ce lit*, j'ai envie de me coucher.» Cette phrase est de CLEMENT, de Genève, dans ses *Annales littéraires*, t. II, p. 217. En Languedoc et en Gascogne, on dit: *Faire la découverte d'un lit.*

DÉCROCHER, v. a. *Ma robe me serre, décroche-la-moi.* Le verbe «Décrocher» n'a pas cette signification en français. Il faut dire: Dégrafer. «Dégrafer une robe; dégrafer un corsage.»

DÉCROÎT, s. m. Atrophie, aridure. *La pauvre enfant avait le décroît à la jambe droite.*

DÉDAIGNER (SE), v. pron. Dédaigner, répugner à. *Votre nièce, Madame, se dédaigne d'aller avec nous.*

DEDANS, prép. *Dedans le buffet, dessous le lit, dessus la table*, étaient des expressions correctes il y a deux cents ans; mais aujourd'hui ces mots ne sont plus des prépositions, et il faut dire: Dans le buffet, sous le lit, sur la table.

DÉDELÀ, adv. Cette expression, si usitée chez nous, signifie: Dans la chambre voisine, dans la pièce attenante. *Il fait froid dans ce cabinet: allons dédelà. Ce fauteuil embarrasse dans cette chambre: portez-le dédelà. Je vous rejoins tout de suite: attendez-moi dédelà.* Terme suisse-roman et savoisien. A Lyon, *dès delà l'eau*, veut dire: De l'autre côté du fleuve. En français, «De delà les monts» signifie: Au delà des monts. En Languedoc, *la nuit de delà, le jour de delà*, signifient: L'avant-dernière nuit, l'avant-dernier jour.

DÉDITE (UNE). *Si vous cassez le bail, il y a une dédite de cent cinquante francs.* Terme suisse-roman et savoisien. Le mot français est «dédit,» s. m.

DÉFAIRE, v. a. *Défaire une pièce de drap. Ne défaites pas cette pièce de drap vert: c'est du drap bleu qu'il me faut.* Le mot français est «Développer» ou «Déployer.» [Voy. A. PETER, *Dictionnaire des Locutions vicieuses*, deuxième édition.]

DÉFAIRE (SE), v. pron. Ôter une partie de ses vêtements de dessus. *Tu as bien chaud, Théophile, ne te défais pas.* Terme méridional.

DÉFAIT, AITE, partic. Se dit d'une personne débraillée, d'une personne dont les vêtements qui couvrent la tête, le cou, l'estomac, sont en désordre. *Tu es toute défaite, Judith: va mettre ta coiffe, va te crocher, va arranger ton fichu.*

DÉFAITE, s. f. Rupture d'un marché fait, d'un engagement contracté. Ce terme n'est employé, je crois, que dans cette phrase des écoliers et des gamins: *Pache faite, trente sous pour la défaite*; c'est-à-dire: Le marché est conclu: celui qui viendrait à le rompre payerait tant et tant.

DÉFATIGUER, v. a. Délasser, ôter la fatigue. *Les bains de pieds défatiguent. Quand je serai défatigué, je repartirai.* [P. G.] Expression remarquable, dont l'emploi est continuel parmi nous.

DÉFAUFILER, v. a. Défaire une faufilure. Terme méridional. Employé figurément, le participe *défaufilé* signifie: Détraqué, désorganisé, abattu, énervé. *Je me sens toute défaufilée; je suis toute défaufilée aujourd'hui, et je n'ai pas le cœur au travail.*

DÉFICELER, v. a. Ôter la ficelle. *Déficeler un paquet, déficeler une boîte.* Terme connu partout, et qu'on s'étonne de ne pas trouver dans les dictionnaires.

DÉFIER (EN). L'expression: *Je lui en défie,* n'est pas française. Il faut dire: Je l'en défie. *Ils croient sans doute nous prendre pour dupes, mais je leur en défie.* Français populaire.

DÉFINIR, v. n. Expirer, rendre l'âme, finir. *J'ai cru qu'il allait définir entre mes bras.* Terme vieux français.

DÉFINITION, s. f. Fin. *Il faut faire une définition*; c'est-à-dire: Il faut en finir. *En définition,* enfin.

DÉFORCENÉ, s. m. *Crier comme un déforcené. Elle s'agitait comme une furieuse, comme une déforcenée.* Dites: Forcené, forcenée.

† DÉFLUXION, s. f. *Défluxion de poitrine.* Dites: Fluxion de poitrine [P. G.] Le mot *défluxion* appartient au vieux français. [Voyez ROQUEFORT, *Glossaire roman.*]

DÉFUNTER, v. n. Mourir. *Il défunta vers minuit.* Dans le nord de la France, on dit: *Défunquer* et *défuncter.* [Voyez le *Glossaire picard* de M. l'abbé CORBLET.]

DÉGAGÉ, ÉE, adj. Leste. *Voyez comme il court! Voyez comme il est dégagé!* Terme méridional. «Dégagé» ne se dit que des choses: «Taille dégagée; air dégagé; allure dégagée.»

DÉGAGER (SE), v. pron. Se dépêcher. *Dégage-toi, Ambroise, l'heure sonne. Dégageons-nous, Messieurs, il se fait tard.* Français populaire.

† DÉGAL, s. m. Dégât. *Aurait-on jamais imaginé un dégal semblable?*

DÉGIGANDÉ, ÉE, adj. *Homme dégigandé; femme dégigandée.* On dit en français: «Dégingandé.»

DÉGLÉTIR, v. a. Dégluer, ôter la glu. Voyez AGLÉTIR.

DÉGONFLER (SE), v. pr. Épancher, dire tout ce qu'on a sur le cœur. *Je lui ai enfin parlé nettement, et je me suis dégonflé.*

DÉGORGER, v. a. (fig.) Restituer, rendre ce qu'on avait pris frauduleusement. *Il m'a escroqué dix francs, mais il faudra bien qu'il les dégorge.*

DÉGOÛTAMMENT, adv. D'une façon dégoûtante. *Manger dégoûtamment.* Terme que les Dictionnaires ne feraient pas mal d'accueillir.

DÉGREDELER, v. n. Dégringoler, descendre les degrés plus vite qu'on ne le voudrait, rouler en tombant dans un escalier. *On ne voyait goutte, j'ai dégredelé au bas de la rampe.*

DÉGREUBER, v. a. Nettoyer, laver. *Dégreuber une table, dégreuber un buffet.* Voyez GREUBE.

DÉGRUFFÉ, ÉE, s. et adj. *Un garçon dégruffé* est celui qui est vif, éveillé, espiègle, qui voit clair dans les affaires et qui sait facilement se tirer d'une position difficile. Expression curieuse, qui n'a pas d'équivalent exact en français.

DÉGUILLE, s. f. Non-succès, échec, affaire manquée. Dans la langue de nos Étudiants, *déguille* se dit (ou se disait) d'une mauvaise composition.

DÉGUILLEMANDRÉ, ÉE, adj. Déguenillé.

DÉGUILLER, v. actif. (Prononcez *déghiller.*) Abattre, faire tomber, renverser. *Déguiller des noix. Déguiller des nids. Ils mirent une bouteille sur un piquet et jouèrent à qui la déguillerait. L'arbre était couvert de moineaux: nous lâchâmes ensemble nos deux coups, et nous en déguillâmes une vingtaine. S'il vous plaît, Monsieur, déguillez-moi mon volant.* Voyez GUILLE, n° 2.

DÉGUILLER, v. neutre. Tomber, au sens propre et au sens figuré. *Notre Louis était depuis trois semaines le premier de sa classe: hier il a déguillé. Ne va pas grimper sur ce tas de pierres, tu déguilleras.*

DEHORS, adv. *Dîner dehors*, signifie: Ne pas dîner chez soi, dîner en ville. *Hier toute la famille dîna et soupa dehors.* Nous disons dans le même sens: *Veiller dehors*, etc. Terme méridional.

DEHORS DE, prép. *Je vous attendrai dehors de porte. Votre frère était dehors de chez lui*, etc. Dites: «Hors de chez lui,» etc.

DÉJÀ, adv. Est inutile et vicieux dans les phrases suivantes: *Comment s'appelle-t-il déjà? Pour ne pas m'estropier avec cet outil, comment faut-il faire déjà? Dis donc, femme: cette belle dame que tu as rencontrée hier, qui est-ce déjà?*

DÉJUNER, v. n. *Si tu n'as pas encore déjuné, déjunons ensemble.* Écrivez et prononcez «Déjeuner.»

DÉLABRE, s. m. Délabrement, détérioration, mauvais état d'une chose. S'emploie surtout au sens figuré. *Il n'y a point de surveillance, point d'ordre ni d'économie dans cette maison: tout y est en délabre.*

† DÉLIBÉRER, v. a. Libérer, délivrer. *Il faut avouer, Bastian, que ta défunte a bien fait de mourir, et que te voilà délibéré d'un fameux poids.* Dans le vieux français, *délibération* signifiait: Délivrance.

† DÉLIGENCE, s. f. Diligence. *La déligence de Lyon.*

DÉLIGENT, ENTE, adj. Diligent.

DÉLIGENTER, v. n., et SE DÉLIGENTER, v. pron. *Allons, allons, déligentez-vous.* Ces trois termes appartiennent au français populaire.

DEMANDER, v. a. *Combien vos musiciens ont-ils demandé pour le bal? Combien les guides de Chamouny demandent-ils pour chaque journée?* Dans ces exemples et autres analogues, «Prendre» est le mot véritable. «Tel marchand prend tant de sa marchandise. Le chirurgien prit deux cents francs pour l'opération. Les bons maîtres de piano, à Paris, prennent vingt francs par cachet.»

DEMANDER SA DÉMISSION. Nous disons, et cette faute est générale dans la Suisse romane: *Demander sa démission,* pour: Donner sa démission. «M^r le pasteur C** *ayant demandé sa démission* pour cause de santé, etc.» [*Journal de Genève,* 1847.] «Füssli *demanda* et obtint *sa démission* de la manière la plus honorable.» [*Société d'Utilité publique,* 1838.] Observons que le fonctionnaire qui abandonne volontairement une place ne *demande* pas de s'en démettre: il annonce officiellement, il donne avis qu'il s'en démet.

DÉMANGONNER ou DÉMANGOUNER, v. a. Déranger, détraquer, gâter. *Loquet démangouné, serrure démangounée.* Dans le dialecte rouchi, *angoner* se dit des efforts que l'on fait pour ouvrir une porte. Pourrait-on établir un rapprochement entre ces deux mots, et l'un serait-il la racine de l'autre? *Angon,* en vieux français, signifiait: Gond.

DÉMATINER (SE), v. pron. Se lever plus matin que de coutume. *Mes enfants, nous partons demain de très-bonne heure: il faudra bien cette fois que l'on se dématine.* Jolie expression, qui est, parmi nous, d'un usage universel.

DÉMATOQUER, v. a. Déniaiser. SE DÉMATOQUER, v. pron. Se déniaiser, se dégourdir, perdre le ton et les manières gauches du village. *On t'enverra en condition à Genève pour un peu te dématoquer. Les payses l'auront bien vite dématoquée.* R. *matoque.* Voyez ce mot.

DÉMÉNAGER (SE), v. pron. *Elle s'est déménagée hier.* Dites: Elle a déménagé hier.

DÉMÉNAGEUR, s. m. Ouvrier qui aide aux déménagements ou qui les fait. *Avoir les déménageurs. La journée des déménageurs est de cinq francs.*

DÉMETTRE, v. neutre. Terme des campagnards. Se dit d'un tonneau, d'un cuvier, d'un ustensile qui laisse échapper l'eau par des fissures. *Ta seille démet* (ta seille coule). R. *demitto*.

DEMEURANCE, s. f. Demeure, habitation. *Est-ce là votre demeurance?* Ce terme, plus en usage à la campagne qu'à la ville, appartient au vieux français, et n'est pas inconnu dans diverses provinces de France. [Voyez le *Vocabulaire du Berry*, p. 36.]

DEMEURANTS (LES). Les survivants. N'est usité que dans ce souhait, par lequel on termine quelquefois les compliments de condoléance: *Dieu conserve les demeurants!* Terme vieux français.

DEMEURET, s. m. Petit local confortable.

DEMI-FEMME, s. f. Lavandière que l'on ne prend qu'à la demi-journée. *Nous avons eu là une considérable lessive: sept femmes et une demi-femme!*

DÉMILGANDRÉ, DRÉE, adj. Détraqué, dérangé. C'est probablement une corruption du mot *déguillemandré*, lequel a le même sens.

† DÉMINUER, v. n. Diminuer. *La fièvre a déminué; on pourra aussi déminuer les visites du cérugien.*

DEMI-POT, s. m. Chopine. *Boire demi-pot.* Terme consacré.

DEMIPOTER, v. n. Boire *demi-pot*, siroter, godailler. *Ces deux ouvriers sont toujours demipotant.*

DÉMISSION, s. f. Voyez DEMANDER.

DEMOISELLE, s. f. Fille d'un tel. *Comment se porte votre demoiselle? Vos demoiselles seront-elles dimanche de la partie?* Dans ces exemples et les analogues, il faut dire: Comment se porte votre fille? Vos filles (ou Mesdemoiselles vos filles) seront-elles de la partie? Cette remarque est empruntée aux meilleures autorités.

DÉMONE, s. f. Femme ou fille très-méchante. *La fille à Nicolas est une pouine, une démone.* Terme rouchi, etc.

DÉNIOTER, v. a. *Dénioter quelqu'un*, c'est: L'Ôter, l'arracher de sa *niote*, c'est-à-dire, de son trou, de son coin. *On ne peut pas le dénioter de chez lui.* R. *niot*, nid.

DENT DE L'ŒIL. Dent œillère.

DENTELLES, s. f. pl. Nous disons: *Faire des dentelles, blanchir des dentelles, porter des dentelles; mettre des dentelles à un chapeau.* Dans ces exemples et les analogues, il faut employer le singulier et dire: Faire de la dentelle, porter de la dentelle, etc. «Ma broderie et ma dentelle suffisent pour m'entretenir.» [J.-J. ROUSSEAU.]

DÉNUTÉ, TÉE, adj. Se dit de quelqu'un qui est privé du nécessaire, de quelqu'un qui est dans un état de gêne complète. *Il n'a pas sistance; il est dénuté de tout.* Ce terme, connu en Lorraine et sans doute ailleurs, doit être plus ancien que le mot «Dénué.» R. *denudatus.*

DEPELOTONNER, v. a. Défaire un peloton.

DÉPENSEUR, DÉPENSEUSE, s. Dépensier, dépensière.

DÉPÉTRENÉ, NÉE, adj. Qui a la poitrine découverte d'une manière peu séante. Dans le Berry et en Dauphiné on dit: *Dépoitriné*; en provençal, *despeitrina.* Dans notre patois, le mot *pétrena* (*a* très-bref) signifie: Poitrine.

DÉPONDRE, v. a. et n. Signifie: 1° Enlever, décrocher. *Dépondre les rideaux. L'estomac me dépond* (j'ai grand faim); *je me sens tout dépondu, tout détraqué*; 2° Discontinuer. *Il y avait un monde, un monde, à cet ensevelissement: depuis Plainpalais jusqu'à Bel-Air ça ne dépondait pas. Aux heures où le docteur Prévost recevait, les malades ne dépondaient pas*, c'est-à-dire: Se succédaient sans interruption. *Nous voici près de la ville, Mesdemoiselles, dépondons-nous*; c'est-à-dire: Cessons de nous donner le bras. Expression des domestiques.

DÉPRESSÉ (ÊTRE). Se dit des personnes et signifie: Être moins pressé, avoir des occupations moins urgentes, avoir du répit dans son travail. *Quand je serai dépressé, j'irai vous voir.*

DEPUIS, prép. De. *On a, depuis le village de Mornex, une vue magnifique. Depuis le Piton, on découvre le lac d'Annecy.* Phrases barbares. Mais les suivantes sont correctes: «À son arrivée, je lui dictais de mon lit mon travail.» [J.-J. ROUSSEAU, *Confessions*, livre VIII.] «Don Manuel nous écoutait de son cabinet.» [LE SAGE, *Le bachelier de Salamanque*, IIIᵉ part., chap. XIV.]

DEPUIS LORS, loc. adv. Il est beaucoup mieux de dire: «Dès lors,» ou «Depuis.» *Il m'écrivit une fois en 1840: je suis resté depuis lors sans nouvelle.* Cette expression, qui nous vient du Midi, se rencontre fréquemment dans J.-J. Rousseau, dans De Saussure et dans la plupart des écrivains suisses; mais on la chercherait vainement, je crois, dans Voltaire et dans les auteurs classiques français du dix-septième et du dix-huitième siècle.

DEPUIS MOI, DEPUIS TOI, DEPUIS VOUS. C'est-à-dire: Depuis mon départ, depuis ton départ, depuis votre départ. *Depuis moi, qu'a-t-on fait? Depuis toi, on s'est mis à jouer aux cartes.* Cette expression n'a l'autorité d'aucun dictionnaire; ce qui ne l'empêchera pas, peut-être, de faire son chemin et de s'établir.

† DÈRE, s. m. Dé, dé à coudre. *Un dère en argent, un dère en os.* Terme vaudois. La lettre *r* est ajoutée par euphonie.

DÉRATER (SE). Se dit des personnes, et signifie: Se former, prendre de l'usage et de l'assurance, perdre les manières gauches, roides et gênées des nouveaux débarqués. *Depuis que le jeune Hermann est à Genève, il s'est considérablement dératé.* Ce verbe, pris dans cette acception, ne se trouve pas dans les dictionnaires usuels.

† DERNIER ou DARNIER, prép. et adv. Derrière. *Darnier l'église; darnier le Rhône. Où est la Jeanne?—Elle est restée darnier.* Terme suisse-roman, franc-comtois et méridional.

DERNIER (EN), loc. adv. En dernier lieu, dernièrement. *Dans quelle maison demeure ton oncle?—Il habitait en dernier la maison des Trois Perdrix.*

DÉROCHER, v. neutre. Se dit des personnes et des choses, et signifie: Tomber, tomber en dégringolant, s'ébouler. *Il dérocha dans les montées. Je dérochai de l'arbre. Cette pile énorme de pierres dérocha. Se dérocher,* v. pron., est encore plus usité. *Monte avec précaution sur cette échelle, et tâche de ne pas te dérocher.* Terme suisse-roman, savoisien, dauphinois et franc-comtois.

DÉROCHER, v. actif. Renverser, abattre, démolir. *Dérocher un mur, dérocher une paroi.* «Certaines logettes de bois furent alors toutes *desrochées.*» [BONIVARD.]

DERRIÈRES (LES), s. m. pl. Le derrière de la maison, l'endroit reculé, écarté. *Nous habitions sur les derrières de la maison de l'Escarcelle.* Au sens figuré: *Vivre sur les derrières,* se dit d'une personne qui néglige de s'informer de ce qui se passe, et reste absolument étrangère aux événements du jour.

DES, DU, DE LA. Ces trois mots sont mis pour «aux, au, à la,» dans les phrases suivantes: *Hé! ici, la femme des cerises! Ici, l'homme de la greube! Ici, l'homme du raisson!* Dites: «La femme aux cerises, l'homme à la greube, etc.»

DÉSABONNER (SE), v. pron. Cesser de s'abonner, interrompre son abonnement. *Se désabonner à un journal; se désabonner à la Feuille d'Avis.* Terme clair et utile, qui ne figure pas encore dans les dictionnaires. Nous disons aussi à l'actif: *Désabonner quelqu'un. Vous me désabonnerez dès le mois prochain.*

DÉSASSORTI, TIE, part. *Un marchand désassorti, une modiste désassortie. Je ne veux pas me désassortir.* Appliqué ainsi aux personnes, ce verbe n'est pas français; mais on dira fort bien: Une marchandise désassortie, de la porcelaine désassortie, des bas désassortis.

DESCAMPETTE, s. f. Escampette.

DESCENDRE, v. a. Abattre, faire tomber. *Tu vois là haut cet écureuil?... Mire-le bien, et tâche de le descendre.* Terme dauphinois et languedocien.

DESCENDRE LA GARDE. Au sens figuré, cette expression signifie: 1° Éprouver un échec de fortune ou de santé; 2° Mourir. *La fièvre va en augmentant, et notre pauvre Mathieu descend la garde. Cette nuit, notre vieille hôtesse a descendu la garde.* Terme parisien populaire.

DESCENTE DE GOSIER, s. f. Bon appétit, grand appétit. Dans le français populaire, *descente de gosier*, signifie: Mal de gorge. [Voyez le *Dictionnaire du bas langage*, t. I.]

DÈS-DELÀ, loc. adv. Voyez DÉDELÀ.

DÉSEMBÊTER (SE), v. pron. Expression ignoble qui signifie: Se distraire, chasser l'ennui. *Que pourrait-on faire aujourd'hui pour un peu se désembêter?*

DÉSENCOMBRER, v. a. Décombrer, ôter les décombres. *Désencombrer une rue, désencombrer une cour.* Terme méridional, etc.

DÉSINDICATION, s. f. Voyez le mot suivant.

† DÉSINDIQUER, v. a. Terme consacré jadis dans certaines élections, et, en particulier, dans l'élection des pasteurs. Il signifiait: Retirer une présentation, une *indication*. *On avait indiqué comme candidat Mr N. N**, on l'a désindiqué l'instant d'après, sur la demande d'un de ses amis.*

DÉSORDRE. Ce mot est employé adjectivement dans les phrases suivantes et phrases analogues: *Cette maison a un air désordre. Cette pendule toujours arrêtée donne à cette chambre un air désordre.*

DESPECTUEUX, EUSE, adj. Qui marque peu de respect, irrévérent. *Geste despectueux, ton despectueux, paroles despectueuses.* Excellent terme qui manque dans plusieurs dictionnaires. Le *Complément* du Dictionnaire de l'Académie ne l'emploie qu'en parlant des personnes. A Genève, nous le disons surtout des choses, et c'est là, peut-être, son meilleur emploi.

† DESPENSER, v. a. (Prononcez *dessepenser*.) Terme des campagnards. *Mon pauvre Jacot, tu as despensé là une belle argent.* Terme vieux français. On dit: «Dépenser.»

DÈS QUE, conj. Ne doit pas se prononcer *daisse que*. «Dès» rime avec *près*.

† DESSARGER, v. a. Décharger.

DESSOUS, prép. Voyez le mot DEDANS, page 140.

DESSOUSTER, v. a. Cesser de *souster*, cesser d'appuyer, cesser de soutenir. Terme employé surtout au jeu de cartes. *Roi dessousté, Dame dessoustée.* Expression connue dans l'évêché de Bâle, à Lyon et sans doute ailleurs, mais dont l'emploi semble se perdre journellement chez nous. En Languedoc, *dessouster quelqu'un*, c'est le supplanter. R. *de sub stare?*

DESSUIVRE, v. a. Copier quelqu'un pour le tourner en ridicule; imiter par dérision son accent ou ses manières, le contrefaire. *Cesse tes moqueries et ne continue pas à me dessuivre.*

DESSUR, prép. Sur. *Dessur toi, dessur moi, dessur le pommier.* Français populaire et vieux français.

DESSUS, adv. *Ce lourdaud m'a marché dessus. Cette gronderie ne devait pas me tomber dessus. M'cieu, il y a lui qui me crache dessus.* Il faut tourner autrement ces phrases et dire, par exemple: Ce lourdaud a marché sur ma robe. Cette gronderie ne devait pas tomber sur moi, etc.

DE SÛR, adv. Pour sûr, sûrement, certainement. *S'il fait beau jeudi nous partons de sûr. Est-il vrai, Charles, que tu doives entrer au Collége?—Oui, j'y entre de sûr.* Terme méridional.

DÉTABLER, v. n. Départager, décider une élection entre deux nombres égaux de suffrages. Autrefois, quand les juges allaient donner leur avis, ils s'asseyaient autour d'une *table*, et ils y restaient jusqu'à ce que la majorité se fût prononcée pour des candidats. S'il y avait égalité dans les voix, le président donnait son vote, et par cela même faisait *détabler* le tribunal. Cette explication est de M. GUILLEBERT, dans son *Dictionnaire neuchâtelois*.

DE TÊTE, loc. adv. Par cœur, de mémoire. *Réciter de tête. Dire de tête. Ne sais-tu pas de tête la fable des Deux Pigeons?* Terme dauphinois, etc. Nous disons dans un sens analogue: *Faire un paysage de tête; faire un portrait de tête.*

DÉTRACTÉ, ÉE, partic. Détraqué, désorganisé (au sens figuré). *J'ai des tiraillements dans le dos, j'ai un bruit continuel dans les oreilles, j'ai un brûlement dans le cou: je suis toute détractée.*

DÉTRAQUE, s. f. Désordre, laisser-aller, désorganisation. *La détraque s'est mise dans cette maison, et tout y va par le plus bas.*

† DETTE (UN). *Acquitter son dette. Avec soixante francs je pourrais en finir avec deux ou trois vieux dettes.* Ce mot est féminin.

DEUX, adj. Deuxième. *Prendrais-tu encore une tasse de café, ma bonne?—Merci, ma chère, j'ai ma deux* (j'ai pris ma deuxième tasse).

DEVANT, prép. Avant. Les campagnards disent: *Se lever devant jour. Partir devant la nuit*, etc. Ce sens de la préposition «Devant» appartient à l'ancien français.

DÉVARIÉ, ÉE, adj. Se dit des personnes et signifie: Dérangé, incommodé, détraqué, mal disposé. *Je ne sais pas ce que j'ai, mais je me sens tout dévarié aujourd'hui.* Ce mot, qui n'est dans aucun dictionnaire, appartient à la même famille que le mot français «Avarié.»

DEVENIR MORT. Cesser de vivre, être mort. Terme limousin, etc.

DEVERS, prép. Vers. *J'irai chez toi devers le soir. On se reverra devers le tantôt.* Les campagnards ne s'expriment pas autrement. C'est l'ancien langage français.

DÉVOUGNER, v. a. Ce verbe est l'opposé de *vougner.* Voyez ce mot.

DIABLE, s. m. Nous disons facétieusement de quelqu'un qui louche ou dont les yeux n'ont pas une direction régulière: *Il regarde le diable sur le poirier,* c'est-à-dire: Il a le regard aussi mal assuré que s'il eût aperçu tout à coup le diable sur un poirier.

DIABLE ET DEMI (UN). Expression triviale qui signifie: Beaucoup, infiniment. *Il y avait autour de l'escamoteur un diable et demi de monde. Vous tardez bien à venir, vous autres: il y a un diable et demi de temps que je m'impatiente.* Le dictionnaire de l'Académie dit dans le même sens: «En diable et demi.» «Il était fourbe en diable et demi,» est une phrase tirée de LE SAGE, dans son roman de *Gusman d'Alfarache,* livre IV, ch. I.

DIAUDER, v. n. Folâtrer, sauter, s'ébattre, prendre ses ébats. *Les enfants diaudaient autour de nous. On voyait les deux chevreaux diauder sous le grand tilleul.*

† DIFFÉRENT, ENTE, adj. Indifférent, ente. Ne s'emploie que précédé d'une négation. *Cela n'est pas différent,* signifie: Cela est passable. *Le temps n'est pas différent. Cette étoffe n'est pas différente. La récolte des blés ne sera pas différente.*

DIGESSION, s. f. *Faire digession. Avoir une mauvaise digession.* Écrivez «Digestion,» et faites sonner le *t* après l'*s*.

† DIMANCHE (UNE). *On ira à Salève la première dimanche de juillet.* Ce mot est masculin aujourd'hui; il était encore féminin au milieu du dix-septième siècle. L'historien Spon, dans son *Histoire de Genève,* dit: «*La deuxième dimanche de mars.»*

DIMANCHE, s. f. Argent de poche qu'on est dans l'usage de donner chaque dimanche aux enfants et aux adolescents. *Sa dimanche lui a été retranchée. Notre garçon économise toutes ses petites dimanches.* Ce mot est masculin.

DINDE (UN). *Un dinde farci. Ils emplétèrent deux gros dindes pour leur Escalade.* Faute très-répandue en Suisse, en Savoie et en France. Dites: Une dinde ou un dindon.

DÎNER AVEC. *Nous dînâmes avec de la soupe et du bouilli.* Il est plus correct et plus élégant de dire: Nous dînâmes DE soupe et DE bouilli.

DIOGUET, adj. et s. m. Nigaud, niais, dadais.

DIOT, s. m. (Prononcez *dio, o* bref.) Terre glaise. *Des pétards de diot. Des mâpis de diot. Votre simolat a cuit trop longtemps: c'est du papet, c'est du diot.* Dans le canton de Vaud, *s'endioter* veut dire: S'enfoncer dans quelque chose d'épais, s'empêtrer.

DIOTU, UE, adj. Épais, ferme. *Une soupe diotue; du pain diotu.*

DIRE, v. a. Demander. *Dis à Joseph s'il peut venir me parler. Dites au fermier s'il pourrait nous fournir quelques artichauts.* Locution méridionale.

DIRE, v. a. Se vanter, se donner du jabot. *Ce n'est pas pour dire, mais je saurais en faire autant que toi.* Expression française populaire.

† DIRE À QUELQU'UN. *Ce meunier qui passe, comment lui dit-on? Cette femme que nous avons rencontrée hier, comment lui dit-on?* Expression qui équivaut à: «Comment l'appelle-t-on? Quel est son nom?»

DISCREUSAGE, s. m. Terme d'art. Décreusage.

DISCREUSER, v. a. Décreuser.

DISPARAT (UN). *Un disparat choquant.* Ce mot est féminin, et il s'écrit avec un *e* final: Disparate. «Disparate choquante.»

DISPARUTION, s. f. Disparition.

DISSIPÉ, s. m. *Un jeune dissipé.* Selon les dictionnaires, ce mot n'est pas substantif.

DISTAC, s. m. Terme de tir. Prix supplémentaire donné par des amateurs. *Mettre un distac, remporter un distac, faire plusieurs distacs.*

DISTINCTÉMENT, adv. «J'ai reconnu *distinctément* ces ardoises.» [DE SAUSSURE, *Voyage dans les Alpes,* t. I, p. 504.] «Je ne voyais pas *distinctément.*» [*Ibid.,* p. 288.] Écrivez et prononcez «Distinctement.»

DISTRAIRE, v. a. Ce verbe, et ceux qui viennent de «traire,» comme «soustraire» et «extraire,» sont d'une conjugaison difficile. Nous disons: *Vous me distraisez; ces enfants me distraisaient, ils me distraisent; je n'aime pas qu'on me distraise.* «Trop d'autres goûts me *distraisent*. L'exercice... me *distraisant* sur mon état.» [J.-J. ROUSSEAU, *Confessions,* livres I et VI.] Il faut dire: Vous me distrayez, ils me distrayaient, ils me distraient, distrayant.

DIVISER, v. n. Deviser, causer, jaser. Le mot «Deviser» vient de *devis,* qui, en vieux français, signifiait: Discours, entretien familier, conversation.

DIX-HEURES (LES), s. m. pl. L'heure sèche, petit repas sec, petite collation qui se fait à *dix heures* du matin. *Faire les dix-heures.* On dit aussi au singulier: *Faire le dix-heures; faire un dix-heures.*

DIZEURER, v. n. Se dit quelquefois pour signifier: Faire le repas de *dix heures.*

† DOBLIGÉ, DOBLIGÉE, part. Obligé, forcé, contraint. *L'incendie éclata dans le cabaret, et les buveurs furent dobligés de se sauver par la fenêtre.* On dit aussi, sous forme de remerciement: *Je vous suis bien dobligé.*

DODO, s. m. Terme enfantin. Lit, couchette. Français populaire.

DOGUIN, DOGUINE, s. Terme d'écolier. Se dit de certains objets, et signifie: Gros, grosse. *Quel doguin de mâpis! Venez tous voir le doguin de poisson que j'ai pris.*

DOIGT, s. m. Nous disons proverbialement: *Se mettre le doigt dans l'œil,* ou, *Se mettre du doigt dans l'œil,* pour signifier: Faire une fausse spéculation, faire un faux calcul. *En vendant sa campagne pour acheter des rentes de France, il s'est mis le doigt dans l'œil.*

DÔLE (LA). Nom propre de montagne. Nous disons proverbialement d'une chose qu'on nous représente comme remarquable, prodigieuse, extraordinaire, et sur laquelle nous portons un jugement moins favorable: *Ce n'est pas la Dôle. Traverser le lac à la nage?... Ce n'est pas la Dôle. Faire à pied quatorze lieues par jour?... Ce n'est pas la Dôle;* c'est-à-dire: Ce n'est pas merveille. *As-tu lu le nouveau poëme de Z. Z**?—Oui, je l'ai lu; ce n'est pas la Dôle.*

DOMESTIQUE, s. m. Ne dites pas: *Un domestique en homme;* dites tout court: Un domestique.

DOMMAGER, s. m. Causer du dommage, gâter, prodiguer. *Dommager du pain,* signifie: Le perdre, le jeter sans profit pour personne, le gaspiller. *Ne dommagez pas ces restes de viande: ils feront plaisir à un mendiant.* Terme suisse-roman. Le *Complément* du dictionnaire de l'Académie donne le verbe *dommager* comme hors d'usage: c'est possible. A Genève il est d'un emploi journalier. On disait en vieux français: *Damager.* R. *dam.* [Voyez ROQUEFORT, *Glossaire roman.*]

DONDAINE, s. f. Dondon, femme ou fille grasse et d'un solide embonpoint. *Quelle dondaine! Quelle puissante dondaine!* Terme lorrain, etc.

DONNE, s. f. Dans la commune de Meyrin et lieux avoisinants ce mot signifie: «Belle-mère.» Dans le canton de Vaud il signifie: *mère,* et dans le vieux français il se disait pour «Dame, femme noble.» R. latin, *domina;* italien, *donna.*

DON-NE, s. f. Ce terme, fort connu dans les communes réunies, se dit plus particulièrement d'une distribution de pain à tous les pauvres de la paroisse après un enterrement. *Faire une don-ne.* Terme vaudois, savoisien, dauphinois, languedocien et vieux français.

DONNER, v. neutre. Se dit principalement des vaches et signifie: Frapper de la corne. *Prenez garde, Madame, notre vache donne.* En Languedoc et en Dauphiné, *donner,* v. n., se dit des mules, et signifie: «Ruer.» *Votre mule donne-t-elle?*

DONNER, v. neutre. Nous disons: *Ce vin donne à la tête.* Les dictionnaires disent: «Ce vin porte à la tête,» ou, «Ce vin donne dans la tête.»

DONNER, v. neutre. Nous disons: *L'odeur du musc donne sur les nerfs.* Les dictionnaires disent: «Porte sur les nerfs.»

DONNER DU PIED CONTRE. Nous disons figurément: *Un tel ne donne pas du pied contre cette proposition, contre ce projet,* pour signifier: Un tel ne s'oppose pas à cette proposition, à ce projet.

DONNER LE TOUR. Faire un circuit, faire le tour. *Qui est-ce qui frappe là-bas?—C'est moi, père.—Eh bien, donne le tour par la maison de Trimolet.*

DONNER LE TOUR. Signifie, au sens figuré: Avoir de quoi suffire aux dépenses de l'année; gagner de quoi faire face à tous les besoins journaliers. *Nous ne mettons rien de côté, nous autres, mais nous donnons le tour.*

DONNER UN COURS. *Mr N**, licencié en philosophie, donnera cet hiver un cours de dialectique. TABLEAU des cours qui seront donnés, l'hiver prochain, par les professeurs de l'Académie de Genève.* Terme consacré chez nous, utile en beaucoup de cas, mais inconnu aux dictionnaires. On dit en France: *Faire un cours, faire des cours.*

DONNER (SE), v. pron. *Votre ami Z** est un honnête homme, mais il se donne un peu trop à la boisson.* Dites: Mais il s'adonne un peu trop à la boisson.

DONNER PEUR (SE). S'effrayer, prendre de l'épouvante. *Se voyant seule dans un chemin écarté, Alexandrine se donna peur.* Expression fort usitée.

DONT AUQUEL. Sorte d'adjectif des 2 genres qui signifie: «Bien né, bien élevé, riche, et qui a de bonnes manières.» *Un jeune homme dont auquel; une* *jeune personne dont auquel.* En français, cette expression se prend toujours en mauvaise part.

DORAN-NAVANT, adv. Écrivez et prononcez «Dorénavant.»

† D'ORE-S-EN-AVANT, adv. Dorénavant. *Te voilà guéri de ton indigestion, Anselme; tâche de moins gaillaufrer d'ore-s-en-avant.* Terme vieux français. R. *hora.*

DÔTER (SE), v. pron. Terme des campagnards. S'ôter. *Dôtez-vous d'ici, mes enfants. Dôte-toi de là.* Dans le Berry, *d'ôter* signifie: Ôter, enlever. En vieux français, *tauter* a le même sens.

DOUBLE, s. f. Terme de boucherie. Gras double.

DOUBLET, s. m. Terme de chasseur. Coup double. *Pour son début, Alberti vient de faire un doublet*; c'est-à-dire: Chacun des deux coups de son fusil a atteint le but.

DOUCE, s. f. Ne s'emploie que dans cette locution adverbiale: *À la douce*; c'est-à-dire: Doucement, couci-couci, ni bien ni mal, tolérablement. *Comme ça va-t-il avec la santé, Monsieur Bégoz?—Ça va tout à la douce.*

DRÂCHÉE, s. f. Résidu ou crasse du beurre fondu. *Un morceau de drâchée; une figâce à la drâchée; un châchô à la drâchée.* Terme suisse-roman. Dans le patois de l'Isère on dit: *Drachi.* En provençal, *draco* signifie: Marc de raisin. En rouchi, *draque*, en vieux français, *drasche*, et en français, *drèche*, signifient: Marc de l'orge qui a été employée pour faire de la bière. Ce mot *drâchée* est en usage quelquefois au sens figuré, et il se prend alors en mauvaise part.

DREMILLE ou DORMILLE, s. f. Loche franche, poisson.

DROIT, adv. Précisément, exactement. *Venez droit à midi. Tu arriveras droit à l'heure convenue.*

DROIT, DROITE, adj. Debout. *La pauvre Emma avait un si grand sommeil qu'elle dormait toute droite. Le quart des assistants resta droit pendant tout le spectacle.* Faute très-répandue.

DROIT (LE). *Le droit d'une étoffe.* Dites: «L'endroit.» L'endroit et l'envers.

DROIT FIL (À). Nous disons: *Couper à droit fil, aller à droit fil*, pour signifier: Couper une étoffe entre deux fils sans biaiser. Les dictionnaires disent: «Couper DE droit fil; aller DE droit fil.»

DROITIER, s. m. Cheval de droite.

DRÔLE, s. m. *Le pauvre drôle était gisant et moribond.* En français, «Drôle» (subst.), ne se prend qu'en mauvaise part. «Je t'apprendrai, drôle, à obéir promptement.»

DRUGE, s. f. Engrais, fumier. Ce mot appartient à notre patois et aux patois de Vaud et de Fribourg. R. *dru.*

DRUGEON, s. m. Femme ou fille forte, hardie, laborieuse. *Notre Josette est un vrai drugeon.* R. *dru.*

DU BONHEUR QUE... Voyez BONHEUR.

DU DEPUIS, adv. *Nous avons campé ensemble il y a douze ans, et l'on ne s'est pas vu du depuis.* Terme français populaire et vieux français. Dites: Depuis, ou dès lors.

DU MATIN. *J'irai du matin. Venez du matin. On partira du matin.* Dites: Dès le matin.

D'UN JOUR L'UN. Expression bizarre qui revient à celle-ci: «De deux jours l'un.» *Il se baigne en Arve d'un jour l'un. Jérémie doit prendre une purge d'un jour l'un.*

DU MOINS, adv. *Je ne peux que du moins*, signifie: Je suis forcé d'agir de la sorte; il faut que je fasse ainsi. *J'ai souscrit à l'ouvrage de M^r N**: je ne pouvais que du moins. Nos polissons, à force de tourmenter la porte et de la sigougner, l'ont disloquée, et ça ne pouvait que du moins.*

D'UN. *C'est d'un joli! C'est d'un beau!* Signifie: C'est si joli! C'est si beau! *Ce M^r Z** est d'un bête! Ce travail est d'un long, d'un fatigant, d'un assommant!* Français populaire.

DURÉE, s. f. Nous disons avec les Méridionaux: *Une étoffe de durée, un drap de durée*, pour signifier: Une étoffe de bon user, un drap de bon service.

DUVET, s. m. Couvre-pied d'édredon. *J'avais trop chaud, je lançai à terre mon duvet.* Le mot de «Duvet» est français, mais avec une signification différente.

E

EAU, s. f. Nous disons: *Crier à l'eau! Les cris d'à l'eau! à l'eau! se répétaient dans toutes les rues.* On dit en France: «Crier au feu!»

ÉBALOURDIR, v. a. Abalourdir, étourdir, troubler. R. *balourd*, homme stupide.

ÉBARAGNER, v. a. Enlever, au moyen d'un *ébaragnoir*, les toiles d'araignée. *Ébaragner un plafond, ébaragner un corridor.*

ÉBARAGNOIR, s. m. Longue époussette, long balai à tête ronde, destiné à ôter les toiles d'araignée. R. *aragne*.

ÉBAU ou ÉBAUD, s. m. Terme des campagnards. Signifie: 1º Un feu clair, un feu flamboyant, un feu de joie dans les champs; 2º Un flambeau de poix. Ce mot est probablement l'origine du verbe «Ébaudir» (égayer, divertir, réjouir).

ÉBAUCHE (UN). *Un petit ébauche.* Ce mot est féminin.

ÉBÉNISTRE, s. m. Écrivez sans *r*, et prononcez «Ébéniste.» *Ébénistre* se dit aussi en Lorraine, et sans doute ailleurs.

ÉBERCHER, v. actif. *Couteau éberché, assiette éberchée.* Terme français populaire. Dites: «Ébrécher.»

ÉBERCHURE, s. f. *Faire une éberchure à une tasse, à une assiette, à un couteau.* On devrait dire en français: «Ébréchure,» mais ce mot utile ne se trouve pas dans les dictionnaires.

ÉBOÉLER, ÉBOILER, ou ÉBOUELLER, v. a. Éventrer, faire sortir les boyaux, arracher les entrailles. Terme vaudois et vieux français. R. *boël*, boyau.

† ÉBOLUTION, s. f. Ébullition, éruption passagère qui survient à la peau.

ÉBORNICLER, v. a. Éborgner. *Le soleil nous éborniclait.*

ÉBOURIFFLER, v. a. *Cheveux ébourifflés. Cette grosse bise m'a ébourifflée.* Le verbe français est «Ébouriffer.»

ÉBRAISER, v. a. Remuer la braise d'une chaufferette ou d'un brasier. Ce terme, usité aussi chez nos proches voisins, mérite d'être observé.

ÉBRIQUER, v. a. Briser, mettre en pièces, effondrer. *Ébriquer une caisse. Écuelle ébriquée; pipe ébriquée.* Terme suisse-roman et savoisien. R. *brique*. Voyez ce mot.

ÉCAGNER QUELQU'UN. L'écarter, le mettre de côté, le supplanter, le chasser.

ÉCALABRER, v. a. Ouvrir entièrement. *La porte resta écalabrée. Portes et fenêtres étaient écalabrées.* A Lausanne et à Neuchâtel on dit: *Écalambrer.* Dans le patois dauphinois, *eicalambra,* et dans le dialecte languedocien, *escarlamba,* signifient: Écarquiller les jambes. Tous ces termes, fort expressifs, n'ont point d'équivalents en français.

ÉCAMBOUILLI ou ESCAMBOUILLI, IE, adj. ou partic. Ébouilli, trop cuit, diminué par la cuisson. *Bouillon écambouilli; sauce écambouillie; viande écambouillie.*

ÉCARABILLER, v. a. Écarquiller. *Tout en dormant, il avait les yeux écarabillés.* Dans le dialecte provençal, *escarabiha* signifie: Éveillé, gai, de bonne humeur. Le dictionnaire de l'Académie (édition de 1760) enregistre encore le mot d'*Escarbillard,* et lui fait signifier: Éveillé, gai, enjoué.

ÉCARAFLER, v. a. Aplatir, écacher, écraser. *Il s'est écaraflé le genou en tombant. En remuant cette pierre, je m'écaraflai le pouce.*

ECCÉTÉRA ou ECCÉTRA. Expression qui a passé du latin dans le français. Écrivez et prononcez «et cétéra,» en faisant sonner le *t* du mot *et.*

ÉCHAFFOURÉE, s. f. Échauffourée.

ÉCHALAS, s. m. La syllabe finale est longue, comme dans les mots *appās* et *trépās;* mais les Genevois la prononcent aussi brève que la dernière syllabe des mots *prélăt, plăt, éclăt,* etc.

ÉCHANGE (UNE). *Une échange avantageuse.* Solécisme fort répandu. «Échange» est masculin, aussi bien que «Change.»

ÉCHAPPER, v. actif. *Tu as échappé une occasion excellente.* Dites: «Tu as laissé échapper, tu as manqué une occasion excellente.»

ÉCHARAVOÛTÉE, s. f. Rossée, étrillée. *Ils se sont donné là une fameuse écharavoûtée.* On dit dans le même sens: *Ils se sont fameusement écharavoûtés.* Terme énergique, mais trivial.

ÉCHARAVOÛTER, v. a. Mettre en désordre, embrouiller (au sens propre). *Fil écharavoûté; cheveux écharavoûtés; femme écharavoûtée.*

ÉCHARBOTTER, v. a. Mêler, embrouiller. *Écheveau écharbotté; crinière écharbottée.* Terme savoisien, dauphinois et vieux français. Dans le patois de Dijon, *encharbôtai,* et dans le patois franc-comtois, *encharbouter,* signifient: «Embarrasser.»

† ÉCHARPE, s. f. *Une écharpe au doigt.* Dites: «Écharde.»

ÉCHARPINER ou ÉCHARPIGNER, v. a. Se dit du chanvre qu'on ouvre, qu'on ébouriffe après qu'il a été battu, et avant qu'il passe dans les mains de ceux qui doivent le peigner. Figurément, *écharpiné* signifie: Échevelé, ébouriffé. *Cheveux écharpinés; coiffure écharpinée.* Terme vaudois, valaisan et savoisien. Dans le patois franc-comtois on dit: *Encharpé.* En languedocien et en provençal, *escarpina* signifie: Écheveler, tirer par les cheveux, écharper, déchirer. Dans ces mêmes dialectes, *charpineux* se dit d'un arbre hérissé de pointes. R. lat. *carpere.*

ÉCHART, ÉCHARTE, adj. Terme de couturière. Se dit de ce qui manque d'ampleur, de ce qui est étriqué. *Robe écharte; manteau échart; rideau échart.* Terme suisse-roman et franc-comtois. Dans le vieux français, *échars*, et en italien, *scarso*, signifient: Chiche, mesquin, avare.

ÉCHEMI, IE, adj. Terme culinaire. Se dit de certains mets qui manquent de suc et qui sont, par cela même, desséchés. *Viande échemie, légume échemi. Un bouilli échemi* est un bouilli maigre et comme desséché.

ÉCHEVETTE, s. f. Écheveau. *Échevette de fil; échevette de soie; échevette embrouillée.* Terme suisse-roman, savoisien, lyonnais, comtois, lorrain et vieux français.

ÉCHILLE, s. f. Esquille, écharde, éclat de bois. [P. G.]

ÉCHINANT, ANTE, adj. Très-fatigant, accablant, tuant. *Travail échinant; occupation échinante.* «Échinant,» en français, est un participe et non un adjectif; du moins, ce mot n'existe-t-il, sous cette dernière forme, dans aucun dictionnaire usuel.

† ÉCHIRER, v. a. Déchirer. *Fais donc attention, Lise, tu me marches et tu vas m'échirer.*

ÉCHIRURE, s. f. Déchirure.

ÉCHOPPLE, s. f. Terme d'art. Échoppe, pointe dont se servent plusieurs artistes, et surtout les graveurs.

ÉCHOPPLER, v. a. Échopper, travailler avec l'échoppe.

ÉCLAFFER, v. a. Écraser avec le pied un objet qui éclate et rend un bruit ou exprime un suc par le fait même de l'écrasement. *Éclaffer une poire; éclaffer une grenouille; éclaffer un escargot. Il lui éclaffa le nez d'un coup de poing.* Terme vaudois, neuchâtelois et franc-comtois. Dans le dialecte languedocien, *esclafa.* En vieux français, *esclaffer* veut dire: «Éclater» (*s'esclaffer de rire*); en limousin, *escloffa*, aplatir, ouvrir en pressant, comme on le fait pour une noix; en picard, *éclifer*, fendre, déchirer. Tous ces termes sont des onomatopées évidentes; mais la plus remarquable de toutes est notre mot patois *écllafâ* (*ll* mouillés).

† ÉCLAIR (UNE). Ce mot est masculin.

ÉCLAIRCI (UN). *Au premier éclairci nous partirons.* Terme bordelais, etc. Dites: Éclaircie.

ÉCLAIREMENT, s. m. Éclairage. «Dans l'hiver de 1755 à 1756, un grand nombre de particuliers firent allumer la nuit des lanternes devant leurs maisons, pour éclairer la rue, et ils continuèrent cet *éclairement* pendant tout l'hiver.» [J. PICOT, *Histoire de Genève*, t. III, p. 303.]

ÉCLAIRER, v. a. Allumer, faire brûler. *Éclairer les quinquets; éclairer le feu.* Terme méridional, etc.

ÉCLATER (S'), v. pron. Se gercer, se crevasser. *Le froid fait éclater les mains* (fait gercer les mains).

ÉCLATER (S'), v. pron. *S'éclater de rire.* Terme vieux français. On dit aujourd'hui: «Éclater de rire.»

ÉCLIFFE, s. f. Seringue en sureau avec laquelle les enfants se jettent de l'eau. J.-J. ROUSSEAU, dans ses *Confessions*, livre Ier, dit: *Équiffles.* «A Bossey... nous faisions des cages, des flûtes, des volants, des tambours, des maisons, des *équiffles*, des arbalètes.» C'est le mot *écliffe*, avec une prononciation différente: la véritable est *eykllieffa* (*ll* mouillés et *a* presque muet).

ÉCLÔPÉ, PÉE, adj. et partic. *Comme tu es éclôpé, Daniel!* Prononciation genevoise du mot *écloppé*, dont l'*o* est bref, comme dans *développé*.

ÉCOLAI ou ÉCOULAI, s. m. Terme des campagnards. Mère-goutte, surmoût, vin qui coule du pressoir dans la cuve avant que le raisin soit pressé.

ÉCORCE NOIRE, s. f. *Un plat d'écorces noires.* Terme suisse-roman et savoisien. On dit en français: «Scorsonère.»

ÉCORCES, s. f. pl. *Sécher des écorces; brûler des écorces.* Le mot français est «Tannée.»

ÉCOT DE BOIS, s. m. Bûchette, ramille, menu bois que les pauvres gens vont ramasser dans les forêts, ou au bord des haies, ou près des ruisseaux. Sismondi n'a pas hésité d'adopter ce mot. «Quelques petits *écots* recueillis le long des chemins, etc.» [*L'Irlande en 1834*; article de la Bibliothèque Universelle, mai 1836.] Terme suisse-roman et jurassien. Montaigne dit: *Escot*; on le dit encore dans le patois limousin (*esco de boï*). Au sens figuré nous disons: *Être maigre comme un écot; être sec comme un écot.*

ÉCOTER, v. n. Ramasser des *écots*, c'est-à-dire, du menu bois. *Où allez-vous, brave femme?—Pauvre Monsieur, je vais écoter le long d'Arve.*

ÉCOUAIRU, UE, s. et adj. Petit, maigre, débile, chétif. *Un écouairu comme toi, vouloir camper! Dis voir, Cabot, connaîtrais-tu par hasard la femme de Jean Lorrain, cette petite écouairue, qui tient une boutique brisée darnier le Rhône?* Dans quelques provinces de France, *écouer* signifie: Couper la queue à un animal (*écouer un chien*), et c'est là peut-être l'origine de notre mot *écouairu*. Dans le patois vaudois, *écouairu* veut dire: «Écureuil.»

ÉCOUAIRÙLE, s. f. C'est un féminin du mot précédent.

ÉCOUENNE, s. f. Force, vigueur. *Il y va de toutes ses écouennes*, c'est-à-dire, de toute sa force. *Tu n'as pas l'écouenne*, tu ne peux pas, tu n'es pas assez fort.

ÉCOUENNER (S), v. pron. S'efforcer. Voyez COUANNE.

ÉCOULER, v. a. Terme de tricoteuse. Laisser couler, laisser tomber, laisser échapper. *Écouler une maille; maille écoulée.*

ÉCOVET ou ÉCOVÉ, s. m. Écouvillon, linge fixé à l'extrémité d'une perche et servant à nettoyer le four. Terme suisse-roman. En provençal, *escoubo*, en vieux français, *escouve*, et en français, «écouvette,» signifient: «Balai.»

ÉCRELET ou LÉCRELET, s. m. Sorte de nougat. *Des écrelets de Bâle.* Terme suisse-roman, formé du mot allemand *Leckerei*, friandise.

ÉCREMÉ, ÉE, adj. *Étang écremé, rivière écremée.* Étang, rivière dont les froids de l'hiver commencent à congeler la surface.

ÉCREMER, v. a. *Écrémer du lait.* Écrivez et prononcez «Écrémer,» avec un accent aigu sur les deux *é*.

ÉCRITOIRE (UN). *Un petit écritoire.* Ce mot est féminin.

ÉCRIVISSE, s. f. *Pêcher aux écrivisses.* Terme suisse-roman, savoisien et franc-comtois. Dans le vieux français on écrivait et on prononçait *Escrivisse*, et l'on ne dit pas autrement dans plusieurs villages de notre canton.

ÉCU, s. m. *Écu changé, écu mangé.* Ce proverbe, peu répandu à Genève, mais qui nous appartient réellement, signifie qu'une pièce d'argent, dès qu'elle est changée, est bientôt dépensée. Ce proverbe a été recueilli par deux dictionnaires modernes, savoir, le *Complément* du dictionnaire de l'Académie (au mot Manger), et le Dictionnaire national de M. Bescherelle.

ÉCUELLE, s. f. *Écuelle de lait.* Dites: Écuellée de lait.

ÉCUELLE, s. f. Nous disons figurément: *Verser son écuelle*, pour signifier: «Faire mal ses affaires.» *Un tel a versé son écuelle*; c'est-à-dire: Un tel a perdu, en tout ou en partie, ce qu'il possédait.

ÉCUELLE, s. f. Ricochet, bond que fait une pierre plate et légère jetée obliquement sur la surface de l'eau. *Faire des écuelles.*

ÉCUERNE ou ÉTIEURNE, s. des 2 genres. Idiot, hébaté, ahuri. *J'avais beau vous appeler à mon secours, vous restiez là tous deux comme des écuernes.* Terme savoisien.

ÉCUÉRU, UE, s. Voyez ÉCOUAIRU.

ÉCUISSETER ou ÉCUISSOTER, v. a. Signifie: Fendre, partager en deux. *La foudre, en tombant sur cet arbre, l'a écuisseté.* Au sens figuré: Fatiguer à l'excès, harasser. *Une marche de six jours consécutifs nous avait écuissotés.* [P. G.]

ÉCUIT, ÉCUITE, adj. Se dit de la peau des petits enfants, lorsqu'elle s'écorche ou se crevasse. *Notre pauvre Lolotte est tout écuite.* Terme suisse-roman. On dit à Lyon: *Entrecuit.*

ÉCUMOIRE (UN). Ce mot est féminin.

ÉDUQUER, v. a. Élever un enfant, l'instruire, le former. *Suis-je assez misérable! s'écriait la Simonne; j'ai tout sacrifié pour faire éduquer mon Janot, et j'y ai pardu, avec ma peine, tous mes petits argents!* Ce mot d'*éduquer* appartient au langage le plus négligé et le plus populaire. Cependant on peut fort bien dire d'un homme incivil et grossier: «Voyez ce mal éduqué.»

EFFARCLÉ, ÉE, adj. et partic. Se dit principalement des ustensiles en bois, et signifie: Brisé, mis en pièces. *Seille effarclée; cuvier effarclé; bagnolet effarclé.* En patois, *farclle (ll* mouillés) veut dire: «Cercle.»

EFFEUILLES (LES). L'opération d'effeuiller la vigne. *Le temps des effeuilles. Les femmes sont aux effeuilles.* Les dictionnaires disent: «L'effeuillaison» et «L'effeuillage.»

† EFFINI, NIE, ou ÉFINI, NIE, adj. Infini. *Depuis un temps effini la voisine me rocandait ce crou-ye paravent.*

ÉGANCE, s. f. Répartition de charges, distribution d'impositions entre divers copropriétaires. Ce terme est mentionné dans le *Glossaire de l'ancien droit français*, par MM. DUPIN et LABOULAYE.

ÉGANCER, v. a. Fixer les proportions, régler les parts d'une contribution, *faire les égances.* Expression consacrée.

ÉGANGUILLÉ, ÉE, adj. Se dit d'une personne dont les vêtements sont pleins de trous, sont en lambeaux, en loques. *Ce petit drôle veut toujours grimper sur les arbres, et toujours il en redescend églanguillé.* Voyez GANGUILLER.

ÉGATTER (S'), v. pron. S'ébattre, se divertir, courir la prétantaine. Voyez GATTES.

ÉGLEDON, s. m. Édredon.

ÉGRAVETER, v. a. Gratter la terre. *Les poules égravetaient dans le jardin.* R. *gravier?*

ÉGRÉGE, adj. m. Honorable. «Ordonné aux secrétaires de la Justice de ne point qualifier de Nobles ceux des Auditeurs desquels les pères n'auront été ni Syndics, ni Conseillers, mais simplement d'*Égréges* ou honorables.» [*Fragments historiques de* GRENUS.] Ce terme, qui appartient à l'ancienne langue genevoise, manque dans les dictionnaires, et en particulier dans le *Glossaire roman* de ROQUEFORT. «Égrégiat,» s. m., est dans Bescherelle. R. *egregius.*

ÉGRENÉ, ÉE, adj. Se dit des personnes et des choses, et signifie: Isolé, incomplet, éparpillé. *Quelques soldats égrenés furent surpris et massacrés. Quand on commence à étudier une langue quelconque, des leçons égrenées sont d'un médiocre profit. La bibliothèque du bateau à vapeur ne nous offrit que quelques volumes égrenés de Buffon et de Voltaire.* On lit dans le *Journal de Genève,* du 27 mai 1851: «Suffrages en faveur de la liste jaune, 1900; en faveur de la liste rouge, 1050; le reste se répartit en *voix égrenées.*» Cette expression utile n'a pas d'équivalent exact en français. «Égrené,» ou plutôt «égréné,» est français dans un autre sens.

ÉGRILLÉ, ÉE, adj. Desséché, éraillé par l'action du soleil. *Un vernis égrillé; un bagnolet égrillé; une brande égrillée.* Terme suisse-roman et jurassien. R. *grillé,* desséché.

ÉGROUGNER, v. a. Frapper rudement, meurtrir, abîmer de coups une personne ou une chose. *Il prenait plaisir à égrougner la poupée de sa sœur. En tombant sur ces cailloux, elle s'égrougna le bras. Ils se battirent dans le cabaret et s'egrougnèrent.* Terme trivial. En provençal, *eigoourigna* signifie: Charcuter, couper malproprement de la viande à table.

ÉGRUFFÉ, ÉE, adj. et s. Éveillé, vif, étourdi. On dit plus souvent: *Dégruffé.*

ÉJARRATER, v. a. et n. Se dit de certains animaux qui creusent la terre avec leurs pattes, comme les chiens, les lapins et les poules. *Éjarrater* signifie aussi, en parlant des personnes: Se démener avec les bras ou les jambes pour se débarrasser d'une chose dont le poids nous incommode. [P. G.]

ÉJAVETER (S'), v. pron. Se débattre, s'ébattre, remuer vivement les pieds et les mains. *Etendez votre enfant sur le gazon et laissez-le s'éjaveter.*

ÉLANCÉE, s. f. Élancement, impression que fait en quelque partie du corps une douleur subite et de peu de durée. *Avoir des élancées; son abcès lui causait des élancées cruelles.* Dans le français populaire on dit: *Une lancée.*

ÉLEVER (S'), v. pron. En parlant du temps. Se lever, se mettre au beau. *Quand le temps s'élèvera, nous partirons.* Dites: Quand le temps se lèvera.

ÉLÉXIR, s. m. *Éléxir de longue vie.* Dans le français populaire on dit: *Éléxir* (*e* muet). L'expression véritable est «Élixir.»

ÉLOURDI, IE, partic. Alourdi, appesanti. *Cette maudite voiture m'a tant secoué, que j'en suis tout élourdi.* Terme vieux français.

† ÉLUMINER, v. a. Illuminer.

† ÉMAGINER, v. a. Imaginer. *Peut-on s'émaginer rien de plus laid, de plus-z-hideux? T'émagines-tu bien la tarente que j'ai eue là!* Dans le patois rouchi on dit: *S'émagéner.* Chez nous il n'est pas rare d'entendre: *Magine-toi, maginez-vous,* pour: «Imagine-toi, imaginez-vous.»

EMBARBOUILLER, v. a. Barbouiller, salir. Au réfléchi: *S'embarbouiller. Le ciel s'embarbouille, le temps s'embarbouille;* c'est-à-dire: Se dérange, se met à la pluie. Terme français populaire.

EMBARDOUFFLER, v. a. Salir, barbouiller. Terme vaudois, etc.

EMBARRAS, s. m. (fig.) *Ce n'est pas l'embarras,* est une locution adverbiale qui répond à: Au surplus, après tout. *Ce n'est pas l'embarras, il pourrait bien y avoir de l'orage cette nuit. Ce n'est pas l'embarras, nos deux garçons peuvent bien faire toute la route à pied.* Français populaire.

EMBAUMER, v. impers. *Il embaume dans cette orangerie; il embaume dans ce salon.* Locution méridionale. Dites: Cette orangerie embaume; ce salon embaume. [ACAD.]

EMBEGUIGNÉ, ÉE. part. Embéguiné, ée.

EMBERLICOQUER, v. a. Voyez EMBRELICOQUER.

EMBIBER (S'), v. pron. S'imbiber. *L'eau s'embibait dans la mollasse et la pourrissait.*

EMBIJÔLER, v. a. Cajoler, caresser, endormir par des paroles flatteuses. Augmentatif du verbe «Enjôler.»

EMBIJÔLEUR, EMBIJÔLEUSE, s. Enjôleur, enjôleuse.

EMBIJÔNER, v. a. A la même signification qu'*embijôler*, dont il n'est qu'une corruption.

EMBLOUSER QUELQU'UN. Le mettre dedans, le duper, le friponner dans une affaire. [P. G.]

EMBLOUSER (S'), v. pron. Se fourvoyer dans une affaire, se mettre dedans, être dupe par sa faute. [P. G.]

EMBOIRE, v. neutre. Boire. *Ce papier emboit.* «S'emboire» est français, mais il ne se dit qu'en peinture. «Les couleurs de ce tableau s'emboivent,» c'est-à-dire: S'imbibent dans la toile. «Tableau embu.» [ACAD.]

EMBOIRE, v. neutre. Boire. *Faire emboire une étoffe, faire emboire du linge,* signifie: Plissoter deux morceaux d'étoffe ou deux morceaux de linge inégaux, pour les égaliser. On dit en français: Faire boire une étoffe, faire boire du linge,» c'est-à-dire: Les tenir lâches en les cousant.

EMBOUTI, s. m. Sorte d'étoffe piquée. *Une jupe d'embouti.*

EMBOUYONNER, v. n. Tremper la lessive. Terme des campagnards. R. *bouïe*, lessive.

EMBRELICOCAGE, s. m. Confusion, brouillamini, quiproquo. *Il y a là-dessous un embrelicocage auquel je ne comprends rien.*

EMBRELICOQUER, v. a. Emberlucoquer, troubler, embarrasser. S'emploie surtout au réfléchi: *S'embrelicoquer.* R. *brelue*, berlue.

EMBRELIFICOTER (S'), v. pron. S'emberlucoquer, s'embrouiller. Terme suisse-roman et français populaire. Nous disons aussi: *S'embrelificoquer* et *s'emberlificoquer*: toutes expressions qui appartiennent au français populaire.

EMBRESAILLE, s. f. Sorte d'arbrisseau. Voy. AMBRESAILLE.

EMBRINGUER (S'), v. pron. Se mettre dans l'embarras, être dans l'embarras. *Cette maison de commerce est, dit-on, un peu embringuée.* R. *En bringues.*

EMBRONCHE, adj. Sombre, soucieux, inquiet, de mauvaise humeur. *Un air embronche. Un visage embronche. Vous me semblez embronche, Monsieur Nicolas.* Dans le vieux français on dit: *Embronché*, terme connu en Suisse, et recueilli par plusieurs dictionnaires modernes.

EMBROUILLAGE, s. m. Embrouillement, confusion, mic-mac. Terme méridional.

EMBROUILLAMINI, s. m. Brouillamini.

EMBROUILLE, s. f. Embrouillement, confusion, gâchis.

EMBROUILLER, v. a. Brouiller, mêler. *Embrouiller du fil. Écheveau embrouillé; ficelle embrouillée.* Ce sens du verbe «Embrouiller» manque dans les dictionnaires.

EMBUMANTER, v. a. Mettre de l'engrais, mettre du fumier.

ÉMINE, s. f. Mouture, salaire du meunier. Voyez le mot suivant.

ÉMINER, v. a. et n. Terme de meunier. Prendre une certaine quantité de farine ou de grains pour se payer quand la personne qui a donné à moudre n'a pas d'argent. [P. G.]

EMME, ÉME, ou EIME, s. m. Esprit, intelligence, jugement. *Il n'a point d'eime.* Terme jurassien, dauphinois et vieux français. R. *anima?*

ÉMOTTER, v. a. Émonder. *Émotter un ormeau.* C'est le mot patois *émotà.*

ÉMOURGER (S'), v. pron. S'animer, se réveiller, se donner de la peine. *Courage, Adolphe, émourge-toi. C'est aujourd'hui qu'il faut s'émourger.* A l'actif, *émourger,* mettre en train.

EMPAFFER (S'), v. pron. Signifie: 1° S'empiffrer, se gorger de nourriture; 2° Faire excès de vin ou de liqueurs. Terme français populaire.

EMPARE, s. f. Marge, champ. (fig.) *Prendre de l'empare* (prendre de la marge); *avoir de l'empare* (avoir de la marge). *En évaluant à 25,000 francs nos frais d'établissement, nous avons de l'empare.* En vieux français, *emparer* signifie: Prendre, saisir.

EMPARER, v. a. Soutenir le parti de quelqu'un. *Emparer quelqu'un; emparer une gageure.* En vieux français, *emparer* signifie: Protéger, fortifier; *emparement,* protection.

EMPÂTIÈRE, s. f. Huche, pétrin, pétrissoire. Dans notre patois, *patîre* a le même sens.

EMPATOUFFLER (S'), v. pron. Se couvrir, se remplir involontairement les mains ou le visage d'une matière gluante ou épaisse. *S'empatouffler de miel; s'empatouffler de suif; s'empatouffler de beurre. L'enfant niait avoir visité l'armoire des provisions; mais son visage empatoufflé de confitures le trahissait.* R. *patte?*

EMPÊCHER À QUELQU'UN DE. Dites: Empêcher quelqu'un de. *Je lui empêcherai bien d'entrer. Empêche-leur de se battre. Notre plus belle vache a une maladie qui empêche au lait de sortir.*

EMPÉGÉ, ÉE, adj. et part. Embarrassé, empêtré, pris, arrêté. *Nous fûmes accostés et empégés par ton babillard de cousin.* En provençal, *empeiga* signifie: Enduire de poix, coller. R. *pége.* Voyez ce mot.

EMPELOTONNER, v. a. Pelotonner.

EMPESTIFÉRÉ, ÉE, adj. et part. *Une chambre empestiférée.* Dites: Une chambre empuantie, empestée, puante.

EMPLÂTRE (UNE). Ce mot est masculin; mais il était encore féminin au dix-septième siècle, et il l'est encore dans plusieurs dialectes populaires de France.

EMPLÂTRE, s. m. (fig.) Coup bien appliqué, horion, soufflet. *Donner un emplâtre. Si tu répliques un seul mot, tu as un emplâtre.* Terme méridional.

EMPLÂTRER, v. a. (fig.) Choyer, dorloter, traiter avec une délicatesse outrée. *Emplâtrer un enfant. Eugénie est emplâtrée par sa mère.* Au réfléchi, *s'emplâtrer* signifie: Se dorloter, se choyer. «Emplâtre,» s. m., homme mou, femme sans vigueur, est français.

EMPLÂTRER (S'), v. pron. Se salir, se couvrir les mains de matières sales ou glutineuses. *Je voulus prendre le coquemar et je m'emplâtrai.* Terme méridional. Ce sens manque dans les dictionnaires.

EMPLÉTER, v. a. Faire emplette. *Empléter une robe; empléter du sucre et du café.* Terme suisse-roman et savoisien.

EMPLETTE, s. f. Nous disons: *J'ai fait l'emplette d'une table. J'ai fait l'emplette d'un canapé,* etc. On doit retrancher l'article et dire: J'ai fait emplette d'une table, j'ai fait emplette d'un canapé.

EMPOIGNÉE, s. f. Lutte, conflit. *Ils se rencontrèrent et eurent ensemble une rude empoignée.*

EMPOIS, s. f. *Empois blanche; empois cuite,* etc. Ce mot est masculin: Empois blanc, empois cuit.

EMPOISONNER, v. actif. Puer, communiquer une mauvaise odeur. *Recule-toi, tu empoisonnes la pipe. Cette vieille mendiante empoisonnait l'eau-de-vie. Votre chambre empoisonne le brûle.*

EMPOISONNER, v. a. (fig.) Infecter, infester. *Votre prairie est empoisonnée de mauvaises herbes; ce champ est empoisonné de rats et de sauterelles. La France nous empoisonne de mauvais romans.* Ces diverses significations du mot «Empoisonner» manquent dans les dictionnaires.

EMPOUTOUILLE, s. f. Terme des campagnards. Brouillamini, discours confus et embrouillé, bagout inintelligible. *Quelle empoutouille tu nous fais là!*

EMPOUTOUILLER, v. a. Embrouiller (au sens propre et au sens figuré). *Échevette empoutouillée.*

EMPRÔGER, v. n. Voyez AMPRÔGER.

EMPUANTER, v. a. Empuantir, infecter.

EN, prép. Pour. *Une tailleuse en hommes.* Dites: Une tailleuse pour hommes. Dans une comédie de LE SAGE, intitulée: *Les trois Commères* (acte I, scène 9), on trouve cette phrase: «Je suis cordonnier POUR femmes.»

EN, prép. À (avec mouvement devant un nom de ville). *Aller en Carouge, aller en Seyssel,* etc. Expression de nos campagnards, fort usitée en Savoie, à Lyon et dans le Midi. Un guide de Chamouny me disait: *Je pris ces deux Anglais à La Roche, je passai avec eux le Petit-Bornand, et je les conduisis jusqu'en Thônes.* «Un tel fut conduit captif *en* Alger,» est une phrase que chacun de nous a rencontrée dans les vieux romans.

EN, prép. À la (avec mouvement). *Aller en Diète. Ils quittèrent la campagne le 15 septembre et ils rentrèrent en ville.* Phrases incorrectes.

EN, prép. Est retranché à tort dans l'expression suivante: *Il ne fit ni un ni deux et lui appliqua un soufflet.* Dites: Il n'EN fit ni un ni deux. [ACAD.]

† EN, prép. Est inutile et vicieux dans les phrases suivantes: *Cela ne fait en rien; cela ne signifie en rien.*

EN AGIR. *En agir bien, en agir mal, en agir librement,* etc., ne sont pas des expressions avouées par les grammairiens. Il faut dire: Agir bien, agir mal, agir librement; ou: En user bien, en user mal, en user librement.

EN BAS, prép. *En bas la Tour de Bois; en bas la rue Verdaine; en bas Coutance; en bas Chevelu.* «En bas» n'est pas une préposition, c'est un adverbe. Pour être correct il faut dire: En bas DE la rue Verdaine, en bas DE Coutance, en bas DE Chevelu; ou mieux encore: Au bas de la rue Verdaine, au bas de Coutance, etc.

EN BONNE FOI, loc. adv. De bonne foi, sincèrement.

EN-ÇÀ, adv. Çà, ici. *Joson, mon ami, viens en-çà, et salue toute la companie.* Dites: Joson, mon ami, viens çà, viens ici.

ENCABOURNER (S'), v. pron. Se tenir enfermé, se tenir caché chez soi. *Il reste tout le jour encabourné.* Terme neuchâtelois et languedocien. Dans le dialecte vaudois on dit: *S'encabiborner.* R. *cabourne.* Voyez ce mot.

EN CAMPE. En course, en campagne. *Être en campe,* être sur pied, courir çà et là. *Mettre en campe,* mettre en campagne, envoyer à la découverte. *Toute la gendarmerie est en campe.*

ENCANTER, v. a. Acheter à l'encan.

ENCAVAGE, s. m. Encavement, action d'encaver.

ENCHEBROTTER ou ENCHEVROTTER, v. a. Bredouiller, parler dans un langage confus et embrouillé. *Qu'est-ce que tu nous enchebrottes là? Qu'as-tu tant à enchebrotter?* On dit aussi: *Lanchebrotter.*

ENCHENAILLER, v. a. Terme de charpentier, qui signifie: 1° Ajuster le tenon dans la mortaise; 2° Lier fortement.

ENCHEVALER, v. a. Ranger des colis les uns sur les autres, les mettre, pour ainsi dire, *à cheval* les uns au-dessus des autres.

ENCLINTE, adj. fém. Encline. *Votre tante Judith a le visage bien échauffé; ne serait-elle point enclinte à la boisson?*

† ENCOMPAGNER, v. a. Accompagner. *Allez dire à la Mariette qu'elle nous encompagne.*

ENCOQUER, v. a. Terme de pêcheur. Étourdir le poisson ou l'enivrer au moyen de la coque du Levant. Terme méridional.

ENCORE PASSE. *Faire un tel voyage à pied!... Encore passe, si nous étions dans la belle saison.* Dites: Passe encore, si, etc.

ENCOUBLE, s. f. Signifie: 1° Entraves, liens dont on embarrasse les pieds d'un cheval; 2° Obstacle, empêchement, embarras. *Ces deux cousines, qui arrivent la veille de notre déménagement, sont une fière encouble.* Terme provençal. R. *couble*, tresses de paille qui servent d'entraves aux pieds des chevaux.

ENCOUBLER, v. a. Gêner, embarrasser. *Un paillasson troué m'encoubla. La jeune fille s'encoubla dans sa robe et tomba.*

ENCOURAGER (S'), v. pron. *S'encourager à l'ouvrage,* signifie, dans notre dialecte: Travailler avec ardeur. *Encourage-toi, Justine, si tu veux nous faire plaisir.* «S'encourager» est un verbe réciproque.

† ENCRE, s. masc. *De l'encre épais.* Ce solécisme est une tradition du vieux français. Dites: «De l'encre épaisse.»

ENCRE À LA CHINE, s. f. Encre de Chine.

ENCROIRE (FAIRE). *T'imagines-tu me faire encroire une semblable bêtise?* Terme méridional. Dites: T'imagines-tu me faire accroire? etc.

EN CROIRE (S'). S'en faire accroire, être glorieux, se pavaner, faire le faraud. *Voyez donc comme il s'en croit! Tu t'en crois, toi, parce que tu as un paletot neuf.* Terme méridional.

ENCROTTER, v. a. Enfouir, enterrer. *Encrotter un chien, encrotter un cheval.* Terme suisse-roman, savoisien, berrichon, etc. Nos campagnards disent aussi: *Encrotter un tison dans les cendres.* En vieux français, *crot* signifie: «Creux.»

ENCUCHER, v. a. Terme rural. Envélioter, mettre le foin en véliotes. Voyez CUCHET.

EN DERNIER, loc. adv. Voyez DERNIER.

EN DESSUS DE, prép. Au-dessus de. *Le village de Gingins est à une lieue en dessus de Nyon.*

ENDOLORÉ, ÉE, adj. Terme vieux français. Dites: «Endolori, ie.»

ENDOSE, s. f. Orthographe et prononciation vicieuses du mot «Endosse.» Les dictionnaires disent: «Avoir l'endosse, tu en auras l'endosse.» Nous disons: *Porter l'endose, tu en porteras l'endose.*

ENDRUGER, v. a. Mettre de l'engrais dans un champ. Voyez DRUGE.

† EN EFFET DE, loc. adv. En fait de. *En effet d'habit des dimanches, je n'ai que ma blouse neuve. En effet de linge, j'ai deux chemises et un vieux paire de bas. En effet de légume, parlez-moi des écorces noires. En effet de viande, parlez-moi d'une lièvre.* Expression fort usitée.

EN ÉTÉ. *Se mettre en été*, signifie: Quitter les habillements d'hiver et se vêtir légèrement. *Chez nous il n'est jamais prudent de se mettre en été avant le milieu du mois de mai.*

ENFANTIAU, s. m. et adj. Celui qui fait des enfantillages. *Faire l'enfantiau; être très-enfantiau.* Dans le vieux français, *enfanteau* signifiait: Petit enfant.

ENFANTIOLE, s. f. et adj. C'est le féminin du mot *enfantiau. À ton âge, Albertine, s'amuser de la sorte, c'est être bien enfantiole. Tu es une véritable enfantiole.*

ENFANTISE, s. f. Enfantillage.

ENFARÉ, ÉE, adj. Enfariné, ée. *Il est accouru, la bouche tout enfarée, m'apprendre... que les sauteurs viennent d'arriver.*

ENFAUFILER, v. a. Se glisser dans. *Enfaufiler un sentier. S'enfaufiler*, v. pron. Se faufiler, s'introduire, se glisser.

ENFILÉE, s. f. Enfilade. *On nous fit traverser une longue enfilée de chambres et de corridors.*

EN FIN DE COMPTE, loc. adv. Au bout du compte, en résumé, enfin.

ENFLAMMATION, s. f. Inflammation.

ENFLAMMATOIRE, adj. *Rhume enflammatoire.* Dites: «Inflammatoire.»

† ENFLE, adj. Enflé. *À la suite d'une tombure, son genou devint tout enfle.*
Français populaire.

ENFONCE, s. f. Enfoncement. *Il demeure dans un certain recoin, dans une certaine longue, vilaine enfonce de la rue du Perron.*

ENFOURNER (S'), v. pron. S'enfoncer, se fourrer. *Quand la nuit on crie à l'eau! mon poltron s'enfourne dans son lit et laisse crier.* Dans le dialecte languedocien, *s'enfourna* se dit du vent qui entre avec impétuosité et s'engouffre dans un lieu étroit. Ces deux sens du verbe *s'enfourner* manquent dans les dictionnaires.

ENGLAUDINER, v. a. Enjôler, endoctriner, duper. *Par tes paroles mielleuses tu espères peut-être m'englaudiner, mais bernicle.* Dans le Jura on dit: *Englauder.* R. *Glaude* ou *Claude*, nom propre, qui est quelquefois synonyme de «niais.»

† ENGOND, s. m. Gond. *Poser les engonds; arracher les engonds.*

ENGORGELER et ENGORGER, v. a. Faire entrer par force un aliment dans la *gorge*; ingurgiter. *Il fallut lui desserrer les dents et lui engorger sa potion.*

ENGRINGER, v. a. Chagriner, rendre triste, peiner. Terme suisse-roman. Dans le vieux français, *engraigner* a le même sens. R. *gringe*. Voyez ce mot.

ENGRENER (S'), v. pron. Se dit surtout des personnes, et signifie: S'engager dans une affaire, y participer. Se prend d'ordinaire en mauvaise part. *Si tu t'engrènes une fois dans cette spéculation, je crains pour ta bourse.* Terme recueilli par Boiste et par Chapsal. Nous disons aussi à l'actif: *Engrener*, dans le sens de «Commencer.» *Engrener une affaire. Engrener des relations. La chose fut mal engrenée et elle échoua.* Le dictionnaire de l'Académie et celui de Mᵣ Bescherelle ne disent rien de satisfaisant.

ENGUEUSEUR, EUSE, s. Celui ou celle qui engueuse, qui endoctrine, qui trompe par de belles paroles. Terme familier, qui ne s'emploie guère qu'en plaisantant.

ENGUIGNACHÉ, CHÉE, adj. Qui a du guignon, qui est en guignon. Augmentatif d'*enguignonné.*

ENGUIGNÔCHER (S'), v. pron. S'habiller étrangement, s'accoutrer d'une manière qui apprête à rire. Ne se dit que des femmes.

ENGUIGNONNÉ, NÉE, adj. Qui a du guignon, qui est en guignon. *Permettez-moi de quitter le jeu, je suis trop enguignonnée aujourd'hui.* Terme parisien populaire.

EN HAUT ou EN HAUT DE, prép. *En haut la Cité; en haut la Treille; en haut de Coutance.* Dites: Au haut de la Cité, au haut de la Treille, etc.

ÉNIERLER (S') ou S'ÉNIARLER, v. pron. Se fatiguer à l'excès, s'éreinter. L'ancien *Glossaire* dérive le mot *énierler* de la préposition latine *e*, et de *nerio*, force, puissance. Le mot *nerio* ne se trouve pas dans les dictionnaires. Mais, sans recourir aux langues anciennes, les mots genevois populaires *Nière, nierf,* ou *niarf,* nous fournissent spontanément la véritable étymologie de ces deux termes.

ENJOUER, v. a. Mettre en joue, coucher en joue. *Le garde-chasse enjoua notre braconnier.* Ce mot n'est pas dans les dictionnaires.

EN LÀ, adv. En delà, plus loin. *S'il vous plaît, Messieurs, tirez-vous en là, placez-vous tant soit peu en là. Aide-moi, Drion, à mettre ce placard plus en là.* Terme languedocien, etc.

ENLESSIVER, v. n. Encuver le linge destiné à la lessive.

ENLIASSER, v. a. Mettre en liasse. *Enliasser du linge,* c'est: En faire une trousse, l'accoupler. Terme méridional.

ENLIER, v. a. et n. Agacer. *Être enlié,* signifie: 1° Avoir les dents agacées; 2° Avaler avec difficulté. [P. G.]

† EN MÊME DE. À même de, en position de, capable de. *Tu n'es pas en même de me rattraper. Si M'sieu voulait m'avancer deux écus de cinq francs, je serais en même de les lui rendre dans trois mois.* Terme lyonnais et méridional.

ENNIFLÉ, ÉE, adj. Enchiffrené, ée. [P. G.]

ENNIÔLER, v. a. Terme d'écolier. *Je t'enniôle,* c'est-à-dire: Je me moque de toi. *Je vous enniôle tous,* c'est-à-dire: Vous pouvez tous aller au d.....

ENNOSSER, v. a. Engouer, embarrasser le passage du gosier en mangeant ou en buvant trop vite. *S'ennosser,* s'engouer, perdre la respiration en buvant de travers, ou en mangeant trop vite. *Il s'ennossa au point qu'il fut obligé de quitter la table.* Dans le vieux français, *énosser* signifie: Boucher le gosier avec un *os.*

ENNUYANT, ANTE, s. Ennuyeux, euse. *Tu es une ennuyante. Va-t'en, petite ennuyante, et laisse-nous tranquilles.* Terme méridional. «Ennuyant» n'est pas un substantif; c'est un adjectif et un participe.

ENNUYER (S'), v. pron. *S'ennuyer de quelqu'un* ou de *quelque chose,* signifie: S'ennuyer de l'absence de quelqu'un; regretter la privation d'une chose dont on avait joui. *Tu fais bien de revenir, Baptiste, car tout le monde s'ennuyait de toi. Mme N** s'ennuie de son appartement* (elle regrette de l'avoir quitté). On dit dans le même sens, et cette expression est plus usitée que la précédente: *S'ennuyer après quelqu'un; s'ennuyer après quelque chose. Je m'ennuie après ces deux aimables étrangers.* Expression connue en Lorraine, et sans doute ailleurs.

† ÉNONDÉ, DÉE, part. Inondé, dée. *La seille coulait, et la pauvre Marguerite en fut tout énondée. Cette averse nous a énondés.*

ÉNOSSER, v. a. Voyez ENNOSSER.

EN OUTRE DE CELA, loc. adv. Outre cela.

EN PLACE DE, prép. Au lieu de. *En place de vin, donnez-nous une cruche de bière. En place d'un mur, établissez une bonne haie. En place d'étudier, tu babilles.* Français populaire.

† EN PREMIER, adv. Premièrement, d'abord. *Nous irons en premier chez l'oncle, et ensuite chez le cousin.* Français populaire.

ENRAIDI, IE, adj. et part. Voyez ENROIDI.

ENRAUFER ou ENRÔFER, v. a. Salir, couvrir d'ordures. En vieux français, *roffée* signifie: Gale, croûte de gale. [Voyez ROQUEFORT, *Glossaire de la langue romane.*]

ENROIDI, IE, adj. et part. Roidi, devenu roide par le froid ou par une cause quelconque. *Je me sens tout enroidi, tout enraidi; j'ai le cou enraidi. S'enroidir* ou *s'enraidir*, v. pron. Se roidir. *Mon bras et ma main s'enraidissent.* Terme méridional.

ENROSSER, v. a. Flouer, attraper, mettre dedans. *On t'a joliment enrossé avec ce cheval. Il s'est laissé enrosser d'un tas de rossignols* (rebuts de magasin). *Le croyez-vous assez enrossé avec sa vieille comtesse?* R. *rosse.*

† ENROUCHÉ, ÉE, adj. Enroué, qui a de l'enrouement. *Le froid l'a enrouché. Pauvre Suzon, te voilà donc bien enrouchée.* R. *rouche.* Voyez ce mot.

ENROUURE, s. f. Enrouement, maladie du gosier. *Une forte enrouure.* Terme suisse-roman, dauphinois et languedocien.

† ENSAUVER (S'), v. pron. Se sauver, s'enfuir. *Ensauve-toi, ensauve-toi! on te court après. Voilà l'huissier: ensauvez-vous!*

ENSEIGNE, s. f. *À bonne enseigne,* c'est-à-dire: À juste titre, avec des sûretés. *Si ton frère a pris cette résolution, ce n'est qu'à bonne enseigne.* On dit en français: «À bonnes enseignes.»

ENSEVELIR et ENTERRER n'ont point le même sens. «Ensevelir,» c'est: Envelopper un corps mort dans le drap appelé linceul. «Enterrer,» c'est: Mettre en terre le corps mort. L'historien suisse, Ruchat, s'est donc exprimé peu correctement dans la phrase suivante: «Calvin mourut le 27 mai (1564), et fut *enseveli* tout simplement au cimetière commun de Plainpalais.» Il fallait dire: Enterré, ou Inhumé.

ENSEVELISSEMENT, s. m. Ne dites pas: *Accompagner un ensevelissement. Regarder passer un ensevelissement. L'ensevelissement défila pendant plus d'une demi-heure.* Dites: Accompagner un convoi, accompagner un enterrement, accompagner une pompe funèbre, etc.

† ENSOUVENIR (S'), v. pron. Se souvenir. *Ensouviens-t'en, Gabriel, ensouviens-t'en bien: je t'attends demain à la Jonction.*

ENSUITE, adv. D'ailleurs, de plus, au surplus. *Devais-tu, André, te gendarmer de la sorte, quand ton père te réprimandait? Premièrement il en a le droit; ensuite tu es véritablement dans tes torts.* Expression gasconne, etc.

ENSUITE (D'). *L'année d'ensuite.* Dites: L'année suivante, l'année d'après. [ACAD.]

ENTAILLER (S'). Se couper, se faire une coupure, une incision dans la chair. *S'entailler le doigt; s'entailler la main.* Ce verbe, pris dans cette acception, manque dans les dictionnaires.

ENTE (LA). *La ente d'un poirier; la ente d'un rosier. La ente a bien réussi.* L'e initial de ce mot ne s'aspire pas. Il faut écrire et prononcer «L'ente.» L'ente a bien réussi, etc.

ENTE, s. f. Terme de couturière. Voyez ENTER, n° 2.

ENTÉCHER, v. a. Mettre en tas. Se dit particulièrement des fourrages. Voyez TÈCHE.

ENTENDU (UN). Un plan concerté, un plan combiné, une collusion secrète. *C'est un entendu entre eux* (c'est une affaire arrangée et calculée entre eux). Terme méridional.

† ENTENTION, s. f. Attention. *Faites entention, ma bonne Dame, vous pourriez glisser.* Terme vieux français, que l'on trouve déjà dans le *Roman de la Rose*, ainsi que l'adjectif *ententif* (attentif).

ENTER, v. a. Greffer. Nous aspirons l'*e* initial de ce mot, comme s'il s'écrivait *henter.* C'est une faute aussi grossière que fréquente. Ne dites donc pas: *Je soigne cet arbrisseau pour le enter quand le moment sera favorable;* dites: «Pour l'enter.»

ENTER, v. a. Terme de couturière. *Enter des bas,* veut dire: Remonter des bas, les raccommoder en y ajoutant des bouts. Terme suisse-roman et méridional. Dans l'évêché de Bâle on dit: *Renter.*

ENTERREUR, s. m. Fossoyeur, celui qui creuse les fosses destinées aux morts. Terme dauphinois et languedocien. On dit à Marseille: *Un enterre-mort.*

ENTICHER (S'), v. pron. S'entêter, s'éprendre d'une personne. *Il s'enticha d'une comédienne, et il l'épousa. Il est entiché de lui-même et il s'admire.* L'Académie dit: «S'enticher d'une opinion, s'enticher d'un système;» mais elle ne dit pas: S'enticher d'une personne. Expression fort admissible.

ENTORSE, s. f. Nous disons: *Se faire une entorse; il se fit une entorse au pied.* Il faut dire: «Se donner une entorse.»

EN TOUT ET PARTOUT. Sorte d'adverbe, qui signifie: En total. *À la fin de ce long voyage, il ne leur restait en tout et partout que trois francs.*

ENTRAIN, s. m. Ardeur au travail. *Étudier avec entrain. Travailler avec entrain. Je n'ai point d'entrain, je n'ai aucun entrain aujourd'hui.* Ce substantif, si usité chez nous et si remarquable, n'existe pas en français.

ENTRE, prép. *Ils n'avaient entre eux tous que sept francs à dépenser.* Ce sens de la préposition *entre* n'est pas français. Il faut dire: «Ils n'avaient ensemble que sept francs à dépenser.»

ENTRECOT, s. m. (*o* bref.) Ruelle, ruelle formée par les boutiques ou échoppes qui bordent nos Rues basses. *Traverser un entrecot; s'échapper par l'entrecot. On nous fit passer par un corridor étroit, ou, pour mieux dire, par un entrecot.*

ENTRE DEUX. Nous disons: *Être entre deux,* pour signifier: Être indécis, être en balance, hésiter. *Partirai-je? Resterai-je? Je suis là entre deux.* Expression méridionale.

ENTREPOSER, v. a. Déposer. *Entreposer sa canne, entreposer son ombrelle à l'entrée d'un lieu public.* «Entreposer,» en français, n'a aucun autre sens que celui de: Déposer des marchandises dans un entrepôt.

ENTRER, v. actif. Mettre dedans ce qui était dehors. *Entrer le bois au grenier; entrer les fauteuils dans le salon; entrer les vases dans la serre,* etc. *Entrer son chapeau* (l'enfoncer dans sa tête). *Elle s'est entré une écharde dans le doigt.* Expressions incorrectes, ou qui, du moins, n'ont pas l'autorité des dictionnaires.

† ÉNUTILE, adj. Inutile. ÉNUTILEMENT, adv. Inutilement.

ENVERJURE, s. f. Envergure, que l'on prononce *enverghure* (comme *figure*). R. *vergue.*

ENVERS, s. m. Clou, furoncle. *Il dormit sur l'herbe humide, et il lui sortit des envers par tout le corps.* Terme suisse-roman.

EN VEUX-TU? EN VOILÀ. Cette locution adverbiale signifie: À foison, abondamment, en grande quantité. *C'était un bal magnifique: il y avait des glaces en veux-tu? en voilà.*

ENVIER QUELQU'UN. *Envier les riches. Tu vas demain aux Treize Arbres, Catherine: ah! que je t'envie.* On dit: «Envier une chose;» on ne dit pas: *Envier quelqu'un.*

ENVIRONS (AUX), prép. *J'irai te voir aux environs de Noël. Quel âge a ton garçon, compère?—Il a aux environs de douze ans. Quelle heure est-il?—Il est aux environs de quatre heures.* Dites: Près de Noël. Il est quatre heures environ, etc.

ÉPARE, s. f. Penture, bande de fer pour soutenir les portes et les fenêtres. Terme suisse-roman. A Lyon on dit: *Empare.*

ÉPARGNE, s. f. Binet, petit instrument qu'on adapte au chandelier pour brûler les bouts de chandelle. A Neuchâtel, en Dauphiné, en Languedoc et en Lorraine on dit: *Une ménagère*; en Picardie, *un profit*; en Limousin, *une économie.*

ÉPAULE, s. f. (fig.) Grappillon au haut d'une grappe et qui en dépend. *Accepterais-tu ce raisin, Fanny?—C'est beaucoup trop; mais j'en prendrai avec plaisir une épaule.* Expression très-juste.

ÉPAUTE, s. f. Épeautre, sorte de froment.

ÉPENALET, s. m. Tranche de lard coupée au dos d'un cochon. C'est un morceau estimé des paysans gourmets. [P. G.]

ÉPICACUANA ou ÉPÉCACUANA, s. m. *Tablettes d'épicacuana.* Écrivez et prononcez «Ipécacuana.»

ÉPIDERME. *Épiderme délicate.* Ce mot est masculin.

ÉPINARDS. Ce substantif est masculin; mais beaucoup de personnes le font féminin et disent: *De bonnes épinards.* Cette faute nous vient du patois, où le mot *épenoches* (épinards) est féminin.

ÉPINGLE D'ÉPOUSE, s. f. Camion. [Voyez le *Vocabulaire français* de Mr PAUTEX, 9e édition, p. 57.]

ÉPINGOLER, v. a. Épingler, déboucher la lumière d'une arme à feu avec une épinglette.

ÉPINGOLOIR, s. m. Épinglette.

ÉPINGUE, s. f. Prononciation vicieuse du mot «Épingle.»

ÉPINIACHER ou ÉPINASSER, v. a. Au sens propre ce mot signifie: Peigner les échappes ou tresses de chanvre; défaire les échappes et les mettre en quenouilles. Au sens figuré il signifie: Ébouriffer les cheveux, les mettre en désordre. *Les trois quarts du temps vous rencontrez cette jeune personne tout épiniachée.*

ÉPION, s. m. Espion. ÉPIONNER, v. a. Espionner.

ÉPISODE, s. fém. Au milieu du dernier siècle, le genre de ce mot n'était pas encore fixé; aujourd'hui il est masculin. «Un court épisode; un charmant épisode.»

ÉPIZOOTIE, s. f. L'Académie veut que l'on prononce *épizo-o-tie*, en donnant au *t* un son dur, comme dans *rôtie*.

ÉPOULAILLÉ, ÉE, part. Épouvanté, ée; effrayé, ée. *Elle vint tout époulaillée me dire qu'elle croyait avoir vu un loup. Tu t'époulailles de rien, Dorothée.* Dans notre patois, *poulaille* ou *polaille* signifie: «Poule.»

ÉPOUSE (L'). La femme d'un tel. *Je vous présente mon épouse. Je vais monter en char avec mes deux garçons et mon épouse. Si Monsieur avait occasion d'une excellente courtepointière, je lui recommanderais mon épouse.* Dans tous ces exemples il faut dire: «Ma femme.» Voyez l'article ÉPOUX.

ÉPOUSE, s. f. Nous disons d'une femme parée avec affectation ou avec un soin outré: *Elle est parée comme une épouse.* Il faut dire: Elle est parée comme une épousée; ou mieux: Comme une épousée de village. [ACAD.]

ÉPOUSES DU MOIS DE MAI (LES). Jeunes villageoises qui, dans un costume aussi gracieux qu'elles le peuvent, vont, le premier dimanche du mois de mai, offrir des bouquets aux promeneurs et leur demander une étrenne.

ÉPOUSSETER QUELQU'UN. L'expulser, le chasser d'un lieu où il était importun. En français, «Épousseter» veut dire: Battre, châtier.

ÉPOUSSOIR, s. m. Époussette, sorte de grande brosse.

ÉPOUSTACHER ou ÉPOUSTATER, v. a. Chasser quelqu'un, le renvoyer avec humeur. Augmentatif d'*épousseter*. Voyez ce mot.

ÉPOUX, s. m. Ne signifie point: «Fiancé.» *Épouse* ne signifie point: «Fiancée.» «Époux» veut dire: Mari, dans le style noble; «Épouse» veut dire: Femme, dans le style poétique et oratoire, ou quand on parle de la femme d'un roi, d'un prince ou d'un seigneur.

ÉPUISETTE, s. f. Écope, sorte de pelle creuse pour ôter l'eau d'un bateau.

ÉQUIFFLE, s. f. Canonnière. Voyez ÉCLIFFE.

ÉQUIPAGE, s. m. Voiture, cabriolet, etc. *Aller en équipage; mettre les chevaux à l'équipage; laver un équipage.* En français on appelle «Équipage» la voiture et le cheval. La voiture seule ne s'appelle pas *équipage.*

ÉRAILLÉ, ÉE, adj. *Visage éraillé, teint éraillé, peau éraillée.* Ces divers sens du mot «Éraillé» manquent dans les dictionnaires; mais on y trouve: «Œil éraillé.»

ERCE, s. f. Gerce, larve de la teigne des pelleteries.

ÉREINTE, s. f. Outrance. *À toute éreinte*, à toute outrance. *Il y allait à toute éreinte; il le battait à toute éreinte.* Français populaire.

ÉREINTÉE, s. f. Volée de coups. *Appliquer une éreintée. Recevoir une éreintée.*

† ERGENT, s. m. Argent. *Une cueillère en ergent.*

ÉRINIÈRES, s. f. pl. Douleur de reins, lumbago, courbature. *Avoir les érinières.* On dit à Lyon: *Les enreinières.*

ERREUR, s. f. Écart, différence. *Je demande six francs de ce beau dinde, et vous m'en offrez trois!... Il y a trop d'erreur.*

† ERRIÈRE, adv. Arrière. *Il fit trois pas en errière.* Terme français populaire.

† ERTEUIL, s. m. Voyez ARTEUIL.

ÉRYSIPÈLE ou ÉRÉSIPÈLE (UNE). Ce mot est masculin. «Érésipèle ou Érysipèle dartreux.»

ÈS. Aux (à les). Nos paysans disent: *La boîte ès lettres*, pour: La boîte aux lettres. *La soupe ès faviûles*, pour: La soupe aux haricots. *D'ei étâ ès pommes* (j'ai été aux pommes), etc. Ce vieux terme ne s'est conservé en français que dans trois ou quatre dénominations: Bachelier ès lettres, Docteur ès sciences, Maître ès arts, et dans quelques phrases de pratique. L'emploi de ce mot, chez nous, est continuel dans la bouche des campagnards.

ESCALIER, s. m. C'est une erreur de confondre les mots «Escalier» et «Degré.» Un escalier n'est pas un *degré.* Ne dites donc pas: *Le clocher du temple de Saint-Pierre a cent cinquante-six escaliers. Les jeunes garçons aiment à sauter les escaliers quatre à quatre.* Dans ces exemples et les analogues il faut se servir des mots «Degré» ou «Marche.» Descendre les degrés, sauter les degrés; monter les marches, descendre les marches, etc. «Un escalier,» en français, est ce que nous appelons vulgairement *une montée,* c'est-à-dire: La réunion de toutes les marches, de tous les degrés, depuis le rez-de-chaussée jusqu'à l'étage le plus élevé. On dira donc: Éclairer un escalier, monter un escalier, glisser dans l'escalier, tomber dans l'escalier, jouer dans l'escalier, etc.

ESCAMPETTE, s. f. Ce mot est français; mais, selon les dictionnaires, il ne s'emploie que dans cette locution: «Prendre la poudre d'escampette,» c'est-à-dire: S'enfuir. A Genève nous disons: *Faire une escampette; faire des escampettes; je commence à m'inquiéter de ses fréquentes escampettes.* Escamper, en vieux français, signifie: Décamper.

† ESCANDALE, s. m. Scandale.

ESCANDALISER, v. a. Scandaliser. *Oui, Messieurs, elle m'a dit: Fayasse; elle m'a dit: Vieille cauque; et j'en suis encore tout émotionnée, tout escandalisée.* Terme méridional et vieux français.

† ESCARAMOUCHE, s. f. Escarmouche.

† ESCARTER (S'). S'écarter. *Escartez-vous, Messieurs, s'il vous plaît. Jâques, tu ne t'escarteras pas de là.* Terme vieux français, conservé dans le langage des paysans.

ESCAVALANT (EN), ou EN ESCAVALON, loc. adv. En désordre, en déroute, sens dessus dessous. *La chambre était en escavalon, en escavalant. Gaudichon revint soû* (soûl) *du cabaret, et mit toute sa maison en escavalant.*

ESCIENT, s. m. Bon sens, raison, jugement, judiciaire. *Avoir de l'escient; manquer d'escient; faire preuve d'escient. Les dents d'escient* (dents de sagesse). Expressions d'un emploi journalier dans la Suisse romane. En français le mot «Escient» ne s'emploie que dans cette phrase: «À bon escient,» c'est-à-dire: Sciemment, avec connaissance de cause.

ESCLANDRE (UNE). *Une grande esclandre, une fameuse esclandre.* Ce mot est aujourd'hui masculin, après avoir été féminin jusqu'au milieu du dix-septième siècle. R. *scandalum.*

ESCORMANCHER (S'), v. pron. S'échiner à travailler, s'escrimer, se tourmenter, s'excéder. Terme suisse-roman.

ESCÔTE, s. f. Terme de batelier. Écoute, corde qui sert à diriger la voile. *Tirer l'escôte.* En vieux français: *Escoute.*

ESCUSE, s. f. Excuse. ESCUSER, v. a. Excuser.

ESPADRON, s. m. Espadon. ESPADRONNER, v. n. Espadonner.

ESPARGEOLER ou ASPARGEOLER, v. a. Asperger, jeter de l'eau avec un balai mouillé à cette intention.

† ESPÉTÂCLE, s. m. Spectacle. *C'était un espétâcle à vous fendre l'âme.* Terme méridional.

ESPICERIE, s. f. Épicerie. ESPICES, s. f. pl. Épices. ESPICIER, s. m. Épicier. Ces trois termes appartiennent au vieux français.

ESPINCHER, v. a. Épier, découvrir avec adresse, rechercher, poursuivre.

ESPLICATION, s. f. Explication. ESPLIQUER, v. a. Expliquer.

† ESQUELETTE (UNE). Un squelette.

ESSARTIR ou ESSERTER, v. n. Essarter, défricher en arrachant les bois et les épines. Du mot *esserter* sont venus les noms propres *Essertines*, *Les Esserts* et *Belesserts*, ou *Bellexserd*, ou *Ballexserd*, hameaux ou habitations voisines de Genève. R. *essart*, terre défrichée.

ESSEMER, v. n. *Les deux ruches ont essemé le même jour.* Orthographe et prononciation vicieuses du mot «Essaimer.»

ESSENCILLER, v. a. et n. (*ll* mouillés.) Terme de lessive. Faire égoutter le linge, l'étendre quand il vient d'être lavé et qu'il dégoutte encore. *Mettez ce linge essenciller au soleil. Ne rentrez pas ces draps: ils sont à peine essencillés.*

ESSERTER, v. a. Essarter, défricher. Voyez ESSARTIR.

ESSOURDELER, v. a. Assourdir. *Finis, Charles, avec ton tambour: tu nous essourdelles. Il parlait si haut qu'il m'essourdelait.* Terme suisse-roman. En Franche-Comté, *essourder*, en Lorraine, *essourdir*, ont le même sens.

ESSOURER (S'), v. pron. Sortir de chez soi pour prendre l'air. *Il faut que l'on s'essoure un peu aujourd'hui. Ce n'est pas s'essourer que de se promener dans des rues humides et étroites.* Nous disons aussi à l'actif: *Essourer des couvertures, essourer des coussins, essourer un lit*; c'est-à-dire: Les mettre à l'air. L'Académie dit: «Essorer du linge,» en ajoutant que ce terme est peu usité. *Essourer* et *s'essourer* sont fort usités dans le dialecte genevois.

† ESTATUE, s. f. Statue. *Il restait là planté comme un idoine, comme une estatue.* Terme méridional et vieux français.

ESTIME, s. f. Estimation. *Acheter des meubles à l'estime.* Terme méridional.

ESTOC, s. m. Esprit, imagination, sagacité, capacité. *Avoir de l'estoc*, signifie: Avoir de la tête, trouver facilement des ressources, se tirer d'affaire aisément. Le contraire est: *Manquer d'estoc, être sans estoc.* Terme picard et lorrain. En Dauphiné, *cela ne vient pas de son estoc*, signifie: Cela ne vient pas de lui. En vieux français, *estoc* avait le sens de: Race, extraction, lignée; et dans le dialecte de Valenciennes on appelle *homme d'estoc* «Un homme comme il faut.»

ESTOMAC (UNE). *Estomac dérangée, estomac serrée.* Ce mot est masculin, et il se prononce *estoma.*

ESTOMACHIQUE, adj. Stomachique.

† ESTRAIT, s. m. *Estrait d'absinthe. Un verre d'estrait.* Écrivez «Extrait,» et donnez à l'*x* le son qui lui est propre.

ESTRANGALA, s. f. Grand filet de pêche. Terme vaudois.

† ESTRÉMENT, adv. Extrêmement. *Le temps n'est pas, pour dire, estrément mauvais. N'as-tu pas estrément soif, Carizot?*

ESTRIFFE, s. f. Discussion, dispute, querelle, castille. Dans le vieux français ce mot était masculin et il s'écrivait *estrif.*

ESTRINGOLER, v. a. Étrangler. *Que le d..... t'estringole!* Terme vaudois, berrichon et rouchi. Le peuple de Paris dit: *Espringoler. S'estringoler,* v. pron., signifie: Se donner beaucoup de peine, se tourmenter, se fatiguer, s'échiner. *Je suis là à m'estringoler toute seule, pendant que cette charoupe d'homme me regarde faire. Nous nous sommes toutes trois estringolées à cette lessive.* R. *stringo* ou *strangulo?*

† ESTRORDINAIRE, adj. Orthographe et prononciation vicieuses du mot Extraordinaire.

ÉTABLISSEUR, s. m. *Un établisseur d'horlogerie,* est Celui qui fait confectionner, *établir* les montres, par opposition au marchand qui les vend.

ÉTALABOURDI, IE. Augmentatif d'*élourdi.* Voyez ce mot.

† ÉTALIE. Italie. ÉTALIEN. Italien.

ÉTARTIR (S'), v. pron. S'étendre par terre, tomber tout de son long. *Il resta étarti et sans connaissance.* R. *stratus.*

ÉTATS, s. m. pl. *Être dans tous ses états,* signifie: Être fort troublé, être fort agité, se désoler, ne pas se posséder. Nous disons dans le même sens: *Se mettre dans tous ses états; se mettre dans des états affreux.* Terme suisse-roman.

ÉTATS, s. m. pl. *Prendre les états,* se dit d'une domestique qui, ayant quitté le service, s'habille à la façon des dames. *Félicie a pris les états.*

† ÉTENAILLES, s. f. pl. Tenailles. *Tends-me voir les étenailles.* Terme méridional, etc.

ÉTENDRE, v. a. *Étendre du fumier.* Dites: «Épandre du fumier,» c'est-à-dire: Le jeter çà et là en plusieurs endroits, l'éparpiller.

ÉTIEURNE, s. des 2 genres. Voyez ÉCUERNE.

ÉTIRE, s. f. Sorte de gaffe ou grande perche ferrée pour conduire les barques. *Aller à l'étire.*

ÉTONNER (S'), v. pron. *Je m'étonne si... Je m'étonne comment... Je m'étonne pourquoi... Je m'étonne où...* Ces expressions signifient: Je voudrais bien savoir si... J'aimerais bien savoir comment... Il me tarde de savoir pourquoi... *Je m'étonne si je recevrai ce soir une réponse à ma lettre. Je m'étonne si le mariage en question aura lieu. Je m'étonne s'il fera beau temps demain. Je m'étonne comment finira leur procès. Je m'étonne où l'on peut se procurer d'excellentes chaussures. Je m'étonne où est ma clef d'armoire. Je m'étonne pourquoi notre Ernest n'est pas invité à ce bal. Je m'étonne quand notre contingent reviendra*, etc. Les grammairiens condamneront sans doute cette expression, et diront doctoralement qu'on *s'étonne* d'une chose qui est arrivée, mais non pas d'une chose incertaine et non avenue. Pour nous, passant condamnation là-dessus, nous ferons observer: 1° Que les expressions: *Je m'étonne si, je m'étonne quand, je m'étonne pourquoi*, sont universellement usitées dans la Suisse romane; 2° Qu'elles ont une rapidité, une concision et une originalité remarquables; 3° Qu'elles n'ont aucun équivalent meilleur en français.

ÉTOUFFÉE, s. f. *Des haricots à l'étouffée.* Terme vaudois, neuchâtelois, savoisien, etc. Dites: À l'étuvée.

ÉTOUFFER DE RIRE (S'), v. pron. Étouffer de rire. [ACAD.]

ÉTOUILLER (S'), v. pron. Étendre les bras en bâillant, s'étirer. Terme des campagnards. [P. G.]

ÉTRAMER, v. a. Terme des campagnards. Serrer, renfermer, abriter, mettre à couvert. En vieux français, *estran* signifie: Couverture de paille, chaume. En Picardie, en Normandie, en Franche-Comté et en Lorraine, *étrain* a le même sens. R. *stramen*.

ÉTRANGER, v. actif. Surfaire. *Étranger les Anglais, étranger les voyageurs.* «Étranger,» v. a., est français, mais dans une autre acception.

ÉTRANGER, s. m. Pays étranger. *Vivre dans l'étranger; s'établir dans l'étranger; il s'est marié dans l'étranger.* Les dictionnaires disent: «À l'étranger.» Passer À l'étranger.

ÊTRE, v. auxil. Ce verbe est mal employé dans les phrases suivantes: *Quatre et quatre sont huit; sept et sept sont quatorze.* Dites: Quatre et quatre FONT huit; sept et sept FONT quatorze.

ÊTRE, v. auxil. *C'est incroyable les belles vaches qu'il y avait à la foire de Nyon. C'est immense le nombre des curieux qui entourait l'escamoteur.* Construction claire, simple, concise, mais qui ne soutiendrait pas l'examen grammatical.

ÉTRET, ÉTRETTE, adj. C'est ainsi que nos campagnards prononcent les mots «Étroit, Étroite»: prononciation qui était encore usitée en France au milieu du dix-huitième siècle. Le grammairien Féraud, qui vivait à cette époque, dit positivement: «On écrit Étroit, mais l'on prononce indifféremment *étroit* ou *étret*.»

ÉTRILLÉE, s. f. Rossée, volée de coups.

† ÉTROICEUR, s. f. Étroitesse. *L'étroiceur d'une planche; l'étroiceur d'un passage*, etc. Terme vieux français. Le dictionnaire de Cotgrave écrit: *Estroisseur*.

† ÉTROICIR, v. a. Étrécir. *Étroicir un gilet, étroicir une manche d'habit*, etc. Terme franc-comtois, bordelais et vieux français. Par une opposition bizarre, la langue française dit: «Étroit» et «Étrécir,» tandis que nos campagnards disent: *Étrait* et *Étroicir*.

ÉTROUBLES, s. f. pl. Éteules ou esteubles, chaume; ce qui reste sur la terre du tuyau des épis après la moisson. *Tourner les étroubles*. Terme connu dans le Berry. Figurément: *Être dans les étroubles*, signifie: 1° Être dans l'embarras, être perplexe, s'embrouiller dans un discours; 2° En parlant des choses: Avoir disparu, être égaré, être perdu. *Ton canif, Joseph, a donc passé par les étroubles*. En Normandie, *étoubles*, et en vieux français, *estoubles*, signifient: Chaume nouveau. L'ancien *Glossaire* pense que le mot *étroubles* est formé, par contraction, des deux mots *eaux troubles*. Étymologie inadmissible.

† EUX, pron. pers. *Eux* est mis pour «lui» dans la phrase suivante et phrases analogues, qui sont familières aux gamins. *Dis-moi, enfant, où va ce petit garçon qui pleure?—M'sieu, il s'est donné un coup à la tête, et il se rentourne chez eusse (chez eux)*.

† ÉVALANCHE, s. f. Avalanche. ÉVALANCHER, v. n. S'ébouler.

ÉVEILLON, s. m. Soufflet, mornifle, coup qui *réveille*. *Il lui flanqua un éveillon qui le fit taire*. A Neuchâtel on dit: *Un réveillon*.

ÉVENTAIRE, s. m. Inventaire. *On fit l'éventaire de la petite commode et du placard*. Terme parisien populaire.

ÉVITATION, s. f. *En évitation de frais*. Terme consacré. Dites: Pour éviter des frais.

ÉVITER, v. a. *Éviter une peine à quelqu'un, éviter un embarras à un ami, s'éviter un souci*, ne sont pas des expressions correctes. Dans ces phrases et les analogues, il faut se servir du mot «Épargner.» Épargnez-moi ce travail; épargnez-lui cette course; épargne-toi cette peine; épargnons-leur cette confusion.

ÉVOUATER ou ÉVOUÉTER, v. a. Terme des campagnards. Grappiller.

EXCROC, s. m. Écrivez «escroc,» et prononcez *escrô*.

EXCROQUER, v. a. Escroquer.

EXCOFFIER, v. a. Escoffier, tuer, faire disparaître.

EXCUSE, s. f. *Demander excuse. Je vous demande excuse. Demande-moi excuse, Louisa.* Ces phrases ne sont pas correctes, quoique fort usitées en Suisse et ailleurs. Dites: Demander pardon; je vous demande pardon; ou dites: Faire des excuses; je vous demande de m'excuser; je vous prie de m'excuser.

EXERCICE, s. m. Nous disons: *Prendre de l'exercice.* On dit en français: «Faire de l'exercice.» «Vu son embonpoint, il faut qu'il fasse de l'exercice.» [PICARD, *Le Collatéral*, IV, I.]

† EXERCICE (UNE). *Le caporal Gandinaud est aux arrêts pour avoir manqué la première exercice.* Ce mot est masculin.

EXPÉDIER (S'), v. pron. Se dépêcher, se hâter, accélérer. *Expédions-nous, Messieurs, l'heure approche.*

† EXPRÈS (PAR), adv. Exprès. *Tu m'as rejiclé de la gouille, Urbain, et tu y as fait par exprès.* Français populaire.

EXTERMINER, v. a. Battre à outrance. *Il se jeta sur l'agresseur, et l'extermina de coups.* «Exterminer» est français, mais dans des acceptions différentes.

EXTRAIT DE BAPTÊME, s. m. Extrait baptistaire.

EXTRAVAGUÉ, GUÉE, s. Extravagant, extravagante. *Ne va pas couriater avec tes cousins, petite extravaguée.*

F

FAÇON, s. f. *Faites de façon à ce que l'affaire marche promptement. De façon à ce que...* est une expression incorrecte. Il faut dire: De façon que, de manière que.

FAC-SIMIL, s. m. Prononciation et orthographe vicieuses du mot «fac-simile,» lequel se prononce *«fac-similé.»*

FAÏASSE ou FAYASSE, s. f. et adj. Femme qui se fait remarquer par une mise étrange, par un accoutrement bizarre et même choquant, et dont elle semble satisfaite. *Quel air faïasse! Quelle tournure faïasse! Une vieille faïasse. Se mettre comme une faïasse; avoir l'air d'une faïasse.* Dans le dialecte rouchi on dit: *Fouïasse.* Voyez FÂYE.

FAIBLER, v. n. Faiblir, céder. *La poutre commençait à faibler; elle faiblait; elle a faiblé; elle faiblera.* Terme très-connu des artisans.

† FAIGNIANT, s. et adj. Orthographe et prononciation vicieuses du mot «Fainéant.» *C'est un faigniant; c'est une faigniante.* Français populaire.

FAIGNIANTISE, s. f. Fainéantise.

FAILLI-FAILLETTE (À). *Jouer à failli-faillette,* jouer à coup faillant, jouer à coup failli.

FAIRE, v. a. *Faire plusieurs maîtres,* se dit des domestiques qui changent souvent de condition. *Elle a fait six maîtres en deux ans.* Nous disons pareillement: *Faire plusieurs domestiques,* pour: Changer plusieurs fois de domestiques: expressions qui appartiennent aux dialectes du Midi. En Dauphiné, et ailleurs sans doute, on dit dans le même sens: *Cet enfant a fait plusieurs nourrices.*

FAIRE, v. a. *Il fait son homme d'importance; elle fait sa grande dame; ne fais pas ton rodomont.* Dites avec les dictionnaires: Il fait l'homme d'importance; elle fait la grande dame; ne fais pas le rodomont.

FAIRE À UN JEU. *Faire à colin-maillard; faire à barre; faire à passe-Jean,* etc. Fautes suisses et méridionales. Les dictionnaires disent: Jouer à un jeu; jouer à colin-maillard, jouer aux barres, etc.

FAIRE BON DE. *Il fait bon de connaître son monde; il fait bon de boire frais en été; il fait bon en hiver de travailler dans une chambre chaude.* Dites: Il EST bon de connaître son monde; il EST agréable de boire frais en été; ou dites, en retranchant la préposition *de:* Il fait bon connaître son monde, il fait bon boire frais en été, etc.

FAIRE CHERCHER. Envoyer chercher, appeler. *Qu'on fasse chercher le médecin; qu'on fasse chercher le notaire,* etc. Dites: Qu'on appelle, qu'on envoie chercher le médecin, le notaire, le confesseur, etc. Germanisme qu'on retrouve en Lorraine et sans doute ailleurs.

FAIRE DANS. *Ce marchand fait dans les draps; Francillon fait dans les spiritueux; Antoine fait dans les denrées coloniales.* Dites: Ce marchand fait le commerce des draps; Francillon fait le commerce des spiritueux, etc.

FAIRE DEMANDER. Envoyer savoir. *J'ai fait demander de vos nouvelles. A-t-on fait demander des nouvelles de mon beau-frère?* Locution de la Suisse romane.

FAIRE LES CARTES. Mêler les cartes. En France, «faire les cartes» signifie: Donner. [ACAD.]

FAIRE TENIR. Assujettir, consolider. *Faire tenir une patère; faire tenir un contrevent,* etc. Terme suisse-roman.

FAIRE (À). Affaire. *Il s'aperçut bien vite qu'il avait à faire à un fripon.* Écrivez en un seul mot: Affaire. «Avoir affaire à un fripon.»

FAIRE (À). *Avoir à faire,* avoir des affaires. *Qu'on ne reçoive personne ce matin, car j'ai beaucoup à faire.* Expression fort répandue, mais que le bon usage n'a pas consacrée. Il faut dire: J'ai beaucoup d'affaires, je suis occupé.

FAIRE (S'EN). *Je croyais m'en tirer avec cent sous, je m'en suis fait pour quinze francs.* Dites: J'ai dû y mettre quinze francs. *Dans un seul dîner, il s'en firent chacun pour dix francs,* c'est-à-dire: Un seul dîner coûta à chacun d'eux dix francs. Expression méridionale, etc.

FAISANT, ANTE, adj. Agissant, actif, qui met la main à tout. *Je vous recommande notre Pernette, c'est une domestique très-fesante.*

FAJOLE et FAJULE, s. f. Terme des campagnards. Haricot. On dit à Lyon: *Fiageole*; à Cambray, *fageole*; dans le Faucigny, *fajoule* et *fajole*; en vieux français, *fasol.* R. *phaseolus.* Voyez FAVIOLE.

FALET, adj. masc. Rouan. Se dit des chevaux dont le poil est mêlé de blanc, de gris et de bai.

† FALLOIR, v. impers. *Il faudrait mieux* (il vaudrait mieux). *Il faudrait mieux se taire que de parler aussi sottement.* Français populaire. Plus populairement encore, quelques-uns disent: *Il fadrait; il fadrait mieux.*

FALOT, s. m. Lanterne. *Allumez votre falot, Isaline, et partons.* En Français, on appelle «falot» une grande lanterne faite de toile, et que l'on porte d'ordinaire au bout d'un bâton.

FAMEUSEMENT, adv. Très, fort, extrêmement. *Il resta fameusement capot. Nous eûmes tous fameusement peur.* Français populaire.

FAMINER, v. n. Avoir grand faim. *Ces pauvres enfants faminaient.* Expression très-adoptable.

† FANTÔME (UNE). Une femme ridicule, folle, *folache. Sa fantôme de cousine n'était pas faite pour nous attirer. La Louison est toujours mise comme une fantôme.* Le peuple de Lyon donne aussi à ce mot le genre féminin. *Il crut voir une fantôme.*

FANTÔMERIE, s. f. Enfantillage, billevesée.

FAQUINER, v. n. Faire le faquin.

† FARÂ, s. f. Voyez FÉRA.

FARATTE, s. f. Se dit d'une femme indiscrète, épilogueuse, bavarde, tatillonne, marchandailleuse, *barbouillonne* enfin. *N'ayez rien à faire avec la Michaude: c'est une faratte.*

FARATTER, v. n. Faire la *faratte.* Voyez ce mot.

† FARBALA, s. m. Falbala. *Une robe à grands farbalas.* Terme lyonnais, rouchi, etc.

FARCE, adj. Bouffon, plaisant, facétieux. *Un comédien farce, une actrice farce. Voilà qui est farce.* Français populaire.

FARCELLE, s. f. Faisselle, sorte de plat criblé de trous pour égoutter les fromages. Terme vaudois. Dans notre patois on dit, suivant les localités: *Farcela, faikala, facel-lä* et *fächó-lä.* Dans le Jura on dit: *Fachalle*; dans le Berry, *fachelle.*

FARCEMENT, s. m. Terme culinaire. Farce, chou farci avec des épinards, des châtaignes et des raisins secs. A Lausanne et à Neuchâtel on dit: *Farçon*; en Languedoc et en Provence: *farsun.*

FARCEMENT, adv. Drôlement, plaisamment. *L'affaire se termina farcement. Il joua ce rôle assez farcement.*

FARÇONNETTES, s. f. pl. Laitues farcies.

FARET, s. m. Mèche d'une lampe ou d'une chandelle. *Couper le faret.* Terme vaudois, savoisien et dauphinois. *Faret,* au sens figuré, se dit d'une personne maigre, malade, et dont la vie semble près de s'éteindre. *Un tel n'a plus que le faret.* On le dit aussi d'une étoffe qui n'a que l'apparence. *Cette étoffe n'a que le faret.*

FARETTES, s. f. pl. *Faire ses farettes,* signifie: Réussir, faire bien ses affaires, faire ses orges.

FARFOUINER, v. a. Farfouiller. *Farfouiner des livres; farfouiner une armoire.*

FASCINE, s. f. Sorte de gros fagot destiné au foyer, falourde. *Une centaine de belles fascines coûte environ vingt-sept francs.* Terme suisse-roman et savoisien. A Bordeaux, on dit: *Faissonnat*; dans le patois de l'évêché de Bâle et dans le patois lorrain, *faichin.*

FASTES, s. f. pl. «Il travaille pour dérouler à ses concitoyens les *fastes* glorieuses de leurs annales.» [*Journal de Genève*, janvier 1833.] Ce mot est du genre masculin. «Fastes glorieux, fastes brillants.»

FATRASSER (SE), v. pr. S'accoutrer, s'affubler, se fagoter. En vieux français, *fatrasser*, v. n., a ce même sens. [Voyez ROQUEFORT, *Glossaire roman*, t. I, p. 577.]

FAÜLAY, FAÜLET et FEULET, s. m. Terme des campagnards. Tourbillon, vent *follet*, qui fait tournoyer la poussière et autres corps légers, et les élève fort haut en colonne. Dans le Berry on dit: *Foulot.*

FAUTE, s. f. Besoin, nécessité naturelle. *Avoir faute.* Terme berrichon, etc. Chez les campagnards, *avoir faute d'une chose*, signifie: En avoir besoin. *D'ei fauta d'eună robă* (j'ai besoin d'une robe). *Attache ce sac, Jean-Pierre.— Non, il n'y a pas faute.*

FAUTIF, IVE, adj. Coupable. *Ne persiste pas à nier, et avoue que tu es fautif.*

FAUX, s. m. *Avoir du faux*, c'est: Vouloir paraître plus qu'on n'est, plus riche surtout, et d'un rang plus élevé. *Les parvenus sont d'ordinaire pleins de faux. Notre jeune tailleuse était charmante avant son mariage: elle a pris dès lors beaucoup de faux. Avoir du faux* et «être faux» sont deux choses très-différentes. On méprise et on fuit les gens qui sont faux. On rit de ceux qui *ont du faux*, on s'en amuse quelquefois: le plus souvent on les regarde en pitié.

FAUX CLAIR, s. m. Terme des tonneliers. Vin au bas, baissière, ripopée.

FAUX FIL, s. m. *Passer un faux fil*, faufiler.

† FAVETTE, s. f. *Un nid de favettes.* Terme vieux français. Dans le patois lorrain on dit: *Fâvatte.* En français: «Fauvette.»

FAVIOLE, s. f. Haricot. *Faviole à bouquets.* Terme suisse-roman et franc-comtois. En vieux français, *favouille* signifie: Petite fève. Au sens figuré, *faviole* ou *favioule* se disent d'un sot, d'un nigaud, d'un niais qui ajoute foi à toutes les sornettes, à tous les contes qui se débitent. *Oh! la faviole, qui ne voit pas qu'on se moque de lui!*

FAVIOLON, s. m. Graine de haricot.

FAYARD, s. m. (Prononcez *faïard.*) Hêtre. *Du bois de fayard. Un moule de fayard.* Terme suisse-roman, savoisien et méridional. Boiste et Gattel ont recueilli ce terme, en indiquant que c'est un provincialisme. A Neuchâtel on dit: *Foyard*; on le dit aussi dans l'évêché de Bâle, en Franche-Comté et dans le Berry.

FAYASSE, s. f. Voyez FAÏASSE.

FÂYE, s. f. Femme qui veut se singulariser par une mise bizarre, par un accoutrement choquant et ridicule, et dont elle semble tirer vanité. *Pense-t-elle, cette vieille fâye, qu'on la remarque? Avouez, Rosine, que votre jeune maîtresse s'habille quelquefois comme une fâye. Il n'y a qu'une fâye qui puisse mettre autant de fleurs voyantes à son chapeau.* En patois, *fâye* veut dire: Fée, sorcière.

FÂYES (LES), s. f. pl. Les brandons, les *alouilles*.

FELIN, s. m. Entrailles, fiel. *Ils se mangeaient le felin*; c'est-à-dire: Ils se querellaient vivement.

FELOGNE, s. f. Felougne, grande chélidoine, plante.

FÉMELIN, INE, adj. Frêle, délicat, qui a un tempérament de femme. *Visage fémelin; voix fémeline. Votre neveu est trop fémelin pour devenir jamais un soldat.* Terme vaudois, savoisien et vieux français.

FENALET, s. m. Sorte de pierre fort dure, excellente pour bâtir, et qui se tire des rochers de Meillerie. *Un mur en fenalet.*

FENDANT, adj. m. Un raisin *fendant* est celui qui se *fend* sous la dent, celui dont la gousse reste adhérente à la pulpe lorsqu'on le mange. L'opposé de raisin *fendant* est raisin *rafeux*.

FEND-L'AIR, s. m. Cheval qui fend l'air, coursier.

FENER, v. n. Faner, tourner et retourner l'herbe d'un pré fauché, pour la faire sécher. *Les dames elles-mêmes fenaient à côté des ouvrières.* Terme suisse-roman et français populaire. *Féner*, avec un accent sur l'*e*, se trouve dans quelques dictionnaires.

FENEUR, FENEUSE, s. Faneur, faneuse. *On invita les feneuses à ce bal champêtre.* Terme français populaire.

FENICULES, s. f. pl. Follicules de séné.

FENIÈRE, s. f. Fenil, grenier dans lequel on serre le foin. Terme méridional et vieux français.

FÉRÂ, s. f. Poisson qui est propre à notre lac. *Une belle férâ pèse jusqu'à trois livres.* On appelle *férâ du travers*, celle que l'on pêche sur le travers, c'est-à-dire, sur le banc de sable qui coupe le lac près de Genève, entre Cologny et Sécheron. De Saussure fait le mot *férâ* masculin. [*Voyage dans les Alpes*, t. 1er, p. 16.]

FÉRÂ, s. f. Au sens figuré ce mot signifie: «Le cœur.» *Dis voir, Christophe, la vue de cette exécution (1850) ne t'a-t-elle pas diantrement remué la férâ?* Nous disons proverbialement de deux personnes qui se querellent à outrance: *Elles se mangent le foie et la férâ.*

FERLATER, v. a. *Du vin ferlaté.* Terme méridional. A Paris le peuple dit: *Farlaté.* Le mot français est: «Frelaté.»

FERMATURE, s. f. Fermeture.

FERMENTE, s. f. Ferrure, garniture de fer. *La fermente d'un buffet.* Terme suisse-roman. En Dauphiné et en Languedoc on dit: *Féramente.*

FERMENTER, v. n. *Le foin fermente.* Dites: Le foin sue.

FERRATAILLE, s. f. Vieille ferraille, fer inutile et rouillé. Terme savoisien.

FERRON, s. m. Petit traîneau *ferré*, à l'usage des jeunes garçons, pour glisser sur la neige ou sur la glace. *Aller en ferron. Tomber de ferron.*

FERRONNEUR, s. m. Celui qui va en *ferron.*

FERTIER ou MARCHAND FERTIER, s. m. Ferronnier, marchand de fer. Terme vaudois et savoisien. On dit à Lyon: *Ferratier.*

FÊTE À DIEU, s. f. Fête-Dieu.

FEU (LE). *Jouer au feu.* Ce jeu d'enfant est appelé en France: «Jeu du moulin.»

FEU, s. m. Hêtre, fayard. *Feu* se dit au village de Veirier, à Monetier et lieux circonvoisins. En Languedoc on dit: *Fâou*; en vieux français, *fau.*

FEUILLE, s. f. Feuillet, deux pages d'un livre. *Distrait dans ma lecture, je tournai deux feuilles à la fois.*

FEVROTTER, v. n. Avoir la fièvre. Ce verbe n'est employé, je crois, que dans ce proverbe des campagnards: *Se fevry ne fevrotte, mâr marmotte.* «Si février ne tremble pas la fièvre,» c'est-à-dire: Si les rigueurs du froid ne tombent pas sur le mois de février, «c'est mars qui en souffre,» c'est-à-dire: Les rigueurs tombent sur le mois de mars. Voici le proverbe vaudois: *Se févrai ne févrotte, mar vein ke to debliotte* (mars vient qui *déblotte* et détruit tout). Voyez DÉBLOTTER, p. 137.

FIBRE (UN). *Fibres délicats; fibres tendus; longs fibres.* Solécisme fréquent, qui nous vient du vieux français, où ce mot était masculin. Au milieu du dix-huitième siècle, le grammairien Féraud faisait encore *fibre* masculin.

FICHAISE, s. f. Terme trivial. Chose de peu d'importance, bagatelle, vétille, niaiserie. *La belle fichaise! Dire des fichaises.* Français populaire.

FICHIMASSER, v. n. Terme trivial. Vétiller, s'amuser à des bagatelles. Français populaire.

FIDÉS, s. f. pl. *Des fidés blanches, des fidés jaunes.* Terme suisse-roman et savoisien. Le mot français est: «Vermicelle.» En gênois on dit: *Fidei*; en languedocien, *fidéou.* Le mot espagnol *fideos* veut dire: Corde de luth. R. latin, *fides.*

FIELLEUX, EUSE, adj. Atrabilaire, rancunier, haineux, froidement méchant, vindicatif. *Un homme fielleux; un caractère fielleux.* Terme fort expressif, qui manque dans l'Académie et même dans Boiste (6ᵉ édition). Mʳ Bescherelle lui donne un sens qu'il n'a pas chez nous.

FIERTE, adj. fém. Fière. *Tu fais bien la fierte, Marion. Tu es fierte de ton joli bonnet à dentelle.* Terme fort usité à Carouge et qui n'est pas inconnu dans les autres cantons de la Suisse romane.

FI ET FAIT ou FIEFFET, adj. masc. *Un fieffet menteur; un fi et fait bandit.* Écrivez «Fieffé,» et prononcez la dernière syllabe comme celle du mot *étouffé.*

FIÈVRE DES VEAUX, s. f. Tremblement, frisson après le repas. L'expression française est: «Fièvre DE veau. Avoir la fièvre DE veau.»

FIFRER, v. a. (fig.) Avaler, dévorer, dissiper. *Il a fifré six verres de vin de suite. Ce jeune homme a fifré tout son bien.* [P. G.] Quelques-uns disent: *Fifer.*

FIGÂCE, s. f. Galette, gâteau plat fait de fleur de farine. *Figâce aux pommes, figâce aux prunes,* etc. Dans le midi de la France on dit: *Fougasse*; en Bourgogne, *fouace,* terme recueilli par les dictionnaires.

FIGEAU, adj. masc. Penaud, consterné, pris, attrapé, dupé. *Être figeau.* On dit aussi: *Fligeau.*

FIGER (SE), v. pron. (fig.) Rester immobile d'étonnement, être stupéfait.

FIGUETTE, s. f. Fiole, flacon.

FIGURE, s. f. *Se laver la figure. Avoir la figure mâchurée. Il reçut un coup de poing à la figure.* Dans ces exemples et les analogues, employez le mot «Visage.» Se laver le visage; recevoir un coup au visage, etc.

FIGURER (SE). *Il se figure de pouvoir réussir.* Retranchez la préposition et dites: «Il se figure pouvoir réussir.»

FIL, s. m. Main, vrille. *Les fils de la vigne; les fils des fraisiers.* Terme dauphinois et languedocien.

FIL, s. m. (fig.) *Le fil de la langue. On ne lui a, certes, pas coupé le fil de la langue.* Le mot français est: «Filet.» Le filet de la langue.

FIL, s. m. *Parler à fil.* Se dit d'un babillard, et signifie: Avoir un flux de bouche, bavarder.

FILAGRAMME, s. m. Filigrane, ouvrage d'orfévrerie en filets à jour. Français populaire.

FILÉE, s. f. Longue file. *Une filée de voitures; une filée de chambres. Sur ce propos il lui lâcha une filée de sottises. On voyait une filée considérable de promeneurs monter le Pas de l'Échelle.*

FILER, v. a. (fig.) Nous disons proverbialement d'un homme dont la santé, ou les affaires, ou la réputation déclinent: *Il file un mauvais coton.* Tous les dictionnaires disent: «Il jette un mauvais coton.»

FILET DE CHEVAL, s. m. Le mot français est: Émouchette.

FILIÈRE, s. f. Terme de maçon. Brancard pour porter les pierres.

FILLASSE, s. f. (*ll* mouillés.) Signifie: 1º Une fille de mœurs irrégulières; 2º Une grande et grosse fille dégingandée et débraillée. Terme méridional.

FILLE DE CHAMBRE. On dit aujourd'hui: Femme de chambre.

FILLERET, s. m. (*ll* mouillés.) Dameret, damoiseau.

FILLEULE ou FILLOLE, s. f. (*ll* mouillés.) Terme de jardinier. Bouture, œilleton pris au pied des artichauts. *Lever des filleules.* Expression méridionale. Dans le canton de Vaud on dit: *Filleuse*; dans le Berry, et ailleurs sans doute, on dit: *Fille (des filles d'artichaut).*

FILLIOL, FILLIOLE, s. Filleul, filleule. *Il nous montrait d'un air satisfait la page d'écriture de son filliol.* Terme vieux français et français populaire. Dans le dialecte parisien on dit: *Fillot.*

FILOCHER, v. a. Faire de la filoche ou du filet. *Un fichu filoché. Elle apprenait à son jeune garçon à filocher.* Terme utile et bien fait.

FILS (LE). *As-tu rencontré le fils Bazoche depuis son retour?... Et le fils Meytral, l'as-tu vu?* Cette expression triviale doit se remplacer par celle-ci: As-tu rencontré Bazoche le fils? As-tu vu Meytral le fils? Mais on peut dire: La mère Bazoche, le père Meytral, etc.

† FINITION, s. f. Fin, dénouement, achèvement, conclusion. *La finition du procès.*

FISTE, s. f. Foi. Ne s'emploie que dans cette exclamation: *Ma fiste! Par ma fiste!* Terme provençal.

FIOU. Terme d'écolier, qui équivaut à: Fini, achevé, terminé. *C'est fiou; voilà qui est fiou; fiou tâche et ouvrage!*

FIOÛLER et FIULER, v. a. Fioler, boire à longs traits, siroter. *Ils fioûlèrent toute la nuit. En un clin d'œil les quatre bouteilles furent fioûlées.*

FIOÛLEUR, s. m. Fioleur, buveur intrépide.

FITRIPIS ou FITREPIS, s. m. pl. (*s* muet.) Chiffons, vieilles nippes. *Un tas de fitripis; un tiroir plein de fitrepis.*

FIXER QUELQU'UN. Le regarder fixement. *Je t'ai longtemps fixée, Augustine, sans te reconnaître.* Cette expression, blâmée de tous les grammairiens, a eu récemment pour avocat Mr Bescherelle aîné, dans son *Dictionnaire National*: ouvrage d'ailleurs très-remarquable, mais où la plupart des barbarismes de la langue ont trouvé asile et protection.

FLAIRER, v. n. *Ce réséda flaire comme baume.* Dites: Ce réséda fleure comme baume. Flairer est un verbe actif. («Flairer un bouquet.») Fleurer est un verbe neutre.

FLAÎRON, s. m. Enfant qui se fait soigner à l'excès, enfant gâté et pleurard. Le portrait du *Flaîron* a été tracé par Mr J.-F. CHAPONNIERE, dans l'*Album de la Suisse romane*, t. Ier.

FLAÎRONNER, v. a. Gâter un enfant, le dorloter, le choyer. *Juliette aime à se faire flaîronner.*

FLAMBANT, ANTE, adj. (fig.) Brillant, éclatant, myrobolant. *Un repas flambant; un discours flambant; un habit flambant; une toilette flambante.* Expression heureuse, qui n'a pas d'équivalent exact dans la langue des dictionnaires.

FLAMBÉE, s. fém. Feu clair, vif et qui n'est fait que pour un instant. *Allons! vite une flambée et nous partons. Cette petite flambée nous avait tout ragaillardis.* Terme berrichon, normand, picard, etc.

† FLAMBOISE, s. f. Framboise. *Confiture aux flamboises.* Terme lyonnais et méridional. En rouchi on dit: *Flambesse.*

FLAMMER, v. n. Flamber, jeter ou donner de la flamme. *Ce feu ne veut pas flammer.* Terme suisse-roman, etc. Dans le *Roman de la Rose*, *flammant* signifie: Flamboyant.

FLÂNÉE, s. f. Rossée, *fouettée* à coups de verges.

FLÂNER, v. a. Donner, appliquer, sangler, flanquer. *Flâner une volée. Elle lui flâna un soufflet. Se flâner*, v. pron. se donner. *Se flâner un verre de vin sur la conscience.*

FLANQUER (SE), v. pron. Ne se dit qu'en mauvaise part, et signifie: Commencer à, se mettre à. *Au lieu de répondre à ton professeur, tu te flanques à rire. Nos deux nigauds ne font ni un ni deux, ils se flanquent à table les premiers.*

«Flanquer,» terme français populaire, signifie: Lancer, jeter brusquement. «Flanquer un coup de poing. Se flanquer dans la boue.» [ACAD.]

FLAPPE, adj. Signifie: 1° Flétri, fané, blet, pourri; 2° Flasque, mou, lâche. *Une poire flappe, une rave flappe.* Terme fort connu de nos campagnards et de ceux du canton de Vaud.

FLAPPET, ETTE, adj. Diminutif de *flappe.* Dans ces deux mots la lettre *l* étant mouillée, forme une onomatopée.

FLAQUE, adj. Mou, sans vigueur, sans ressort. Se dit des personnes et des choses. *Flaque,* dans le dialecte rouchi, signifie: Poltron. *S'aflaqui,* dans le patois languedocien, signifie: Devenir lâche, s'amollir.

FLÂR, s. m. Senteur, odeur, vapeur. *Le flâr du rôti. Le flâr d'un estaminet. Il venait de cette allée un flâr empesté.* En vieux français, *flâreur,* s. f., a le même sens.

FLASQUE, s. fém. Poire à poudre, sorte de bouteille pour mettre soit la grenaille, soit la poudre. *Une flasque en peau. Une flasque en corne.* Terme suisse-roman, savoisien, méridional et vieux français. On disait anciennement: *Flascon* pour «Flacon.»

FLATIBOLAGE, s. m. Action de *flatiboler.* Voyez ce mot.

FLATIBOLER, v. a. Flatter, cajoler, enjôler. *Rusé que tu es, après nous avoir fait endêver toute la semaine, tu viens le samedi soir nous flatiboler.* Expression charmante, connue dans le canton de Vaud, et peut-être ailleurs.

FLATIBOLEUR, s. m. Flatteur, cajoleur, enjôleur, patelin. *Petit flatiboleur, je vois assez clairement où tu en veux venir.*

FLAU, s. m. Prononciation vicieuse du mot Fléau (instrument à battre le blé), lequel mot forme deux syllabes. La prononciation *flau* se retrouve à Lyon, en Dauphiné, dans le Limousin, et ailleurs.

FLÉCHON, s. m. Petite flèche pour l'arbalète.

FLEGME (UNE). *Une flegme épaisse.* Ce mot est du genre masculin. «Un flegme épais.»

FLEUME ou FLEMME, s. m. Flegme, pituite, glaire. *Rejeter des fleumes.* Terme picard et vieux français. A Paris le peuple dit: *Flume.*

FLEUR DE PÊCHE, s. f. Fleur de pêcher. L'expression *Eau de fleur d'orange* se trouve dans le dictionnaire de l'Académie, t. II, p. 730, au mot «Sentir.»

FLEURIER, s. m. Drap de toile forte qu'on étend sous la table pendant le repas. *Mettre le fleurier. Ôter le fleurier. Secouer le fleurier.* Terme vaudois. A Chambéry on dit: *Florier.* Dans le Jura on appelle *fleurier* une pièce de grosse toile qu'on met sur la lessive pour contenir les cendres. Cette même toile s'appelle en Dauphiné et dans tout le Midi: *Flourier;* en français, «Charrier.»

† FLEUTRE, s. m. *Chapeau de fleutre.* Dites: «Feutre.»

FLIBUSTER, v. a. Tromper.

FLIGEAU ou FLIGEOT, adj. masc. Ne se dit que des personnes et signifie: 1° Dupé, trompé, floué; 2° Flambé, perdu. *Il se retira tout fligeau. Je vois bien qu'ils m'ont mis dedans et que je suis fligeau.* On dit aussi: *Figeau.*

FLON, s. m. Flan, tarte faite avec des œufs, du sucre et de la crème. Terme français populaire. *Flan* s'écrivait autrefois *flaon,* que les uns prononçaient *flon,* et les autres *flan,* comme nous prononçons *ton* et *tan* le mot «Taon.»

FLORIN, s. m. Nous disons proverbialement de quelqu'un qui a fait une mauvaise spéculation commerciale ou autre: *Il a fait de son florin cinq sous.* (Le *florin* de Genève, aboli depuis quelques années, valait quarante-six centimes.) L'expression française proverbiale est celle-ci: «Il a fait de cent sous quatre livres, et de quatre livres rien.» [ACAD.]

FLOTTE, s. f. Écheveau. *Flotte de fil; flotte de soie; flotte de chanvre.* Terme vaudois et méridional.

FLÛTE, s. f. L'Académie dit: «Ce qui vient de la flûte s'en retourne au tambour.» Nous disons à Genève: *Ce qui vient par la flûte s'en va par le tambour;* et l'on trouve ce proverbe exprimé de la même manière dans le *Dictionnaire des Proverbes* de LE ROUX [Lyon, 1735].

FOIE, s. m. Nous disons d'un homme bizarre, original, et qui ne fait rien comme les autres: *Il a le foie blanc.*

FOIN, s. m. Nous disons proverbialement: *Année de foin, année de rien;* ce qui veut dire que les années pluvieuses ne sont pas, dans notre pays, favorables à l'ensemble des récoltes.

FOIS (LA). *La fois que tu es venu me voir; la fois que nous voyageâmes ensemble,* etc. Ces phrases ne sont pas correctes. Il faut dire: «Le jour que tu es venu me voir,» ou il faut chercher une tournure différente.

FOIS (DES). Locution adverbiale qui signifie: 1° Quelquefois, de temps à autre; 2° D'aventure, par hasard. *Je suis des fois obligé de me fâcher. Que me voulez-vous, brave femme?—Oh là, Madame, on m'envoye vers ces dames, pour si des fois elles avaient occasion de fil ou de chevillères.* Français populaire.

FOLACHE, s. f. Femme bizarre, singulière, extravagante, femme qui a le timbre un peu fêlé. *Laissons cette folache, et partons.* Folache est aussi adjectif. *Convenez que votre amie est tant soit peu folache.*

FOLÂTRE (UN). Un homme qui a des singularités, des bizarreries choquantes. *Ce folâtre ne va-t-il pas lui-même acheter son beurre et ses œufs au marché?* En français, «Folâtre» a un autre sens.

FOLIU ou FOLLIU, s. m. (*ll* mouillés.) Le *foliu* est une réjouissance que font les petits bouviers ou *bovairons* le premier dimanche de mai. L'un se couvre le buste d'une enveloppe de feuillage garnie de fleurs et de rubans, et va avec quelques camarades faire la quête chez les particuliers, dont les uns donnent de l'argent, les autres du pain, ceux-ci du vin, ceux-là de la farine, des œufs ou des fruits. Ces jeunes gens s'amusent le reste de la journée à friper le produit de leur quête. [P. G.] En patois, *foliu* signifie: «Garni de feuilles.» On disait en vieux français: *Foillu.*

FONCÉ, ÉE, adj. Entièrement plein. *Un cuvier foncé.*

FOND, s. m. Nous disons: *Un fond d'artichaut.* Dans quelques provinces de France on dit: *Un portefeuille d'artichaut.* Les dictionnaires disent: «Un cul d'artichaut.»

FOND, s. m. Ampleur. *Cette culotte manque de fond. Ce caleçon a trop de fond.* Terme méridional, etc.

FOND, s. m. Terme de baigneur. Endroit où l'eau arrive au-dessus des épaules du baigneur. *Prendre son fond. Avoir son fond. Nager plus loin que son fond.*

FONDRAILLONS, s. m. pl. Fondrilles, effondrilles, résidu, dépôt, sédiment. Terme suisse-roman.

FONFONNER, v. a. Remplir à tel point une tasse, une écuelle, un pot plein, que le liquide s'en répand par les bords.

FORT, adv. *La voiture allait très-fort.* Dites: La voiture allait très-vite, très-rapidement.

FORT, adv. *Je sais fort*, signifie: Qu'en sais-je? Le sais-je moi-même? Comment le pourrais-je savoir? *Sais-tu, Nicolette, si tu auras la permission de sortir dimanche?—Je sais fort: notre bourgeoise est si quinteuse.* Cette expression, *Je sais fort*, marque le plus souvent un doute désagréable, et s'emploie quand on est de mauvaise humeur.

FORTUNE (LA BONNE). *Se faire dire la bonne fortune*, signifie: Se faire dire la bonne aventure.

FORTUNÉ, NÉE, adj. Beaucoup de personnes, dans tous les pays où l'on parle français, croient que l'adjectif *fortuné* signifie: Riche, opulent. *Vous pouvez faire cette dépense, vous autres qui êtes fortunés. Si j'étais fortuné, je m'achèterais une campagne et j'y vivrais.* Ce sens du mot *fortuné* n'est pas français. Ouvrez les dictionnaires, et vous verrez que «fortuné» signifie: Heureux, qui a du bonheur. On peut être fortuné et n'être pas riche.

FOSSOYEUR, s. m. Ouvrier qui fossoie. En français «fossoyeur» ne se dit que de celui qui creuse les fosses pour les morts.

FOU (DE). Nous disons: *Un mal de tête de fou. Le nouveau roman de George Sand a obtenu un succès de fou. Ce petit volume nous a coûté un argent de fou,* etc. Il faut dire: Un mal de tête fou; un succès fou; un argent fou, c'est-à-dire: Excessif, prodigieux. Cette faute, si fréquente à Genève, n'est signalée nulle part.

FOUDRES, s. m. pl. *Faire les foudres.* Se mettre dans une extrême colère, s'emporter jusqu'à la rage. *Tu es bien agitée, Janneton?—On le serait à moins. J'ai eu le malheur de payer une tomme 20 centimes au lieu de 18, et voilà que notre maîtresse m'agonise et fait les foudres.*

FOUETTE, s. f. Terme de pêcheur. Sorte de ligne. *Pêcher à la fouette.*

FOUETTE ou FOUATTE, s. f. Terme de tir. Sorte de baguette dont le *cibarre* (ou marqueur) se sert pour signaler et montrer les coups au fur et à mesure qu'ils se font.

FOUETTÉE (UNE). *Mériter la fouettée. Donner, appliquer une fouettée à un enfant. Recevoir la fouettée.* L'Académie dit: «Une fessée.»

FOUETTER, v. a. (fig.) Terme de tir. Se dit du marqueur ou *cibarre,* et signifie: Indiquer par un signe convenu que le coup du tireur n'a pas touché la cible. *Un coup fouetté,* est un coup perdu, un coup qui n'a pas touché la cible. *Sur six coups, Walter en a eu quatre de fouettés.*

FOUGNER, v. a. Fouiller. *Les gabeloux négligèrent de nous fougner.*

FOUINE, s. f. Coïncidence de rayons du soleil avec la pluie.

FOUINER, v. n. et act. Fouiller, fureter comme une *fouine. Il va fouinant partout. Que fouines-tu là? Quand cesseras-tu de fouiner dans cette dépense?* Terme valaisan, savoisien et limousin. Dans les dialectes de la France septentrionale, *fouiner* signifie: Fuir comme une fouine.

FOUINET ou FOUINEUR, s. m. Furet, fureteur. *C'est un fouinet, qui fourre son nez où il n'a que faire.*

FOUR, s. m. Nous disons: *Faire au four*. On dit en français: Cuire au four. *Les boulangers ne font pas au four le jour de Noël*. Expression suisse-romane et gasconne.

FOUR, s. m. *Commander au four*. Retenir place au four.

FOUR, s. m. Le proverbe: *On ne peut pas être à la fois au four et au moulin*, proverbe si connu chez nous, n'est pas dans les dictionnaires usuels; mais le vieux *Dictionnaire français-anglais* de COTGRAVE en fait mention.

FOURCHU, CHUE, adj. *Pied fourchu*. Pied fourché, pied fendu.

FOURGOUNER, v. a. Fourgonner, remuer la braise, tisonner.

† FOURMI (UN). Une fourmi. Dans le Berry et ailleurs, les campagnards font aussi ce mot masculin.

FOURNEAU, s. m. *Se chauffer à un fourneau*. *Plusieurs personnes préfèrent les fourneaux aux cheminées*. Ce que nous appelons *fourneau* s'appelle en France «Poêle.» Le mot «Fourneau» est français dans un autre sens.

FOURRE, s. f. Fourreau, taie, têt. *Une fourre d'oreiller. Une fourre de parapluie. La fourre du canapé.* Terme suisse-roman. Dans le patois du Faucigny, *fô-ră (fourre)* signifie: Bogue, enveloppe épineuse de la châtaigne.

FOUSSOIR, s. m. Fossoir, houe.

FOUSSOYER, s. m. Fossoyer, labourer au hoyau.

FRACTION, s. f. Effraction. *Un vol avec fraction.* Terme languedocien.

FRAIDIEU, s. f. Nom que les bateliers du lac de Genève donnent au vent quand il fraîchit ou qu'il devient plus fort. [P. G.]

FRANC, CHE, adj. *Être franc comme l'or. Il est franc comme l'or,* se dit de quelqu'un d'honnête, de probe, de loyal. Expression languedocienne, etc.

FRANC DE COLLIER. *Cheval franc de collier.* Dites: Cheval franc DU collier. Au sens figuré: «Être franc DU collier,» signifie: Suivre toujours la ligne du devoir et de l'honneur. [ACAD.]

FRANCHIPANE, s. f. Frangipane.

FRANCHIR, v. a. Affranchir, couper, tailler. *Franchir l'extrémité d'une branche; franchir les racines d'un arbuste avant de le replanter.* Terme des campagnards et des ouvriers.

FRANCILLON (UN). Un Français. Terme de dénigrement, créé vers la fin du dix-septième siècle, lorsque, à la révocation de l'Édit de Nantes, un très-grand nombre de familles françaises se réfugièrent dans notre ville et y exercèrent leur industrie, aux dépens et au grand déplaisir de quelques artisans nationaux. Une chanson composée à cette époque, et que nous avons sous les yeux, témoigne de cette mauvaise disposition des fabricants genevois.

FRAUDÉ, DÉE, part. *Du vin fraudé; de l'eau-de-vie fraudée.* Ce sens très-répandu du verbe «Frauder» n'est pas dans les dictionnaires. L'expression française est: «Frelater.» Vin frelaté. Eau-de-vie frelatée.

FREGALE, s. f. Rondin de bois à brûler.

FREGALON, s. m. Grosse bûche ronde.

FRELOQUE, s. f. Caprice, boutade, lubie. *Il lui prit une freloque, et il nous planta là.*

FRELORE, adj. Perdu. *Voilà mon argent frelore. Me voilà frelore.* R. allem. *verloren.*

FRENÉSIE, s. f. Écrivez et prononcez «Frénésie.»

FREPPE, s. f. Frette, lien de fer qui retient le moyeu de la roue.

FRÉQUENTATION, s. f. Cour honnête et avouée que reçoit une jeune ouvrière ou une domestique, et qui doit aboutir au mariage. *Avoir une fréquentation.* Expression consacrée.

FRÉQUENTER, v. n. Dans le langage des ouvrières et des domestiques, ce mot se prend en bonne part et signifie: Recevoir la cour d'un jeune homme, avoir un bon ami. *Elle n'est pas encore mariée, elle fréquente.*

FRÉSURE, s. f. Terme de boucherie. Fressure.

FRÊTE, s. f. Faîtage, crête. *La frête d'un toit; la frête d'une montagne.* «En suivant la frête de la montagne noire, etc.» [DE SAUSSURE, *Voyage dans les Alpes*, t. Ier, p. 500.] Terme suisse-roman et savoisien. Dans l'évêché de Bâle on dit: *Le frête.* Dans le dialecte rouchi, *frête* signifie: Élévation le long d'un fossé qui borde un champ.

FRICASSER, v. neutre. Avoir excessivement chaud. *Touche voir mes mains, comme je fricasse. On fricasse dans cette chambre vers ce fourneau.* Terme suisse-roman.

FRICASSER (SE)., v. pron. Se brûler involontairement une partie du corps. *La pauvre Drion s'est toute fricassée en fondant son beurre.*

FRIGOUSSE (LA). Le fricot, la bonne chère. *Faire la frigousse. La femme N** entend bien la frigousse; c'est une bonne* FRIGOUSSEUSE. Terme français populaire.

FRILIEUX, EUSE, adj. Frileux, qui est sensible au froid. Faute générale qui nous vient du vieux français, où ce mot s'écrivait *Frilleux* (*ll* mouillés).

FRINGALLE, s. f. Faim-valle, appétit dévorant. *Avoir la fringalle.* Terme français populaire.

FRISQUIN (LE). Le frusquin, le saint-frusquin, l'avoir d'une personne, le petit argent qu'elle a épargné. *Il a gaspillé tout son frisquin, tout son saint-frisquin.* Terme français populaire.

FRITIÈRE, s. f. Voyez FRUITIÈRE.

† FROID (LA). *Endurer la froid.* Solécisme très-répandu en Suisse et en France.

FROID (PRENDRE). Être surpris par le froid, avoir un refroidissement. *Ôte-toi de cette fenêtre, tu prendras froid.* Cette expression, si familière en Suisse, n'est pas inconnue en France, mais elle n'a l'autorité d'aucun dictionnaire usuel.

FROISSURE, s. f. *Froissure de chevreau.* Terme suisse-roman et savoisien. On dit en français: «Fressure.»

FROMENT ou FROUMAIN. Terme des campagnards. Bœuf dont le poil est d'un rouge tendre comme le *froment. Zouli, Froment!* sont des dénominations aussi usitées en Savoie et dans le Jura que chez nous.

FRONCER, v. neutre. Terme de modiste. Goder, faire des faux plis. *Cette robe fronçait; cette manche fronce encore.* «Froncer,» v. actif, est français.

FRONÇURE, s. f. Le mot véritable est: «Froncis.»

FROUILLE, s. f. Tricherie, fraude au jeu.

FROUILLER, v. n. Tromper au jeu, tricher. *Si tu frouilles encore une fois, je ne joue plus.* Terme suisse-roman.

FROUILLERIE, s. f. Tricherie, fraude au jeu.

FROUILLEUR ou FROUILLON, s. m. Tricheur.

FROÛLER (SE), v. pron. Se frôler, se frotter.

† FROUMILIÈRE, s. f. *Détruire une froumilière.* Dites: «Fourmilière.» Dans le Berry on dit: *Froumi* pour: «fourmi;» en vieux français, *fromi;* à Reims, *freumi,* et dans notre patois, *fremi.*

FRUIT, s. m. *Manger un fruit. Mangeriez-vous un fruit?* Cette locution n'est pas admise. L'Académie et les grammairiens veulent qu'on dise: Manger DU fruit, ou qu'on spécifie le fruit dont il est question. «Mangeriez-vous une pêche? Mangeriez-vous un abricot?»

FRUITE, s. f. Terme des campagnards. Cidre, vin de fruit. *Faire la fruite.*

FRUITIER, s. m. Fromager, celui qui fait le beurre et le fromage dans les *fruitières*. Terme suisse-roman et franc-comtois.

FRUITIÈRE, s. f. Fromagerie, laiterie, établissement où l'on fait le beurre et le fromage.

FUMERIE, s. f. Habitude de fumer du tabac, habitude de beaucoup fumer. *Crois-moi, Gustave, renonce à la fumerie. La fumerie prend chaque jour plus d'extension.*

FUMET, s. m. Fumeron. *Prenez mon chauffe-pied, Fanchon, et ôtez-en le fumet.* Terme vaudois, neuchâtelois et savoisien. On dit en Lorraine: *Un fumant.*

FUMETERRE (LE). Plante très-commune dans les champs. Ce mot est du genre féminin. «Une fumeterre.»

FUMIER, s. m. (fig.) Vieille chose, objet de rebut et qui embarrasse dans une maison. *À notre prochain déménagement nous nous débarrasserons de tous nos fumiers.*

FUR ET MESURE (AU). *Travaillez sans crainte, on vous payera au fur et mesure.* Il faut dire, selon les dictionnaires: «Au fur et à mesure,» ou bien: «À fur et mesure,» ou: «À fur et à mesure.»

FURON (LE). Le furet, amusement de société, qui consiste à se passer l'un à l'autre un objet, une clef, par exemple, avec assez de rapidité et d'adresse pour que cet objet échappe à la personne qui doit le saisir. *Faire au furon. Jouer au furon.* «Il a passé par ici, le *furon* du bois, Mesdames; il a passé par ici, le *furon* du bois joli.» Ces rimes se chantent pendant que le *furon* circule entre les joueurs. Le nom français de ce jeu est: «Jeu de la savatte.»

FUSÉ, SÉE, adj. Se dit surtout du bois qui est vieux et vermoulu. *Poutre fusée. Sapin fusé.* On appelle *linge fusé*, celui que l'humidité, ou le soleil, ou le laps du temps ont endommagé. *Un rideau fusé.*

FUSÉES, s. f. pl. (fig.) *Faire des fusées.* Vomir. Dans le langage parisien populaire on dit: *Jeter des fusées.* [Voyez le *Dictionnaire du Bas langage,* t. II.]

FUSER (SE), v. pron. Se dit des personnes, et signifie: Tomber en langueur, se consumer, dépérir. *Depuis la mort de son enfant, cette jeune dame est inconsolable; elle ne dort plus, elle ne mange plus, elle se fuse.* Ce verbe s'emploie aussi à l'actif: *La jeune Éléonore a un esprit ardent et une imagination qui la fusent.* Expressions remarquables, inconnues aux dictionnaires.

FUSTE, s. f. Sorte de tonneau. Terme suisse-roman et savoisien. En provençal *fusto*, et en vieux français *fust*, signifient: Pièce de bois de charpenterie. De ce mot *fust* s'est formé le vieux mot de *fusterie*, qui veut dire: Chantier, atelier de charpenterie. Une de nos principales places publiques s'appelle *Place de la Fusterie*.

FUSTIER, s. m. Marchand de planches, de chaux et de gypse. Terme vieux français. Dans le midi de la France, *fustier* signifie: «Charpentier.»

G

† GABINET, s. m. *Un gabinet sur le devant. Un gabinet à six fenêtres*, etc. Terme vieux français. On dit aujourd'hui: «Cabinet.»

GABIOLON, s. m. Cabinet borgne, petit *gabion*. [P. G.]

GABION, s. m. Bouge, cabinet qui sert de galetas. *Loger dans un gabion.* En languedocien, *gabio* veut dire: Une cage. En provençal, *gabiolo* signifie: Prison, maison de détention.

GÂCHE, s. f. Foin qui a crû dans un pré gâcheux.

GADIN, s. m. Layette; c'est-à-dire: Linge, langes, maillot et tout ce qui est à l'usage d'un enfant nouveau-né. *Faire le gadin. Donner le gadin.* Expression consacrée.

GADROUILLAGE, s. m. Action de *gadrouiller*, ou résultat de cette action. *Faire un gadrouillage; faire des gadrouillages.*

GADROUILLE, s. f. Mauvaise sauce, mauvaise boisson. *Ce n'est pas de la soupe que vous nous donnez là: c'est une gadrouille, c'est de la gadrouille.* Terme suisse-roman.

GADROUILLER, v. n. Se dit ordinairement des enfants, et signifie: Tripoter avec de l'eau, agiter sans précaution ou salement de l'eau avec les mains. *Les deux petites filles trouvèrent la seille pleine, et se mirent à gadrouiller.* Terme suisse-roman. Dans le dialecte rouchi on dit: *Gadouiller*, à Lyon, *gabouiller*.

GADROUILLON, ONNE, subst. Celui ou celle qui *gadrouille*.

GAFOUILLER, v. a. et n. Tacher avec de l'eau sale, salir. Se dit surtout des petits garçons et des petites filles. *On t'avait mis ce matin un tablier propre, Elisabeth, et le voilà gafouillé.* Au sens réfléchi, *se gafouiller*, signifie: Se salir en tripotant avec de l'eau malpropre; en provençal, *gaffouya*, barboter dans l'eau comme font les canards.

GAGE, s. m. *Le gage d'une domestique, le gage d'un cocher. Augmenter le gage d'un commis.* Pris dans cette acception, *gage* ne s'emploie qu'au pluriel: «Payer les gages, diminuer les gages.»

GAGER, s. m. Fripier.

GAGÈRE, s. f. *La gagère fera l'estime des meubles.* Terme vaudois et savoisien. On dit en français: «Fripière.»

GAGNER, v. a. *M^r R** gagne d'être connu.* Dites: M^r R** gagne À être connu. [*Acad.*]

GAGNER À SON AVANTAGE. *À mesure que notre petite Alexandrine grandit, elle gagne beaucoup à son avantage.* Gagne-t-on à son désavantage?

GAGUI, s. f. Femme ou fille éhontée, dont la mise annonce le désordre et la crapule. *Une dégoûtante gagui.* Terme vaudois et neuchâtelois. Dans le vieux français, *gagui* ou *gaguie* se disait d'une grosse femme, fraîche et enjouée.

GAI, GAIE, adj. Se dit figurément d'une chose qui est au large dans sa place, dans son lieu. *Cette vis est trop gaie, trop libre, elle ne tient pas. Ma tabatière était trop gaie, elle s'est ouverte dans ma poche. Cette nourrice a le lait gai.* Terme dauphinois, lorrain, etc., qui n'a point d'équivalent exact en français. Le dictionnaire de Trévoux [1721] avait relevé ce sens, qui a été abandonné à tort par la plupart des lexicographes subséquents. Laveaux l'a recueilli, mais il ne le donne que comme terme de marine: Un mât libre.

GAIEMENT, adv. (Au sens figuré.) *Cette vis entre trop gaiement,* c'est-à-dire: Elle est trop libre, elle ne serre pas assez.

GAILLEMÂFRER, v. a. Bâfrer, dissiper en excès de table.

GAILLEPAN, s. m. Mauvais drôle, chenapan, bandit, vagabond. En Normandie, on dit: *Galapian;* dans le Berry et en Picardie, *gaillepat;* dans le bas Limousin, *golopian,* etc.

GALAMAR, s. m. Écritoire. Voyez CALAMAR.

GALANCER (SE), v. pron. Terme des campagnards. Se balancer.

GALANDAGE, s. m. Cloison hourdée, cloison faite de bois et de gypse. *Ce n'est pas un mur, c'est un simple galandage. Deux coups de hache ont suffi pour enfoncer le galandage.* Terme lyonnais. En Franche-Comté on dit: *Galandure.* Dans le canton de Vaud, *un galandage* est une cloison en briques.

GALAVARDE, s. f. Petite fille qui aime à courir avec les garçons, ou qui en imite les manières. *Faire la galavarde.* Dans le midi de la France, *galavard* signifie: Goulu, goinfre, gouliafre; dans le vieux français il signifie: Gros réjoui, homme sans souci, vaurien.

GALAVARDER, v. n. Se dit des petites filles, et signifie: Garçonner, imiter les ébats des garçons, faire des jeux de garçons.

GALÈRE, s. f. Tombereau dont se servent les maçons et qu'ils traînent eux-mêmes. *Tirer la galère; transporter du mortier dans la galère.*

GALETAS, s. m. Ce mot ne signifie pas: Grenier; il signifie: 1° Logement pratiqué sous les combles; 2° Logement pauvre et mal en ordre. [ACAD.]

GALIAUFRE, subst. des 2 genres. Gouliafre, goinfre, glouton. En vieux français, *galiofe*.

GALIAUFRER, v. n. S'empiffrer, bâfrer, manger avidement et malproprement.

GALIET, s. m. Caille-lait, sorte de plante.

GALIMAUFRÉE, s. f. Galimafrée, fricassée composée de restes de viandes.

GALOP, s. m. Algarade, forte réprimande. *Donner un galop; recevoir un galop; il a eu son galop.* Français populaire.

GAMBÉE, s. f. *D'une gambée on le vit franchir le ruisseau.* Nos campagnards disent: *Une écambée. Faire une écambée.* Dans le canton de Vaud, *cambée*; en Dauphiné, *jambée.* Le mot français est: «Enjambée.»

GAMBER, v. a. *Gamber un fossé.* Le mot français est: Enjamber. Nos campagnards disent: *Écamber. Écamber une gouille.* Dans le canton de Vaud, *camber.* En vieux français, *gambe* ou *cambe* se disaient pour: «Jambe.»

GAMBION, s. m. Celui qui est contrefait des jambes, celui qui boite en marchant; bancroche. On dit à Lyon: *Gambille*; dans le Jura, en Bourgogne et dans le Berry, *gambi*; en Picardie, *gambète.* Dans le dialecte provençal, *bouès gambi* signifie: «Bois tortu.»

GAMBIROLET, ETTE, s. et adj. Bancroche, qui a les jambes arquées. En languedocien on dit: *Gambèrlié.*

GANDIN, s. m. Tapage, grand tapage, scandale. *Dis voir, Bosson, quel gandin il y a eu cette nuit dans la montée.*

GANDOISES, s. f. pl. Fariboles, sornettes, gravelures, fleurettes. *Dire des gandoises; conter des gandoises.* Terme suisse-roman, savoisien et méridional.

GANDROUILLE, s. f. Personne malpropre; sale cuisinière. [P. G.]

GANGALER, v. n. Trimbaler, balancer dans ses bras. [P. G.]

GANGANER (SE), v. pron. Se suspendre, grimper pour atteindre à quelque chose. *N'allez pas vous ganganer là-haut.*

GANGUILLER, v. n. Pendre, être pendu, se pendre. Se dit des personnes et des choses. *Il faudra couper ces branches qui ganguillent. Une affreuse pannosse ganguillait à la croisée. Ne te ganguille pas à cette échelle, Pauline, tu pourrais tomber.*

GANGUILLES, s. f. pl. Guenilles ou lambeaux qui pendent. *Une robe en ganguilles.*

† GANIF, s. m. Canif. *Tout en flânant darnier le Rhône, je trouva un beau ganif à six lames.* Terme suisse-roman, savoisien, franc-comtois, dauphinois, bordelais, parisien populaire et vieux français.

GÂPÉE, s. f. Trotte, longue course. *Faire une gâpée.*

† GÂPER, v. n. Faire une longue trotte, arpenter beaucoup de terrain. *Nos gamins se dépêchèrent de voler des noix et gâpèrent à travers champs.* Terme trivial.

GÂPION ou GÂPIAN, s. m. Terme de dénigrement par lequel on désigne les Employés subalternes des douanes, de l'octroi et de la police. *Il se prit de querelle avec les gâpions.* Terme vaudois, savoisien, limousin, etc. En provençal et en languedocien: *Gâbian.*

GARAUDE, s. f. Mauvaise poupée, et, figurément, femme ou fille de mœurs relâchées. Terme vaudois. En vieux français, *caraulde* signifie: Vieille sorcière. Dans le patois de l'Isère, *garaudié* veut dire: Chenapan, maraud; dans le Berry, *garaud*, Celui qui ne marche pas d'aplomb.

GARAUDER, v. a. Manier sans soin ou brusquement, maltraiter. *Garauder une poupée. Ne lui donnez pas cet enfant à garauder.*

GARÇON, s. m. *Le garçon à David s'est enrôlé. Notre garçon vient d'être placé dans la Fabrique.* Dites: Le fils de David, etc.

GARDE-PAILLE, s. m. Paillasse. *Garnir un garde-paille.* Terme suisse-roman, savoisien, parisien populaire, etc.

† GARDE-ROBE (UN). *Un petit garde-robe. Un mauvais garde-robe.* Ce mot est féminin.

GARDE-ROBE, s. f. Armoire. *Garde-robe en noyer, garde-robe en sapin; les tablats d'une garde-robe.* En Suisse, en Savoie, à Lyon, en Languedoc, *garde-robe* se dit, comme chez nous, d'une armoire destinée à recevoir les habits, les hardes; mais ce sens n'est pas admis par le bon usage, ni par les dictionnaires. «Garde-robe» signifie: 1° Le cabinet destiné à renfermer des hardes; 2° Tous les habits, toutes les hardes à l'usage d'une personne; 3° Etc. Voyez les dictionnaires.

GARDE-VIGNE, s. m. Surveillant préposé aux vignes, durant l'époque des vendanges.

GARDIATEUR, s. m. Gardien, la personne qui est chargée de garder une saisie. [P. G.]

GARDIATURE, s. f. Garde, surveillance. [P. G.]

GARGATAINE et GARGATE, s. f. Gosier, gorge, cou. *Couper la gargataine. Cette soupe m'a brûlé la gargataine.* En vieux français, et dans le dialecte parisien populaire, on dit: *Gargate*. En languedocien, *s'engargater* veut dire: S'embarrasser le gosier en mangeant trop vite.

GARGORISER (SE), v. pron. Se gargariser. Nous disons aussi: *Se gargoliser.*

GARGORISME, s. m. Gargarisme.

GARGOTER, v. n. Se dit d'un liquide qui bout fortement. *Ton bouillon gargote, Tiennette.* Se dit, par analogie, du bruit que fait à la surface de l'eau le souffle d'une personne qui est sous l'eau. *Le jeune garçon tomba du bateau, et déjà il gargotait, lorsque...* etc. Terme méridional.

GARGOUILLE, s. f. Égout. *Les gargouilles se trouvaient bouchées.* «Gargouille» est français, mais dans une acception différente.

GARGOUILLER, v. n. Grouiller. *Le ventre me gargouille. Les boyaux lui gargouillaient.* Français populaire.

GARNEÇON, s. f. Terme de boucherie. Basse viande, réjouissance. *Mon boucher croit-il bonnement que je me contenterai d'os et de garneçon?* Dans le canton de Vaud et à Rumilly (Savoie), on dit: *Garnison.* Ce mot de *garnison* vient de *garnir* (compléter), et notre mot de *garneçon* n'est vraisemblablement qu'une corruption de ce terme.

GARNI EN. *Une robe garnie en dentelle; une bague garnie en diamants,* etc. Dans ces phrases et dans les phrases analogues, mettez la préposition «de,» et dites: Une robe garnie DE dentelle; une bague garnie DE diamants.

GARNIR, v. a. *Garnir la salade.* Expression méridionale.

GARNISSAIRE, s. m. Écrivez avec un seul *s*, «Garnisaire.»

GASEMATE, s. f. Écrivez et prononcez «Casemate.»

GASPILLER, v. a. Voler, filouter. *Prends-y garde, Madeleine: on nous gaspille.* Expression dauphinoise, lorraine, etc. Dans la langue des dictionnaires, «Gaspiller» signifie: 1º Gâter; 2º Prodiguer, dissiper.

GASTRIQUE, s. f. Gastrite. «Gastrique» est l'adjectif; «Gastrite» est le substantif.

GÂTER (SE), v. pron. Se dit du temps et signifie: Se déranger, devenir mauvais. *Le ciel se gâte; le temps se gâte, nous aurons de l'eau.* Expression fort répandue, mais qui n'est pas consignée dans les dictionnaires.

GATILLON, s. m. Détente d'un fusil, d'un pistolet, etc. *Lâcher le gatillon.*

GATOLION, s. m. Grumeau, caillot.

GATTANCE, s. f. *Faire une gattance.* Terme d'écolier. Faire l'école buissonnière, manquer la classe pour aller jouer.

GATTELION, s. m. Fleur et fruit de la bardane.

GATTER, v. n. Faire l'école buissonnière, manquer l'école pour aller jouer. *La moitié des écoliers a gatté hier. Si tu gattes encore une fois, Jean-Louis, je te punis sans miséricorde.* Terme consacré. Nous disons aussi à l'actif: *Gatter l'école.*

GATTES (LES). L'école buissonnière. *Faire les gattes.*

GAUDIR DE QUELQU'UN. Venir à bout de le dompter, se rendre maître de lui. *J'ai beau être sévère avec tous ces jeunes garçons, je ne peux pas en gaudir.* Le mot français correspondant, mais qui commence à vieillir, est *chevir.*

GAUFRE (UN). *Des gaufres plats.* Solécisme fréquent dans la Suisse romane. On doit dire: *Une gaufre; une gaufre plate.*

GAULÉE, s. f. Averse considérable.

GAULER (SE), v. pron. Se crotter, se salir. Se dit principalement de la crotte qui s'attache au bas des robes. *Être gaulé* signifie: Être crotté.

GAUME, s. m. Seau traversé par un long manche de bois, et servant à puiser de l'eau ou du *lisier.*

GAUPE, s. f. Dans le dialecte de nos villageois, ce mot ne se prend point en mauvaise part. Ainsi, pour eux, *une belle gaupe* est une grosse femme ou une grosse fille, fraîche et attrayante. Dans le canton de Vaud, *gaupe* se dit d'une femme grosse et robuste.

GAZETTE, s. f. *Lire la gazette,* se dit d'un cheval ou d'une autre bête de somme, que son maître laisse exposée à l'injure du temps, pendant que lui se tranquillise au cabaret. *Le maître fioûle sa bouteille, la jument lit la gazette.*

GAZOUILLON, s. m. Terme des campagnards. Margouillis. Se dit surtout du margouillis qui provient d'un mélange de neige fraîchement tombée et de pluie. *Gazouillon* et *Margouillis* sont des onomatopées.

GÉANE, s. f. Géante. *La merveilleuse géane étonna toute l'assemblée.* Français populaire.

GEL, s. m. Gelée. Le mot *gel* manque dans plusieurs dictionnaires et en particulier dans celui de l'Académie française. Le *Complément* de ce même dictionnaire, et le *Dictionnaire national* de Bescherelle [1846], disent que *gel,* dans le sens de «Gelée,» a vieilli. Nous pouvons affirmer que le mot *gel*, signifiant: «Gelée,» est d'un emploi habituel chez nous et chez nos proches voisins.

GELÉE AUX GROSEILLES, s. f. Dites: «Gelée DE groseilles.» Dites aussi: Gelée DE pomme, gelée DE framboise, etc.

GELER DE FROID. Geler. *Faites-moi vite un grand feu, je gèle de froid.* Français populaire.

GELER (SE), v. pron. Geler. *Je me gèle ici à vous attendre.* Faute très-répandue. «Se geler» n'est français qu'en parlant des choses. «Le mercure peut se geler. Le nez de Mme Z*** se gela au passage du grand Saint-Bernard.»

GEMOTTER, v. n. Signifie: 1° S'impatienter, pester; 2° Languir, être languissant. *La pauvre drôlesse, abandonnée de tout le monde, était là à gemotter dans son lit. Ranimez donc ce feu qui ne fait que gemotter.* Dans le patois vaudois, *gemotta* veut dire: Gémir, et dans le patois neuchâtelois, *gemiller*, s'impatienter. R. *Gemo.*

GENDRE, s. m. *Se faire gendre*, signifie, dans son sens le plus large: Se procurer, par un riche mariage, une position douce, confortable, oisive, à laquelle on ne serait jamais arrivé d'une autre manière. Dans un sens plus restreint, *se faire gendre* se dit facétieusement et dérisoirement d'un jeune homme du *haut*, qui, ayant une fortune exiguë, des habitudes un peu dispendieuses et un extérieur agréable, choisit pour femme une riche héritière dans la classe bourgeoise. Cette expression originale, *se faire gendre*, a été créée ou mise en circulation par un charmant article du journal de Mr PETIT-SENN. [Voyez *le Fantasque* de 1835, n° 81, p. 322, et la *Revue suisse de 1850*, livraison du mois de mai, p. 328.]

GENÈVRE, s. m. *Des grains de genèvre.* Ce terme nous vient du vieux français. Au commencement du dix-huitième siècle, on disait encore indifféremment *genèvre* et *genièvre.* «Genièvre» a prévalu.

GENILLÉ, s. m. Nous appelons *goût de genillé*, un mauvais goût que contractent les volailles qui ont été nourries dans un poulailler petit et malpropre. *Geniller* veut dire «Poulailler» dans le dialecte du Berry. *Djeneuille*, dans le patois vaudois, signifie: Poule. Par métathèse, c'est-à-dire par transposition de lettres, ces mots viennent du mot latin *gallina*, poule.

GENOU, s. m. Nous disons d'un couteau qui coupe mal: *Il coupe comme les genoux d'une vieille femme, comme les genoux de ma grand'mère.* Expression triviale, consignée dans le *Dictionnaire du Bas langage*, t. II, p. 10.

GERLE, s. f. Corbeille ronde et peu profonde, destinée à recevoir le légume qu'on porte au marché. En Dauphiné, *gerle* signifie: Jarre, grand vase de terre. En languedocien, une *gerle* est un baquet, un grand seau. Voyez JARLOT.

GÉROFLÉE, s. f. *Géroflée blanche. Bouquet de géroflées.* Terme français populaire. On doit dire: «Giroflée.»

GÉROLE, s. f. Chervis, racine potagère. Dans quelques provinces de France, on dit: *Gyrole.*

GESSION, s. f. *On vient d'ôter à ce jeune dissipateur la gession de sa fortune.* Terme parisien populaire, etc. On doit écrire «Gestion» et prononcer *gess-tion*.

GICLÉE ou JICLÉE, s. f. Signifie: 1° Jaillissement, liquide qui jaillit; 2° Éclaboussure, flaquée. *En deux ou trois giclées, on se rend maître du feu. Une giclée de mortier suffira contre ce mur.* Dans le Jura, *gicle*, s. f., se dit d'une petite seringue de sureau, avec laquelle les polissons s'évertuent à arroser les passants. [Voyez MONNIER, *Vocabulaire du Jura.*]

GICLER ou JICLER, v. n. et a. Signifie: 1° Jaillir, saillir, sortir impétueusement; 2° Faire jaillir, jeter de l'eau. *Faire gicler de l'eau; faire gicler de la boue. Finis-donc, André, tu me gicles.* Terme suisse-roman, savoisien, franc-comtois et lyonnais. En provençal et en languedocien: *Jhiscla*. Onomatopée remarquable. Dans le patois bourguignon, *chicclai* signifie: «Faire jaillir,» et *chiccle* se dit d'une «Canonnière» ou seringue de bois dont s'amusent les enfants pour jeter de l'eau. [Voyez les *Noëls bourguignons* de LA MONNOYE.]

GIFFLARD, DE, s. Joufflu, mouflard, qui a le visage bouffi et rebondi. *Un gros gifflard.* On disait en vieux français: *Giffard, giffarde*, terme formé de *giffe* ou *giffle*, joue.

GIFLÉE, s. f. Giffle, mornifle, taloche.

GIGASSE, s. f. Se dit d'une personne démesurément grande et un peu dégingandée.

GIGIER, s. m. Gésier, second ventricule de certains oiseaux. *Ne jetez pas ces gigiers, ils serviront pour le bouillon.* Terme généralement usité en Suisse et en France, mais que les dictionnaires n'ont pas recueilli. Nous disons aussi: *Gisier.*

GIGNER, v. a. Guigner, regarder du coin de l'œil.

GIGOT DE MOUTON, s. m. Dites simplement: «Gigot,» puisque «gigot» signifie: Cuisse de mouton séparée du corps de l'animal pour être mangée. [ACAD.]

GIGUE, s. f. Se dit d'une personne dont la taille est grande et toute d'une venue. *Vois-tu là-bas cette grande gigue, cette perche?* En Normandie, une *gigue* est une jeune fille qui a de grandes jambes. En français, «Gigue» veut dire: Jambe; et «Giguer,» aller vite, courir, sauter, danser.

GILLOTIN, s. m. (*ll* mouillés.) Pantin, jeune garçon qui est toujours en mouvement, et qui cherche à divertir par ses perpétuelles pasquinades. *Faire le gillotin.*

GILLOTINER, v. n. Faire le *gillotin.*

GINGEOLET, ETTE, adj. Ginguet, court, étriqué. *Habit gingeolet.*

GINGUER ou JINGUER, v. n. Jouer, rire, sauter, folâtrer. *Elle est toujours à ginguer.* Terme limousin, normand et vieux français. En Picardie on dit: *Jingler.*

GIRADE, s. f. Girarde ou julienne, fleur.

GIRANIUM, s. m. Écrivez «Géranium» et prononcez *géraniome*. Prononcez aussi *albome, peinsome* et *laudanome* les mots Album, Pensum et Laudanum.

GIRAUD, nom propre. Nous disons proverbialement et facétieusement à une personne qui nous fait une demande inadmissible, à une personne qui porte très-haut ses prétentions et dont l'attente sera trompée: *As-tu connu Giraud?... Eh bien, torche Miraud;* ou plus laconiquement: *As-tu connu Giraud?* c'est-à-dire: Bernicle; à d'autres; adresse ta demande à un autre. *Tu voudrais que je te prêtasse encore cinquante francs? As-tu connu Giraud? Quoi! ton vilain cousin se flatte d'épouser cette jeune et jolie Anna!... As-tu connu Giraud?*

GISIER, s. m. Voyez GIGIER.

GISPINER, v. a. Expression adoucissante, pour signifier: Filouter, attraper, enlever habilement et sans scrupule, comme le font quelquefois des amis entre eux. *Ce joli volume était à sa potte: il me l'a tout bonnement gispiné.* En Lorraine on dit: *Gaspiner* ou *gabsiner*, et à Valenciennes, *gobsiner*.

GIVRÉ, ÉE, part. et adj. Couvert de givre. *C'est givré; c'est tout givré. Il a beaucoup givré cette nuit.* Terme des campagnards.

GLACE, s. f. Ne dites pas: «*Manger une glace.*» Dites: «Prendre une glace, prendre des glaces.»

GLACE, s. f. *Être froid comme la glace; être uni comme la glace.* Retranchez l'article et dites: Être froid comme glace; être uni comme glace.

GLACER UN PLAFOND. Terme de plâtrier. L'expression française est: Enduire un plafond.

GLAFFER ou GLLAFFER, v. a. (*ll* mouillés.) Terme des campagnards. Manger gloutonnement quelque chose qui croque sous la dent. On le dit des pourceaux et de ceux qui, de près ou de loin, leur ressemblent. Ce mot *gllafer*, quand on le prononce comme il faut, imite parfaitement la chose qu'il doit peindre.

GLAÎNE ou GLÈNE, s. f. *Faire glaîne*, terme d'écolier, signifie: Faire rafle, prendre à l'improviste les jouets, et surtout les *mâpis* des joueurs. *Ce polisson, ce voleur s'approcha doucement du carré et nous fit glaîne.* Voyez GLENNE, n° 1.

GLAPPE, s. f. Signifie: 1° Terre glaise; 2° Pisé. [P. G.]

GLAIRE, s. m. *Le glaire d'un œuf.* «Glaire» est féminin.

GLÉNER ou GLAÎNER, v. a. et n. Glaner, ramasser les épis après la moisson. Terme français populaire et vieux français.

GLÉNEUR, GLÉNEUSE, s. Glaneur, glaneuse.

GLENNE, s. f. Glane, produit du glanage, glanure. *Un bandit lui enleva toutes ses glennes.* Terme français populaire et vieux français.

GLENNE, s. f. Sorte de renoncule des champs.

GLIN-GLIN, s. m. Terme enfantin. Le petit doigt. *Il a bobo à son glin-glin.* Cette expression, usitée aussi dans les cantons voisins, vient probablement des mots allemands *klein, klein,* qui signifient: Petit, petit.

GLISSE, s. f. Terme de pâtissier. Cressin, sorte de petit pain long, qui est fort léger à l'estomac.

GLISSE, s. f. Glissoire, chemin frayé sur la glace pour y glisser par divertissement. *Faire une bonne glisse, faire une longue glisse. Gare, gare, sur la glisse!* Terme suisse-roman et savoisien. On dit à Lyon: *Une glissière*; en Lorraine, *un glissant*; à Paris, *une glissade.*

GLISSER, v. neutre. *La rue du Perron glisse souvent en hiver.* Dites: La rue du Perron est souvent glissante en hiver; ou dites: On glisse souvent en hiver dans la rue du Perron.

GLISSER (SE), v. pron. Glisser, s'amuser à glisser. *Les fossés sont gelés: allons nous y glisser tous ensemble.* Il faut dire: «Allons y glisser tous ensemble.»

GLOPET, s. m. Sieste, méridienne. Voyez CLOPET.

GLU, s. masc. *Du bon glu.* Solécisme répandu aussi dans le reste de la Suisse romane, en Savoie, en Dauphiné, en Franche-Comté, en Lorraine et ailleurs.

GNIABLE, s. m. Sobriquet qu'on donne aux cordonniers.

GNIANIOU, s. m. Voyez NIANIOU.

GNIFFE-GNIAFFE, s. m. Ce terme fort expressif signifie: 1° Nigaud, niais, benêt; 2° Flasque, lâche, mou et sans ressort. En Picardie on dit: *Gniouffe*.

GOBE-LA LUNE, s. m. Gobe-mouche, niais, grand niais qui marche la tête levée comme s'il regardait la *lune*. Dans le patois du bas Limousin, *gobo-luno* se dit de celui qui s'occupe niaisement de bagatelles. [Voyez BERONIE, *Dictionnaire du patois du bas Limousin*.]

GOBERGER (SE), v. pron. Faire grande chère, bâfrer, faire bombance, se régaler. *Nos quatre amis allèrent à une auberge de Coppet, où ils demandèrent des feras et des volailles, dont ils se gobergèrent. Voyez donc comme ces enfants se gobergent et s'empiffrent de raisins et de noix!* En français, «Se goberger» signifie: Prendre ses aises, se dorloter, se divertir.

GODAILLE, s. f. Débauche de bouche, bâfre, grande ribote. *Faire une godaille. Ce fut une godaille complète, une godaille de mâlevie.* Le dictionnaire de l'Académie ne fait pas mention de ce terme; et, selon les dictionnaires de Boiste, de Landais et de Bescherelle, *godaille* signifie: 1° Ivrognerie; 2° Mauvais vin. Ce n'est point là le sens que nous lui donnons à Genève; ce n'est pas non plus le sens qu'il a dans le langage français populaire. [Voyez le *Dictionnaire du Bas langage*, t. II, p. 17, et le *Dictionnaire rouchi-français*, aux mots *godaïer* et *godalier*.]

GODAILLER, v. n. Faire une grande ribote, une bâfre, une *godaille*. Dans les dictionnaires ce verbe a un autre sens.

GODAILLEUR, s. m. Riboteur, bambocheur, bâfreur. *Un tas de godailleurs.* Ce mot et les deux précédents sont probablement originaires du nord de la France, où le mot *godale* signifie: «Bière, petite bière.»

GODICHE, s. et adj. Plaisant, risible. *Être godiche*, être plaisamment bête. *Tu es godiche, toi! Voilà qui est vraiment godiche.* Terme parisien populaire recueilli par MM. Noël et Chapsal. Les autres dictionnaires donnent à ce mot le sens de: «Gauche, emprunté, maladroit.»

GODICHON, s. m. Diminutif de *godiche*.

GODRON, s. m. Goudron. GODRONNER, v. a. Goudronner. Les mots *godron* et *godronner* appartenaient encore à la langue des dictionnaires, il y a un siècle.

GOFFETTE, adj. fém. Nous appelons *mains goffettes*, des mains grassettes, des mains potelées.

GOGNE, s. f. Courage, cœur, hardiesse, capacité. *Avoir la gogne*, oser. *Aurais-tu la gogne de sauter ce ruisseau? Non, tu n'en as pas la gogne; tu n'as point de gogne.*

GOGNE, s. f. Rebut, lie, crasse, crapule. Se dit des personnes et des choses. *Quelle gogne de bâton tu as là! Dis donc, Jacques, et ce bal d'hier! Quel bal! Quelle gogne! Qu'as tu donc appris sur le compte de Robillard?—J'ai appris que c'est une gogne.—Et sa famille?—Sa famille? C'est tout de la gogne. Tomber dans la gogne*, veut dire: Tomber dans la crapule. Terme vaudois. Chez nos voisins du Jura, *gone* se dit d'une femme méprisable. [Voyez C. MONNIER, *Vocabulaire du Jura*.]

GÔGNES, s. f. pl. Compliments, cérémonies. *Faire des gôgnes.*

GOGNEUX, EUSE, adj. et s. Crasseux, dégoûtant, repoussant, crapuleux. Se dit des personnes et des choses. *Un chapeau gogneux. Une tournure gogneuse; un air gogneux. Tu te promenais hier avec deux individus bien gogneux.* Dans le bas limousin, *gognou*, et en vieux français, *gognon*, signifient: Pourceau, cochon, et se disent de toute personne sale et malpropre. *Gognounà*, faire grossièrement et salement un ouvrage.

GOGUINETTE, s. f. Propos gaillard, parole un peu libre. *Dire la goguinette. Dire une goguinette; dire des goguinettes.* En Lorraine, *goguenettes* signifie: Propos joyeux. En vieux français, *goguer*, v. n., veut dire: «Plaisanter.»

GOISE ou GOËZE, s. f. Serpe, grosse serpe. En Franche-Comté on dit: *Goisse* et *gouisse*.

GOISET, GOAZET, ou GOINZET, s. m. Serpette. Se dit aussi d'un couteau et principalement d'un mauvais couteau.

GOLÉE, s. f. Gorgée. *Avales-en une seule golée. J'ai bu deux petites golées de ton sirop, et j'en ai eu assez.* En Picardie on dit: *Goulée.* «Goulée» est un mot français; mais il signifie: «Grande bouchée.»

GOLÉRON ou GOLAIRON, s. m. Ouverture, trou. *Le goléron d'une nasse.* Dans l'ancienne langue provençale, *golairos* signifiait: «Gosier.»

GOLET, s. m., et GOLETTE, s. f. Goulot, trou, orifice. *Le golet d'une bouteille.* Terme jurassien et savoisien. Dans notre patois ces mots ont une signification plus étendue.

GONFLE, s. f. Signifie: 1° Vessie des quadrupèdes; 2° Petite ampoule sur la peau, cloche, élevure; 3° Bulle de savon. *Sa brûlure lui a fait lever des gonfles. Percer une gonfle. Se soutenir sur l'eau avec des gonfles.* Terme suisse-roman et savoisien.

GONFLE, adj. Gonflé. *Il a tant marché aujourd'hui, qu'il en a les pieds gonfles.* Terme français populaire. A Lyon on écrit et on prononce *confle*.

GONGON, s. des 2 genres. Grognon, celui ou celle qui bougonne, qui grogne. *Cette gongon finira-t-elle une fois de nous ennuyer? Le mari et la femme sont aussi gongons l'un que l'autre.*

GONGONNER, v. a. Bougonner, marmonner, se fâcher, gronder. *Notre vieux raufin ne s'arrête pas de gongonner. Il gongonne ses enfants, il gongonne sa servante, il gongonne tout le monde.* Terme suisse-roman, savoisien et lyonnais.

GONVÉ, s. m. *Une odeur de gonvé*, est une odeur de renfermé, une odeur de linge sale et gras. *Votre Baby Chailloux sentait terriblement le gonvé.*

GONVER, v. a. et n. Couver. *L'incendie éclata le matin; mais le feu avait gonvé toute la nuit. Ne crois-tu pas, femme, que notre Françoise gonve une maladie?—Je crois qu'elle gonve la rougeole. Ta seille, Madelon, est égrillée: il faut la faire gonver* (c'est-à-dire: Gonfler dans l'eau). Terme connu dans le canton de Vaud. En Franche-Comté on dit: *Gouver.*

GONVIÈRE, s. f. Signifie: 1° Fondrière, creux plein de boue; 2° Tas de neige amoncelé par le vent.

GOTRET, s. m. Terme de boucherie. Ris de veau.

GOTTE, s. f. Mauvais ouvrage, mauvaise marchandise, chose de nulle valeur, et dont on ne fait aucun cas.

GOUAILLER, v. n. Crier. Voyez COUAILLER.

GOUGNAUD, AUDE, s. et adj. Se dit d'une personne ou d'une chose de rebut. *Quel gougnaud de chapeau tu as là! Notre nouvelle voisine N** est une gougnaude; elle s'habille comme une gougnaude.*

GOUGNAUDER, v. a. Manier maladroitement, gâter en maniant, déformer, froisser, chiffonner.

GOUGNAUDS ou GOUGNEAUX, s. m. pl. Vieux chiffons, mauvais linge, vieilles nippes, et, en général, objets vieux et sans valeur.

GOUILLARD, ARDE, s. et adj. Voyez GOULIARD.

GOUILLE, s. f. Petite mare, endroit où la boue séjourne, flaque. *Marcher dans la gouille; tomber dans la gouille.* Terme suisse-roman, savoisien, dauphinois et franc-comtois. Dans le bas Limousin on dit: *Ga-oullio*, et dans le Berry, *gouillat.*

GOUJATER, v. a. et n. Travailler comme un goujat. Prendre des manières de goujat. *Un ouvrage goujaté* est un ouvrage bousillé, un ouvrage fait vite et sans soin.

GOULIAFE, s. m. Glouton malpropre. A Paris on dit: *Gouliafre*; dans le vieux français et en Picardie, *goulafre*.

GOULIARD, ARDE, s. et adj. Gourmet, friand. *Oh! la gouliarde, qui trempe son doigt dans le sirop! Ces petits gouliards eurent fripé en un clin d'œil tous les bonbons.* Terme vaudois, savoisien et vieux français. Dans le Limousin, en Normandie et sans doute ailleurs, *goulard* signifie: Goulu, gourmand.

GOULIARDISE, s. f. Friandise. *Comment, Élisa! du beurre et de la confiture sur ton pain? quelle gouliardise! Tu n'aimes que les gouliardises, Georgette, et tu vivrais de gouliardises.* En vieux français on disait: *Goulardise* et *gouillardise*. R. *gula*.

GOURLLE, s. f. (*ll* mouillés.) Cep de vigne arraché. Dans le canton de Vaud on dit: *Gourgne*.

GOURMANDISE (UNE). *Un plat de gourmandises. Si vous êtes sages, vous aurez chacun pour votre goûter une petite gourmandise.* Cette expression, fort usitée en Suisse et en Savoie, n'est pas inconnue en France, quoique les dictionnaires ne l'aient pas relevée. «Je t'avais préparé les *gourmandises* que tu aimes,» dit feu M^r De Balzac, dans un de ses romans. L'expression française consacrée est: «Friandise.» Un plat de friandises.

GOURMANDS (POIS). Pois goulus, pois dont la cosse est tendre et se mange.

GOURME, s. m. *Jeter son gourme.* Ce mot est féminin.

GOÛTER SOUPATOIRE, s. m. Goûter qui tient lieu de souper.

GOUTTE AU NEZ, s. f. Expression méridionale, etc. Les dictionnaires disent: «Roupie.»

GOUTTIÈRE, s. f. Voie d'eau, fente, trou, ouverture à un toit par où l'eau de la pluie pénètre et coule en dedans. *L'orage souleva les tuiles et occasionna une gouttière. Le plafond, qui était tout neuf, fut entièrement taché par les gouttières.* Terme suisse-roman, méridional, etc. On appelle en français Gouttière: 1o Le chéneau qui reçoit et recueille les eaux de la pluie; 2o Le tuyau de descente.

GOYARDE, s. f. Serpe. Dans le Berry on dit: *Goyard*.

GRABEAU, s. m. Mercuriale, censure. *Bon grabeau, mauvais grabeau. Faire le grabeau des étudiants. Être soumis au grabeau; recevoir son grabeau.* On lit dans notre Constitution de 1814: «Les membres du Conseil d'État qui ne sont point sujets au *grabeau*, n'y assisteront pas.» Terme vaudois et neuchâtelois.

GRABELER, v. a. Faire le *grabeau.* «La Compagnie des Pasteurs élira chacun de ses membres; elle *se grabellera elle-même.*» [*Constitution de 1814.*] «Tous les Conseillers d'État qui ne sont ni Syndics, ni Lieutenant, ni Syndics sortant de charge, ni Trésorier, ni membres du Tribunal civil et de la Cour suprême, *seront grabelés* un à un à la balotte.» [*Ibid.*] Le mot *grabeler,* en vieux français, signifiait: Examiner, éplucher, débattre, choisir.

GRABOT, s. m. Voyez GRABEAU.

GRABOTER, v. a. Se dit quelquefois pour *grabeler.*

GRADUATION, s. f. Dans le langage académique on appelle *Examen de graduation,* un examen à la suite duquel l'étudiant reçoit le grade de bachelier, ou celui de licencié, ou celui de docteur.

GRAIFION, s. m. Voyez GREFFION.

GRAILET, s. m. Plat d'étain donné pour prix dans les tirs.

GRAILETTE ou GREULETTE, s. f. Sorte de terrine, sorte de casserole à trois pieds, laquelle sert à réchauffer les ragoûts.

GRAILLON, s. m. Ce mot est français; mais à Genève il se dit, entre autres: 1º D'un mets quelconque (viande, poisson, légume, lait, etc.) qui, réchauffé, a contracté une mauvaise odeur, un mauvais goût. Il se dit: 2º Des tabliers, torchons, mauvais linges, etc., dont la cuisinière s'est servie. En français: Goût de graillon, odeur de graillon, signifient: «Goût, odeur de viande ou de graisse brûlée.» [ACAD.]

GRAIN DE SEL, s. m. Quand les jeunes enfants voient voltiger près d'eux un oiseau, et qu'ils demandent comment il faut s'y prendre pour l'attraper, on leur répond que l'infaillible moyen est de leur mettre un grain de sel sur la queue. De là a pris naissance notre expression figurée: *Mettre un grain de sel sur la queue de quelqu'un;* c'est-à-dire: «Faire d'inutiles efforts pour le capter et pour l'attirer dans le filet.»

GRAIN DE SUCRE, s. m. Morceau de sucre. *Fais attention, Caroline, tu coupes les grains de sucre trop gros.*

GRAINGE, adj. Voyez GRINGE.

GRAISSE, s. f. Réprimande, semonce sévère. *Donner une graisse; recevoir une graisse. Tu as eu ta graisse.* Terme français populaire.

GRAISSE DE CHAR, s. f. Vieux oing, cambouis.

GRAISSE-MOLLE, s. f. Saindoux, graisse de porc. En Dauphiné, en Provence et en Languedoc, on dit: *Graisse blanche;* à Bordeaux, *graisse douce.*

GRAMON, s. m. Gramen, chien-dent, plante dont les racines sont d'un grand usage pour les tisanes apéritives. *Boire sur le gramon.* En Dauphiné, on dit: *Grame.*

GRAND, adj. Les expressions suivantes: *Ce n'est pas grand chose; j'ai eu grand peine; voici la grand route,* etc., sont des expressions correctes, mais étranges, et qui nous viennent du vieux français. Au treizième siècle, *grand* ou *grant* était un adjectif des deux genres.

GRAND, s. f. Terme des campagnards. Grand'mère. *Dis-moi, Colette, comment se porte ta grand? Pauvre Monsieur, cette bonne grand, nous l'avons perdue il y a huit jours.*

GRANDE-MAISON (LA). Terme adoucissant, euphémisme pour dire: L'hôpital, la maison de charité. *Jamais, non jamais, Monsieur le Directeur, je ne consentirai à entrer dans la Grande-maison.*

GRANDET, ETTE, adj. Grandelet. *Notre Stéphanie est déjà grandette.* Terme excellent, employé dans tout le Midi et sans doute ailleurs.

GRAND-LOUIS ou GRAND-SIFFLET, s. m. Courlis ou courlieu cendré, oiseau aquatique.

GRANGER, s. m. Métayer, fermier partiaire, fermier qui partage le produit des champs avec le propriétaire. Ce terme, si connu dans la Suisse romane, en Savoie et en Franche-Comté, n'a été recueilli ni par le dictionnaire de l'Académie, ni par M. Poitevin, le plus récent des lexicographes, ni par Gattel, ni par M. Bescherelle; mais Boiste et N. Landais l'ont mentionné.

GRANGERIE, s. f. Grangeage. *Mettre un domaine en grangerie,* ou *à grangerie,* c'est: En confier l'exploitation à un *granger.* Voyez ce mot. Le mot *grangerie,* très-usité chez nous, n'a été enregistré que par un seul dictionnaire moderne, le *Complément* de l'Académie.

GRATON, s. m. Aspérité sur le papier, sur le terrain, etc. *Sa boule rencontra un graton.*

GRATTE-À-CUL, s. m. Gratte-cul, fruit de l'églantier.

GRATTE-BOISSEUSE ou GRATTE-BOESSEUSE, s. f. Polisseuse de boîtes de montres. Boesse ou gratte-boesse se disent d'une sorte d'outil de ciseleur.

GRATTE-LOTON, s. m. Sobriquet qu'on donne aux ouvriers horlogers. Voyez LOTON.

GRATTER, v. a. *Gratter la rogne à quelqu'un,* signifie: Le flatter pour en obtenir une faveur, le cajoler, le flagorner dans des vues intéressées. *Il s'aperçut enfin que sa nièce lui grattait la rogne, et qu'elle en voulait, par-dessus tout, à l'héritage.* Expression triviale. Dans le français populaire, on dit en ce même sens: «Gratter l'oreille,» ou «gratter l'épaule à quelqu'un.» [Voyez le *Dictionnaire du Bas langage*, t. II.]

GRATUISE, s. f. Râpe de fer-blanc, ustensile de cuisine. En Dauphiné et en Languedoc, on dit: *Gratuse*; dans le patois provençal, *gratuè*. En vieux français, *gratuser* signifie: Râper.

GRAVANCHE, s. f. Sorte de *férâ*. Voyez ce mot.

† GRAVATE, s. f. Cravate. *Dis voir, femme, fadrait-il pas mettre une gravate à notre petit, qui a un commencement de rouche?* Terme suisse-roman, savoisien, franc-comtois et méridional.

GRAVE, s. f. Grève, endroit au bord d'une rivière couvert de gravier. Terme dauphinois et vieux français.

GRAVELAGE, s. m. Action de *graveler*.

GRAVELER, v. a. Couvrir de gravier. *Graveler les allées d'un jardin; graveler une promenade.* Terme indispensable, et qu'on cherche vainement dans les dictionnaires. En Languedoc on dit: *Agraver.*

GRAVELLE, s. f. Maladie des moutons, clavelée.

GREBATTER, v. a. Rouler. *Se grebatter*, se rouler. Expressions très-familières aux campagnards.

GRÈBE (UNE). Sorte d'oiseau plongeur. Dites au masculin: Un grèbe. Grèbe cornu, grèbe huppé.

GRÈBION, s. m. Grèbe esclavon, grèbe oreillard.

GREBOLER, v. n. Grelotter, trembler de froid. *Je le trouvai tout greulant, tout grebolant.* En Savoie on dit: *Grevoler*; dans le patois dauphinois, *gromolà.*

GREDON ou GREUDON, s. m. Guenilles, vieilleries, objets de rebut.

GREGNOLU, UE, adj. Qui a beaucoup de nœuds. *Bois gregnolu.* Terme des campagnards.

GREIFION, s. m. Gros bigarreau. *Une livre de greifions.* Terme suisse-roman, savoisien et jurassien. En provençal, en piémontais et en vieux français, on dit: *Graffion*; dans le Languedoc, *agrefion.*

GREINGE, adj. Voyez GRINGE.

GRELON, s. m. Écrivez et prononcez «Grêlon.»

GREMILLETTE, s. f. (*ll* mouillés.) Lézard gris, lézard de murailles. [P. G.] Dans le patois de Rolle (canton de Vaud) on dit: *Gremeillette.*

GREMOLLION ou GREMAILLON, s. m. Grumeau, portion durcie d'un liquide. *La soupe s'était mise en gremollions. Notre pauvre Estelle vomissait des gremollions de sang.* Terme connu aussi chez nos voisins du canton de Vaud. Dans le Berry et en Lorraine on dit: *Gremillion.*

GRENÉ, ÉE, adj. *Épi grené.* Terme méridional et vieux français. Dites: «Épi grenu.» Le verbe «grener» est français.

GRENETTE, s. f. Ce mot signifiait jadis: Marché aux grains; et c'est le nom que porte encore aujourd'hui notre halle au blé. Terme vaudois, savoisien, etc.

GRENETTE, s. f. Semen contra, poudre contre les vers, barbotine.

GRENIER À LESSIVE, s. m. Séchoir, sécherie, étendage.

GRENOUILLE, s. f. (fig.) Sorte de petit instrument formé d'une tête de bouteille recouverte d'un morceau de parchemin traversé par du crin. En le faisant tourner comme une crécelle, il imite assez bien le cri des *grenouilles*, quand elles commencent à crier au printemps. [P. G.]

GRÈSE, adj. fém. Voyez GRÈZE.

GRÉSILLER, v. neutre. Croquer sous la dent, comme le pain lorsqu'il s'y est mêlé du sable ou du menu gravier. En Languedoc on dit: *Gréziner.*

GREUBE, s. f. Tuf, terre sèche et dure qui sert à écurer, à nettoyer les ustensiles de cuisine, les tablettes de sapin, etc. *Patte à greube.* Terme suisse-roman et savoisien. Le vendeur de greube s'appelle, dans notre patois: *Le greubi.*

GREUBIÈRE, s. f. Carrière d'où l'on tire la *greube.*

GREUBONS, s. m. pl. Peau croustillante qui reste quand on vient de fondre du lard. *Un plat de greubons.* A Neuchâtel et dans quelques parties du canton de Vaud, on dit: *Grabon*; dans l'allemand-suisse, *Grieben.*

GREUGER, v. a. Gruger, friper, dissiper en folles dépenses. *Il avait hérité trois mille francs: c'est tout greugé.* En vieux français, *gréuge* signifie: Perte, dommage.

GREULER, v. actif. Secouer un arbre pour en faire tomber les fruits. *Greuler un cerisier, greuler un pommier.* En Savoie on dit: *Creuler*; en Franche-Comté, *crôler*; en vieux français, *crosler* et *crouller.* Figurément et familièrement, *creuler* s'emploie dans le sens de: Questionner quelqu'un, lui arracher des nouvelles, le forcer, de façon ou d'autre, à dire ce qu'il sait et qu'il se soucie peu ou point de raconter. *Nous l'avons tant pressé, nous l'avons tant greulé, qu'il a fini par nous débiter tout le journal.* Voyez le mot suivant.

GREULER, v. neutre. Grelotter, trembler de froid ou de peur. *Ce pauvre diable, blotti dans un fossé, greulait comme la feuille du tremble.* Terme suisse-roman, qu'on retrouve tel quel dans le patois lorrain. Dans le Jura on dit: *Grouller;* en Bourgogne et en vieux français, *gruler.* Nous disons à l'actif: *Greuler la fièvre,* pour: Trembler la fièvre, avoir le tremblement qui résulte de la fièvre. Nos campagnards disent en ce même sens ou sens analogue: *Greuler le marmot.*

GREULETTE ou GREULAISON, s. f. Frisson, tremblement que donne la fièvre ou la peur. *Avoir la greulette; avoir la greulaison.* Cette dernière expression est surtout familière aux campagnards.

GREULETTE, s. f. Sorte de terrine appelée aussi: *Grailette.*

GRÉVÉ, VÉE, adj. et part. *Un fonds grévé; un domaine grévé d'hypothèques.* On doit écrire et prononcer «Grever,» sans accent sur l'*e.*

GREVURE, s. f. Blessure. Ce terme vieillit.

GRÈZE ou GRÈSE, adj. f. *Soie grèze.* Soie qui est tirée de dessus le coton. Terme lyonnais. Dites: «Soie grége.»

GRIBICHE, s. f. Signifie: 1º Femme ou fille maligne, méchante, pie-grièche; 2º Et plus souvent, Fille ou femme de mœurs dissolues. En Normandie, *gribiche* se dit d'une vieille femme méchante dont on fait peur aux enfants.

GRIE, s. f. Plâtre gris, gypse. Terme de nos campagnards et de ceux du canton de Vaud. Il existe à Bernex une ancienne carrière de *grie,* qui a fait donner le nom de *grisse* aux terrains environnants.

GRIFFÉE, s. f. Griffade, coup de griffe.

GRILLE, s. f. Cheville du pied. *S'écorcher la grille.* Terme suisse-roman, savoisien et franc-comtois.

GRILLER, v. a. Rôtir. *Griller du café; griller des châtaignes; griller des glands.* Terme savoisien. En français «Griller» signifie: Rôtir sur le gril. «J'avais couché mes pincettes sur la braise pour faire griller mon pain.» [Xav. DE MAISTRE, *Voyage autour de ma chambre,* ch. VIII.]

GRILLET, s. m. (LL mouillés.) Sorte d'insecte. *Le cri des grillets. Un trou de grillet.* Terme suisse-roman, savoisien, lyonnais, franc-comtois et méridional. En Poitou et dans le Berry on dit: *Grelet;* en limousin et en vieux français, *gril.* Les dictionnaires et le bon usage veulent qu'on dise: «Grillon.» R. lat. *gryllus.*

GRILLOIRE, s. f. Sorte de petite casserole à manche, surmontée d'un couvercle, et qui sert à rôtir le café. Dans le canton de Vaud on dit: *Un grilloir. Le grilloir à café.*

GRILLOIRE, s. f. (fig.) Endroit où la chaleur est insupportable; endroit où l'on grille. *Ce cabinet au midi est une grilloire pendant l'été.*

GRILLOTTER, v. actif. Griller, frire.

GRIMPER, v. n. Dans notre langage énergique, *faire grimper les murs à quelqu'un*, signifie: L'impatienter outre mesure, le vexer, le dépiter à l'excès. Les dictionnaires disent en ce même sens: «Faire sauter quelqu'un au plancher, le faire sauter aux nues.» On dit en Languedoc: *Faire monter quelqu'un au ciel sans échelle.*

GRIMPION, s. m. Grimpereau, oiseau bien connu. Au sens figuré, nous appelons *grimpion, grimpionne*, celui ou celle qui cherche par des politesses, par des avances répétées, par des flatteries, à s'introduire, à se glisser dans une société plus élevée, plus haut placée que la sienne. De là ont pris naissance les phrases suivantes familières: *C'est un grimpion; il fait le grimpion; elle fait la grimpionne. Ces jeunes époux veulent grimper. Les grimpions doivent éprouver quelquefois de fameux déboires.*

GRIMPIONNER, v. n. Faire le *grimpion*, faire la *grimpionne. Tu ne t'aperçois pas que cette jeune femme veut absolument grimpionner.*

GRINGALET, ETTE, adj. Faible, chétif. *Cheval gringalet; veau gringalet. Ton beau-frère est bien gringalet,* etc. Le *Complément* du dictionnaire de l'Académie, et le dictionnaire de M. Bescherelle ne présentent ce mot que comme substantif, et ne l'emploient qu'en parlant de l'homme. Nous l'employons très-souvent comme adjectif, et nous lui donnons des sens fort étendus.

GRINGE, adj. Triste, ennuyé, chagrin, de mauvaise humeur, maussade, malingre. *Rosalie est toute gringe aujourd'hui, et je crains qu'elle ne soit malade. Qu'avez-vous donc, Monsieur le notaire? Vous paraissez sombre et préoccupé?— En effet, je suis gringe. J'attendais mes enfants par le bateau à vapeur, et voilà le bateau qui arrive sans eux.* Terme suisse-roman. Dans le patois de l'évêché de Bâle, on dit: *Graigne;* en Franche-Comté, *grigne,* et en Bourgogne, *greigne;* dans le Berry, *grignaut;* dans le patois rouchi, *engraigné.* Tous ces mots, qui sont fort usités, n'ont point de correspondants exacts en français. Dans le dialecte normand, *grigner* signifie: «Être maussade.» En Picardie, *grigneux* et *grignard* veulent dire: Pleurnicheur.

GRINGERIE, s. f. Mauvaise humeur, malingrerie. *Après une pareille mésaventure, un peu de gringerie est bien permis.*

GRIOTTE, s. f. En français, ce mot désigne une espèce de cerise grosse et noirâtre, plus douce que les autres. En Suisse, au contraire, nous appelons *griotte* une cerise acide.

GRIPPÉ, ÉE, adj. Atteint de la grippe. *Toute la famille est grippée.* Ce mot, si connu en Suisse et en France, n'est dans aucun dictionnaire usuel.

GRISAILLE, s. f. Ribotte, excès de table, excès de boisson. [P. G.]

GRISE, s. fém. Tour malin, malice, espièglerie. *En faire des grises, en faire voir de grises*, signifie: Jouer des tours, faire des malices, attraper, tourmenter. *Voilà un bambin qui en fera voir de grises à son père et à sa mère. Vous m'en faites des grises, malins enfants que vous êtes.* Locution dauphinoise, limousine, etc.

GRISPER et GRISPOUILLER, v. a. Crisper, agacer, impatienter. *Cela me grispouille*, c'est-à-dire: Cela me tarabuste.

GRISPILLE, s. f. Sorte de jeu ou d'amusement, appelé aussi *tire-poils*, et en français: La gribouillette. [P. G.] *À la grispille*, locution adverbiale, signifie: Au pillage. *Tout était à la grispille dans cette maison.*

GRISPILLER, v. a. Voler, filouter, friponner.

GRISSE ou GRITZE, s. m. Gruau d'avoine ou d'orge. Ce terme, usité dans toute la Suisse romane, est formé du mot allemand *Grütze*, qu'on prononce *gritze*, et qui a le même sens.

GROGNASSER, v. n. Grogner, se plaindre en grognant. Terme parisien populaire.

GROGNE, s. f. Mauvaise humeur, disposition à se plaindre. *Avoir la grogne.*

GROGNER QUELQU'UN. Le gronder, le réprimander avec humeur. *Il grogne tout son monde; il ne cesse de nous grogner.* «Grogner,» verbe neutre, est français. «Cette femme ne fait que grogner.»

GROGNONNE, adj. et s. féminin. *Sa maladie l'a rendue un peu grognonne.* Dites: «Grogneuse.»

GROLLE, s. f. Vieux soulier fort usé, savate. *Mettre des grolles. Porter des grolles. Comment donc, Madame Bonnard? vous nous donnez là du pain qui est sec comme de la grolle.* Terme vieux français et français populaire.

GRONDÉE, s. f. Gronderie, réprimande. *Faire une grondée. Recevoir une grondée.*

GROS, s. m. *Le gros de l'hiver; le gros de l'été.* Dites: «Le fort de l'hiver; le fort de l'été.»

GROS (LES). Les notables, les riches, les principaux de l'endroit. *Nos gros se montrèrent, en toute occasion, humains et charitables.*

GROS, s. m. Terme de calligraphie. *Écrire en gros*, c'est Écrire en gros caractères. Il faut dire: «Écrire la grosse.»

GROS, adj. *De gros en gros*, locution adverbiale. *Il consentit à nous raconter de gros en gros cette singulière aventure.* Il faut dire: «En gros.» Raconter en gros.

GROS-BLÉ, s. m. Nonnette, variété de froment. Le *gros-blé* s'appelle aussi en français: «Blé barbu» et «Blé poulard.»

GROS-FORT, s. m. Grande absinthe, plante.

† GROS MAL, s. m. Haut mal, épilepsie, mal caduc. *Tomber du gros mal.* Terme vaudois et savoisien. Dans le Limousin on dit: *Le grand mal.*

GROS NEIRET ou GROS NOIRET, s. m. Canard garrot.

GROSSET, ETTE, adj. Un peu gros. *Un poulet grosset; une perdrix grossette.*

GROUP, s. m. Angine du larynx. Écrivez et prononcez «Croup.»

GRUER, v. a. *Faire gruer de l'avoine.* Dites: «Monder.» Monder de l'avoine.

GRUGEUR, s. m. Celui qui gruge.

GRUMEAU, s. m. Terme de boucherie. La pièce du devant de la poitrine de l'animal entre les deux jambes. *Grumeau de bœuf; grumeau de mouton.* Terme méridional.

GRUMEAU, s. m. Cerneau, noix cassée. Terme de la Suisse romane.

GRUS, s. m. pl. Gruau, orge mondé, avoine mondée. *De la soupe aux grus.* Terme suisse-roman, savoisien et franc-comtois. En Champagne, *gru* signifie: Son de farine; et en vieux français, *greu*, farine d'avoine et de froment.

GRUS (DES). Terme de fromagerie. Du caillé, du *séret* mêlé de crême. «La Fanchon nous servit des *grus* et de la céracée.» [J.-J. ROUSSEAU, *Nouvelle Héloïse.*]

GUENAPIN, s. m. Polisson, bandit, chenapan.

GUENICHE, s. f. Femme débraillée, sale et d'un aspect repoussant. Terme lorrain. En vieux français, *«guenuche»* ou *guenoche* veulent dire: Sorcière, enchanteresse. Dans l'évêché de Bâle, *genache* a le même sens.

GUENILLERIE, s. f. Guenille, rebut, objet de rebut. Se dit des personnes et des choses.

GUERRER, v. n. Terme enfantin, en usage surtout chez les campagnards. *Cette petite folle d'Ernestine veut toujours guerrer avec nous*, c'est-à-dire: Veut toujours être en guerre avec nous, guerroyer, batailler.

† GUETTE, s. f. Guêtre. *De vieilles guettes.* Français populaire.

GUETTON, s. m. Petite guêtre, guêtron. *Une paire de guettons.* Terme savoisien, rouchi, etc.

GUEULÉE, s. f. Cri éclatant, clameur perçante. *Pousser des gueulées. Faire des gueulées. Ce n'étaient pas des chants, c'étaient des gueulées d'enfer.* Ce mot est français, mais dans une acception différente.

GUEULER, v. a. *Gueuler quelqu'un,* l'appeler à voix forte. *Tu ne m'entends donc pas, Colombier: il y a une demi-heure que je te gueule.* «Gueuler,» v. n., est français.

GUEUSER, v. n. Faire une action de gueux, se conduire mal, faire une gueuserie. *Priver cette petite fille de son bal, c'est gueuser, c'est coquiner, c'est être par trop sévère et méchant.* En français, «Gueuser» signifie: Mendier.

GUEUSERIE, s. f. Tour malin, méchanceté, action coupable. *Sevrer un enfant de quatre mois, c'est une gueuserie.*

GUICHE, s. f. Jambe. *Tirer la guiche, traîner la guiche. Après douze heures de marche, le sac au dos, on commence joliment à tirer la guiche.*

GUIDE, s. f. Terme des campagnards. Digue. *Élever des guides contre le torrent. Guide* vient-il de «digue» par une transposition de lettres? *Guide* est-il au contraire le terme primitif et véritable? Une digue n'est autre chose, en effet, qu'une barrière établie pour *guider* les eaux. Voyez dans Gattel l'étymologie banale.

GUIGNACHE, s. f. Guignon, guignon achevé.

GUIGNAUCHE, s. f. Guenuche, femme de mauvaise façon, femme mal mise, fagotée, vêtue salement. Dans le canton de Vaud, *guignauche* ou *guegnauche* signifie: Sorcière.

GUIGNE-EN-L'AIR. Badaud, imbécile.

GUILLAME, s. m. *Grand guillame,* grand flandrin.

† GUILLE, s. f. Quille. *Jouer aux guilles.* Terme suisse-roman, franc-comtois et lorrain.

GUILLE, s. f. Terme des campagnards. Fine pointe, sommet, sommité. *La guille d'un clocher, la guille d'un arbre, la guille d'une tour. Guillon,* dans le canton de Vaud, a le même sens. A notre fête du Tir fédéral [1851], un Vaudois disait: J'ai vu planter le drapeau de la Confédération sur le fin *guillon* de la Tour de l'Isle. En Franche-Comté, la pointe du jour s'appelle: *L'aube guillerole.* [*Vocabulaire jurassien* de M. MONNIER.] De cette racine *guille,* viennent indubitablement les mots genevois *déguiller, aguiller, guille* (à jouer), etc.

GUILLE, adj. À moitié ivre, gris. R. *Guille*, pointe. On dit en français: Avoir une pointe de vin.

GUILLEMETTE (EN), loc. adv. *Être en guillemette*, signifie: Être en pile, être l'un sur l'autre. *Ces livres sont trop en guillemette, ils vont tomber.*

GUILLERETTE, s. f. *Être à la guillerette* ou *être en guillerette*, se disent d'un objet mis dans une position d'où il risque de tomber. *Guillet*, dans notre patois, et *guilleret*, dans le patois vaudois, signifient: Sommet d'un arbre, d'un rocher, d'un bâtiment. Voyez GUILLE, n° 2.

GUILLERI, s. m. *Courir le guilleri.* Terme dauphinois, etc. Les dictionnaires disent: «Courir le guilledou.»

GUILLETTE, s. f. (Prononcez *ghillette.*) Signifie: 1° Boulette de pâte dont on engraisse les dindes; 2° Fusée de poudre. Voyez *GUILLE*, n° 2.

GUILLON, s. m. (Prononcez *ghillon.*) Fausset de tonneau, petite broche de bois servant à boucher le trou qu'on fait à un tonneau pour donner de l'air ou pour goûter le vin. *Mettre un guillon. Ôter le guillon.* Terme vaudois, savoisien et jurassien. A Lyon, on dit: *Une guille*; dans les environs de Dôle, *une guillotte.* Voyez GUILLE, n° 2.

GUILLONNER, v. a. Mettre le *guillon*, mettre le fausset.

GUINCHE, adj. Louche, qui a la vue de travers. En provençal on dit: *Guèchou.* Dans le Berry, *faire la guinche*, signifie: Baisser la tête après une mauvaise action.

GUINCHER, v. a. et n. Signifie: 1° Lorgner du coin de l'œil, guigner; 2° Loucher, regarder de travers. Terme provençal.

GUINGOINE (DE), adv. De guingois, de travers, de biais, en biaisant. *Il marche tout de guingoine. Son habit allait tout de guingoine.* Nous disons aussi: *De guingouarne* et de *guingouaine.* En Picardie, on dit: *De guingoin.*

GUIZE, s. f. (Prononcez *ghize.*) Terme de forge. Gueuse, fonte de fer, fer coulé. «Un tuyau de gueuse.»

GY ou GI, s. m. *Un tonneau de gy.* Terme suisse, savoisien, franc-comtois, méridional et vieux français. On doit dire: «Gypse, ou plâtre.»

GYPER, v. a. Plâtrer, enduire de plâtre.

GYPERIE, s. f. Plâtrage, ouvrages en plâtre. *La gyperie de cette seule chambre avait coûté six cents francs.*

GYPIER, s. m. Plâtrier.

GYSSAGE, s. m. Plâtrage.

GYSSER, v. a. Appliquer du plâtre, enduire de plâtre, plâtrer. *Gysser un plafond, gysser une paroi.*

GYSSEUR, s. m. Ouvrier qui emploie le gypse, plafonneur. Dans le Valais on dit: *Gypseur.*

H

HABILLÉ, ÉE. Participe. Nous disons d'une personne stupide, d'une personne dépourvue de tout bon sens: *C'est une bête habillée.*

HABILLÉ EN. *Habillé en noir, habillé en blanc.* Dites: Habillé DE noir, habillé DE blanc.

HABITUÉ, ÉE, adj. *Place habituée; jeu habitué; lecture habituée; promenade habituée.* Dites: Place habituelle, jeu habituel, promenade habituelle, lecture habituelle. [BOISTE.]

HABITUER, v. a. *J'ai habitué cet appartement, et j'y reste. Les bonnes d'enfants ont habitué la promenade de la Treille. J'aime mon cercle, je n'y rencontre que des personnes que j'ai habituées.* Toutes ces phrases sont autant de barbarismes.

† HABRE-SAC, s. m. Havre-sac. R. all. *Haber,* avoine.

† HACHIS, s. m. L'*h* de ce mot doit s'aspirer; mais dans le langage populaire on prononce *l'hâchis.* On prononce aussi *l'hareng, les-z-haricots, les-z-harnais, les-z-hasards, l'hai-ye* (la haie), *l'hibou, l'hangar, j'haïs* (je hais), *c'est-t-hideux, c'est-t-honteux,* etc., etc.

HACHON, s. m. Hache, petite hache. *L'hachon lui échappa des mains. Hachon* appartient au vieux français, et au patois du canton de Vaud. On dit à Bordeaux: *Hachot.*

HAMEÇON, s. m. L'*h* de ce mot n'est point aspiré. On dit: Prendre l'hameçon, mordre à l'hameçon. C'est donc par inadvertance, sans doute, que MM. Ch. NODIER et ACKERMANN, dans leur *Vocabulaire français* [1836], disent qu'il faut prononcer *le hameçon,* en aspirant l'*h.*

HANCHOIS, s. m. (*h* aspiré.) *Une salade de hanchois.* Écrivez sans *h,* «anchois,» et n'aspirez pas l'*a.*

HARENG, s. m. (fig.) Banc de sable, banc de gravier, îlot. *Les harengs de l'Arve. Tirer du sable de l'hareng.* (sic.) *L'Arve a tellement grossi pendant ces trois jours, qu'elle a emporté l'hareng.* «Nous voyons souvent dans le lit d'une rivière, une grande pierre retarder la vitesse des eaux, et occasionner un amas de sable et de gravier: de là naissent des HARENGS qui, etc.» [DE SAUSSURE, *Voyage dans les Alpes,* t. Ier, p. 245.]

† HASARD, s. m. Terme d'encan. *Miser un n-hasard.*

HASARD DU POT (LE). *Viens manger ma soupe quand tu voudras; c'est au hasard du pot.* On dit en France: La fortune du pot.

HAUT (LE). *Les gens du haut, les dames du haut, les bals du haut, etc. Se frotter contre les gens du haut; imiter, singer les gens du haut.* Ces expressions, d'un usage universel à Genève, ont besoin d'être expliquées aux étrangers. Notre ville, étant bâtie sur un coteau, se trouve naturellement divisée en *haute* et *basse* ville. Or, comme les familles aisées demeurent, pour la plupart, dans les quartiers du *haut*, on appelle *gens du haut*, les riches de ces quartiers, en tant du moins que leurs familles sont anciennes. Avec cette courte explication on comprendra sans peine ce passage des *Confessions* de J.-J. ROUSSEAU [liv. Ier]: «Il était, lui (Bernard, le cousin de Jean-Jacques), il était, lui, un garçon du *haut*; moi, chétif apprenti, je n'étais plus qu'un enfant de Saint-Gervais.»

HAUT, HAUTE, adj. Nous disons proverbialement d'un homme orgueilleux et fier: *Il est haut comme le temps*, c'est-à-dire: Il est excessivement fier et hautain. Expression languedocienne, etc.

HAUT-BANC, s. m. Sorte d'échoppe.

HAUT-DE-CORPS (UN). *Son cheval ne cessait de faire des hauts-de-corps.* Dites: Des hauts-le-corps.

HAUT GOÛT, s. m. Nous disons d'une sauce salée, poivrée, épicée: *Cette sauce a un haut goût.* L'Académie dit: «Cette sauce EST DE haut goût.»

HEM! Sorte d'exclamation. *Le jeu de hem!* s'appelle en français: Le jeu des quatre coins. *Faire à hem! Jouer à hem!*

HÉMORRHAGIE, s. f. Ce mot signifie: Perte considérable de sang. Ceux qui disent: *Une hémorrhagie de sang*, s'expriment très-mal.

HERBE À COCHONS, s. f. Renouée des oiseaux.

HERBE À ÉCURER, s. f. Prêle ou asprêle.

HERBE AUX POIS, s. f. Sarriette, savorée.

HERBE DES RAMONEURS, s. f. Orge sauvage.

HERBETTES, s. f. pl. Fines herbes pour le potage et pour la salade. *La saison des herbettes. Cueillir des herbettes.* Terme suisse-roman et languedocien. A Paris on appelle «Fourniture» les petites herbes destinées à la salade.

HERBOLAINES ou HERBOLAN-NES, s. f. pl. Herbes officinales. *Ramasser des herbolaines; sécher des herbolaines. Herbolan-nes* est la prononciation patoise de notre canton, du canton de Vaud et de la Savoie.

HERCE, s. m. Martin-pêcheur, alcyon.

HEURE, s. f. *À bonne heure*, est une locution qui a vieilli. On dit aujourd'hui: De bonne heure. Viens de bonne heure; viens de meilleure heure; viens de très-bonne heure. Expressions qu'il faut substituer aux trois suivantes: *Viens à bonne heure; viens plus de bonne heure; viens très de bonne heure.*

HEURE ET QUART. *Il est une heure et quart; il est midi et quart,* etc. Dites: Il est une heure ET UN quart; il est midi ET UN quart.

HEURES INDUES, s. f. pl. Nous disons: *Rentrer à des heures indues.* L'Académie dit: Rentrer à heure indue.

HEURE SÈCHE (L'). *Faire l'heure sèche,* signifie: Manger, vers dix heures du matin, un morceau de pain et de fromage, ou un peu de viande froide, ou chose semblable.

† HIER À SOIR. Hier au soir.

† HIRESSON, s. m. *L'hiresson se mit tout en boule.* Terme vieux français. Dites: Le hérisson.

HOMMASSE, s. f. *Une hommasse* est une femme dont la corpulence et les manières tiennent de celles de l'homme. Selon tous les dictionnaires, *hommasse* est un adjectif. «Une taille hommasse, un visage hommasse.» [ACAD.]

† HONTES (DES). *N'est-ce pas des z-hontes de rentrer si tard? N'est-ce pas des z-hontes de battre ainsi un enfant?* Dites au singulier, et en aspirant l'*h*: N'est-ce pas une honte?

HOQUET, s. m. (fig.) Obstacle, accroc. *Je m'intéresserai volontiers à votre requête, mais je crains fort que la chose ne fasse un hoquet, je crains fort qu'il n'y ait un hoquet.* «Hoquet» a été pris quelquefois, en français, pour: Heurt, accroc, au sens propre; mais jamais au sens figuré. L'expression genevoise mérite quelque attention.

HOQUETON, s. m. Sorte de vêtement d'enfant.

HORION, s. m. Coup rudement déchargé sur la tête ou sur les épaules. *Recevoir un n-horion; appliquer des z-horions.* «Horion» est français; mais l'*h* est aspiré.

HORLOGER, v. a. Ennuyer, fatiguer, importuner, sermonner, talonner. *Le bourgeois ne décesse de nous horloger.*

HORMIS QUE, conj. À moins que, si ce n'est que. *Hormis que ce soit mon frère, ne laissez entrer personne. Le bal a été peu amusant, hormis qu'on a eu un bon souper.* Cette conjonction appartient au vieux français.

HORS DE, prép. *Donnons-nous rendez-vous hors de ville?—Oui, on s'attendra hors de porte.* Expressions consacrées chez nous, et qui sont un reste du vieux français. On doit dire: Hors de la ville; hors de la porte.

HÔTEL, s. m. Malgré l'accent circonflexe, l'*ô* de ce mot doit être prononcé aussi légèrement que dans les mots *olive, orange, origine.* Ceux qui disent: *Une belle hôtel,* ajoutent une seconde faute à la précédente.

HOU! Exclamation de blâme ou de mépris. *Hou! le vilain; hou! le porc, qui ramasse les coraillons et qui les mange. Hou! le laid, qui fait enrager sa petite sœur.* Terme méridional, etc.

HOURIOU, s. m. Petit enfant. Voyez OURIOU.

HOUZET, HOUZET! Cri dont on se sert pour éloigner un chien, ou pour le chasser.

HUCHER (SE), v. pron. Se percher, jucher. *Où donc vas-tu te hucher?* Dans le Limousin et à Lyon, *hucher*, v. neutre, se dit des poules, et signifie: «Percher,» v. neutre.

HOUILLASSON, s. m. Colporteur d'huile, petit marchand d'huile.

† HUILE. Ce mot est féminin; mais dans le langage populaire nous disons: *Du bon huile; de l'huile d'olife fin,* etc. Cette faute existe en patois; elle existe dans le canton de Vaud, en Franche-Comté et dans tout le midi de la France. Au commencement du dix-septième siècle, le genre de ce mot n'était pas encore fixé.

HUILE, s. f. *Il tirerait de l'huile des pierres.* Se dit d'un intrigant actif, d'un homme hardi et entreprenant, à qui tout semble réussir. On dit en France: Il tirerait de l'huile d'un mur.

HUILE DE COUDE, s. fém. Dans le langage badin des domestiques et des maîtresses, l'*huile de coude,* c'est le frottage, c'est-à-dire: Le travail de la servante qui frotte. *Ces meubles, Madame, ne veulent pas devenir brillants.— C'est que, ma mie, tu y as sans doute économisé l'huile de coude;* c'est-à-dire: Tu as trop ménagé ton bras et tes forces.

HUILE DE RUSSIN, s. f. Huile de ricin.

HUITANTE, nom de nombre. Quatre-vingts. Aucun dictionnaire usuel n'a recueilli ce terme, qui est fort commode et fort usité en Suisse, en Savoie, en Franche-Comté et dans le Midi.

HURLUBRELU, s. m. Hurluberlu, étourdi, écervelé. On dit à Paris: *Un hustuberlu;* en Lorraine, *un huberlu.*

HUSSIER, s. m. Huissier. *Hussier* appartient au vieux français et au français populaire. Dans le dialecte de Valenciennes on dit: *Un lussier.*

HUTINS ou HUTAINS, s. m. pl. Guirlandes de vigne. Ce terme, qui n'est guère connu que dans le midi de la France, en Savoie et chez nous, a été pourtant recueilli par Boiste et par Mr Bescherelle. Dans le

Dauphiné on dit: *Autin*. Le *Complément* du dictionnaire de l'Académie définit le mot de «Hautain» par: «Vigne entrelacée à un arbre.»

FIN DU TOME PREMIER.

NOTE:

[1] On a suivi et mis à contribution, pour la rédaction de cette Notice, l'article nécrologique publié par M^r le professeur L. Vaucher, dans le *Journal de Genève*, numéros du 11 et du 12 octobre 1851.

Milton Keynes UK
Ingram Content Group UK Ltd.
UKHW011227280324
440101UK00007B/655